Danièle Clément

Linguistisches Grundwissen

WV studium   Band 173

Über die Autorin

Danièle Clément, geb. 1943 in Paris; docteur ès lettres; Studium der Germanistik in Paris; licence d'allemand 1966; doctorat de 3ème cycle in Sprachwissenschaft des Deutschen 1969 an der Universität Paris IV; doctorat ès lettres in Sprachwissenschaft 1980 an der Universität Paris VIII. 1969 Assistentin an der Universität Paris IV, 1970 Oberassistentin (ab 1974 mit einer Professur beauftragt) an der Universität Paris VIII, seit 1975 Professorin (Sprachwissenschaft des Deutschen, Allgemeine Sprachwissenschaft) am Fachbereich Sprach- und Literaturwissenschaften der Bergischen Universität Gesamthochschule Wuppertal. 1972-1989 Ko-direktorin der Forschungsgruppe DRLAV (Univ. Paris VIII/ CNRS) und Mitherausgeberin der Zeitschrift DRLAV; seit 1990 Mitherausgeberin der Zeitschrift TAL. Forschungsschwerpunkt: Syntax des heutigen Deutsch.
   Wichtigste Publikationen: Einführung in die generative Transformationsgrammatik (zus. mit Bechert/Thümmel/Wagner) 1970; Grundzüge einer syntax der deutschen standardsprache (zus. mit Thümmel) 1975; Elaboration d'une syntaxe de l'allemand 1982. Aufsätze zur Syntax einzelner Erscheinungen der deutschen Sprache sowie zu aktuellen Syntaxmodellen.

Danièle Clément

Linguistisches Grundwissen

Eine Einführung
für zukünftige Deutschlehrer

Westdeutscher Verlag

Die Deutsche Bibliothek – CIP-Einheitsaufnahme

Clément, Danièle:
Linguistisches Grundwissen: eine Einführung für
zukünftige Deutschlehrer / Danièle Clément. –
Opladen: Westdt. Verl., 1996
   (WV-Studium; Bd. 173: Linguistik)
   ISBN 3-531-22173-6

NE: GT

Der Westdeutsche Verlag ist ein Unternehmen
der Bertelsmann Fachinformation.

© 1996 Westdeutscher Verlag GmbH, Opladen

Umschlaggestaltung: Horst Dieter Bürkle, Darmstadt
Druck und buchbinderische Verarbeitung: Presse-Druck,
Augsburg
Gedruckt auf säurefreiem Papier
Printed in Germany

ISBN 3-531-22173-6

Inhalt

Vorbemerkung

Der Anteil der Sprachwissenschaft im Studium zukünftiger Deutschlehrer ist, u. a. wegen der Vielfalt der Studieninhalte innerhalb des Faches „Deutsch", bescheiden. Aus meiner Sicht in der Regel zu gering, insbesondere für zukünftige Grundschul- bzw. Primarstufenlehrer. In der knapp bemessenen Zeit, die für die Linguistik zur Verfügung steht, hat der Dozent vieles zu leisten: die Studierenden für das Fach interessieren, ihnen einsichtig machen, daß Linguistik für ihren zukünftigen Beruf von einschlägiger Bedeutung ist, und sie mit dem Fach, seinen Fragestellungen und Arbeitsmethoden vertraut machen, sie in die Lage versetzen, bei Bedarf fachwissenschaftliche Literatur (z. B. Werke zum Spracherwerb bei Kindern) oder fachwissenschaftlich orientierte Literatur (z. B. die Duden-Grammatik) zu verstehen.

Um möglichst viel Stoff in wenigen Unterrichtsstunden abzuhandeln, muß man auf die aktive Mitarbeit der Teilnehmer setzen können. Damit sie sich vorbereiten können, muß man Texte an sie verteilen; damit Sie überprüfen können, ob sie den Stoff verstanden haben, muß man ihnen Übungen aufgeben. Das vorliegende Lehrbuch ist bei dem Versuch entstanden, diesen Aufgaben gerecht zu werden: Da keine der mir bekannten deutschsprachigen „Einführungen in die Sprachwissenschaft" meinen Vorstellungen von einem Kurs für das genannte Publikum entspricht, habe ich „meinen" eigenen Text verfaßt; „nach Maß", d. h. nicht zu technisch, terminologisch konsequent, möglichst so verständlich, daß er vor der jeweiligen Sitzung gelesen werden konnte. Die kostbare Unterrichtszeit mußte nicht für eine vorlesungsartige Präsentation des Stoffes vergeudet werden, sondern konnte für die Klärung und Illustration der schwierigen Stellen, für Diskussionen und Übungen genutzt werden. Text und Übungen sind in mehreren Einführungsveranstaltungen erprobt worden und haben viel von den Reaktionen meiner Wuppertaler Studentinnen und Studenten profitiert.

Selbst in einer vierstündigen Lehrveranstaltung ist es erfahrungsgemäß nicht möglich, den ganzen Inhalt dieses Buches gründlich zu behandeln, und jeder Dozent wird eigene Schwerpunkte setzen. Aber auch jene Passagen, die in der Lehrveranstaltung aus Zeitmangel nicht ausführlich besprochen werden, sollten die Studenten zur Kenntnis nehmen. Der Stoff des Buches ist so gewählt, daß er alles umfaßt, was ein zukünftiger Deutschlehrer aus meiner Sicht an Sprachwissenschaft

mindestens wissen sollte. Jeder, der die deutsche Sprache lehrt, sollte
ja minimale Kenntnisse über die Struktur der deutschen Sprache und
über die heutige Sprachwissenschaft im allgemeinen haben, mindestens so viel, daß er weiß, was er tut, wenn er den Kindern das vermit-
telt, was in den Lehrbüchern steht, oder wenn er „Fehler" korrigiert
und bewertet.

Wenn ich sage, ein künftiger Lehrer sollte über sprachwissenschaft-
liche Kenntnisse verfügen, dann meine ich damit nicht einfach, daß er
auf diesem Gebiet „gebildet" sein muß. Sprachwissenschaft ist für den
Deutschlehrer nicht bloß Allgemeinbildung. Er muß nicht lernen, was
de Saussure unter „sprachlichem Zeichen" verstanden hat, wer Chomsky ist, was edle Termini wie „Substantiv", „Subordination", „Semio-
tik", „Syntagma", „Zirkumfix" und „Kernsatz" bezeichnen (können)...
Es geht ums Verstehen: Er muß Grundbegriffe der Sprachwissenschaft
in ihren Zusammenhang einordnen können (ein Mindestmaß an Terminologie ist dabei nur Mittel zum Zweck), um sprachliche Erscheinungen sprachwissenschaftlich, d. h. vorurteilsfrei, nicht einfach intuitiv und mehr oder weniger ad hoc, analysieren und gegebenenfalls bewerten zu können. Anders gesagt: Mein Ziel ist nicht gewesen, den
Studierenden zu erzählen, was Sprachwissenschaftler tun, sondern dies
ihnen zu erklären. Man muß den Inhalt dieses Buches nicht lernen,
man muß ihn verstehen. Deswegen ist das Buch, trotz vieler Lücken,
so umfangreich.

Nicht nur, um Spaß an der Linguistik zu erzeugen, sondern auch,
um die Diskrepanz zwischen dem fachwissenschaftlichen Studium und
der Realität des zukünftigen Alltags im Umgang mit Kindern nicht
allzu groß werden zu lassen, habe ich viel Illustrationsmaterial einbe-
zogen, und dies sowohl im Text als auch in den Übungen. Viele Beispiele sind „aus dem Leben gerissen" (Graffiti, mehr oder weniger be-
kannte Witze (viele wurden der kostbaren Sammlung von Salcia Sand-
mann „Jüdische Witze" entnommen), Werbesprüche...), d. h. Quellen,
zu denen jedes Kind Zugang hat. Unter der Rubrik „Zugabe" habe ich
in einigen Kapiteln Beispiele von linguistischen Analysen einschlägig
gewählter Sprüche gebracht, weil sich viele Studienanfänger erfahrungsgemäß schwer tun, wenn es darum geht, die im jeweiligen Kapitel
vorgestellten Analysewerkzeuge am konkreten Fall einzusetzen, d. h.
ausdrücklich zu sagen oder zu schreiben, wodurch die Leser oder Hörer eines Spruchs aufmerksam gemacht oder zum Lachen gebracht werden.

Die Übungen sind von unterschiedlichem Schwierigkeitsgrad und
haben unterschiedliche Funktionen: Manche dienen lediglich der Kontrolle, daß der Text verstanden wurde. Andere haben die Funktion, die
Studenten in die Bibliothek zu schicken, um Nachschlagewerke zu
konsultieren (z. B. Herkunftswörterbücher oder Wortbildung). Manche

wiederum sind als Anregung zu verstehen, auf bestimmte Fakten zu achten (z. B. Auffälligkeiten bei der Artikulation deutscher Laute durch Ausländer oder dialektbeeinflußte Sprecher). Ich habe aus mehreren Gründen keine Lösungsansätze für die Übungen vorgeschlagen: Erstens gibt es für viele Übungen nicht nur eine, sondern mehrere vertretbare Lösungen. Zweitens sollte jeder Dozent selbst die Freiheit haben, aus der Diskussion um die Übung das in den Vordergrund zu stellen, was er für richtig und wichtig hält.

Den Einstieg bildet das Kapitel „**Wortschatz**", weil jeder Laie eine intuitive Vorstellung davon hat, was ein Wort ist: Eine Vorstellung, die man ohne allzu großen formalen oder technischen Aufwand als Ausgangspunkt der Diskussion nehmen kann. Ausgehend von der Frage, ob man den Umfang eines Wortschatzes zu einem präzisen Zeitpunkt, sagen wir „heute", festlegen kann, wird das Problem diskutiert, was eigentlich unter „Wort" verstanden wird (orthographisches Wort? Wort als minimale mit Bedeutung versehene sprachliche Einheit? Wort als feste Form (mit einer oder mehreren Bedeutungen) oder Wort als feste Verbindung von Form und Bedeutung? u. a.). Ferner wird illustriert, daß sich der Wortschatz einer Sprache ständig verändert, insbesondere unter dem Einfluß von fremden Sprachen: Zählen die Fremdwörter zum deutschen Wortschatz? Welche Faktoren tragen zur Integration eines ursprünglich fremden Wortes in die deutsche Sprache bei? Dann werden unterschiedliche Gesichtspunkte angesprochen, die es ermöglichen, den Wortschatz einer Sprache zu strukturieren: Etymologie, Semantik, die klassische Einteilung der Wörter in Wortarten und schließlich die Wortbildung (einfache vs. komplexe Wörter, darunter Zusammensetzungen vs. Ableitungen). Das Kapitel endet mit Überlegungen, die den Übergang von der Wortbildung zur Syntax (Kombinatorik) erleichtern sollen: mit dem Vergleich zwischen den Beziehungen zwischen den Bestandteilen eines komplexen Wortes und den Beziehungen zwischen den Teilen eines Satzes.

Das Kapitel „**Syntax**" ist das ausführlichste, weil die Notwendigkeit, sich mit Syntax zu befassen, erfahrungsgemäß den Studienanfängern nicht unmittelbar einleuchtet. Im Zentrum dieses Kapitels stehen zwei Ziele: Zum einen ging es mir darum, so viel von der Syntaxforschung zu vermitteln, wie nötig, um die Studierenden in die Lage zu versetzen, jedes für sie einschlägige Syntaxbuch zu verstehen. Zum anderen wollte ich die Studierenden mit dem Werkzeug vertraut machen, mit dem man plausible syntaktische Analysen von Sätzen (auch komplexen) durchführen kann. Dies führt hin bis zur Unterscheidung zwischen Tiefen- und Oberflächenstruktur, allerdings nicht zur heute allgemein vertretenen Form der Generativen Grammatik, die meines Wissens noch nicht in den Schulbüchern ihren Niederschlag gefunden hat. Ein Exkurs über Generative Grammatik sollte die Neugierde einzelner Studenten vorerst – in großen Zügen – befriedigen. Der Abschnitt über Dependenzgrammatik soll helfen, manche Grammatiken und Lehrbücher zu verstehen, die – auf mehr oder weniger konsequente Weise – von dependenzgrammatischen Begriffen und Strukturen Gebrauch machen (wie z. B. die Duden-Grammatik), und außerdem – kontrastiv – die Charakteristiken der Konstituentengrammatik besser einzuordnen.

In zwei Punkten, die voneinander nicht völlig unabhängig sind, weicht meine Präsentation der Syntax von der der meisten Einführungen ab: zum einen durch die ausdrückliche Unterscheidung zwischen dem „syntaktischen Wort" (der atomaren syntaktischen Einheit, die den sog. „terminalen Symbolen" einer Konstituentensyntax entspricht) und dem „morphologischem Wort"; zum anderen in der Diskussion um die Rolle der Wortstellung in der syntaktischen Struktur und meinem Plädoyer dafür, Wortstellung nicht als syntaktische Beziehung, sondern lediglich als Teilreflex der syntaktischen Beziehungen, auf jeden Fall als Ausdrucksmittel, also als morphologisches Phänomen zu betrachten und zu behandeln. (Siehe auch das Ende von Kap. 3.) Mir ist klar, daß ich vor allem durch letztere Entscheidung Gefahr laufe, manche Dozenten zu irritieren. Aber ich würde es begrüßen, wenn zu diesem Problem, das vor allem im Rahmen der Chomsky-Grammatik so wesentliche Folgen hat, eine sachlich-kritische Reflexion in Gang käme.

Mit dem Kapitel „**Morphologie**" komme ich zur Flexionsmorphologie, deren Bezug zur Syntax nun klarer dargestellt werden kann; denn die Form, die ein Satz einzunehmen hat, hängt u. a. von den syntaktischen Beziehungen zwischen seinen Teilen ab, also von der syntaktischen Struktur. Wegen der defizitären Kenntnisse der meisten Studienanfänger mit Deutsch als Muttersprache in puncto „morphologisches Formeninventar", werden einige Beispielparadigmen ausführlich vorgestellt. Ich hoffe, daß die Studierenden daraufhin von sich aus ihre „Paradigmata" auffrischen. Meine Präsentation der Morphologie ist ansonsten von der Frage der Komplexität bzw. Ökonomie gelenkt, eine Perspektive, die ich im Hinblick auf Spracherwerb und Sprachunterricht, aber auch auf Sprachwandel für aufschlußreich halte.

Auf die Morphologie folgt die Semantik („**Bedeutung und Verstehen**"), obwohl – so viel ich sehe – die Kapitel 4 und 5 ohne Schwierigkeit hätten vertauscht werden können. Zu Beginn des Kapitels wird unter „Wortbedeutung" (in Ergänzung zu dem, was hierzu im 1. Kapitel steht) die Frage angesprochen, was Bedeutung ist. Dann wird zur Analyse der Bedeutung komplexer Ausdrücke (Satzsemantik) auf informelle Art die Logik bemüht, ohne die ja keine ernstzunehmende Semantik auskommt. Durch zahlreiche Beispiele habe ich zu zeigen versucht, daß die Logiksprache ein nützliches Arbeitsinstrument für den

Semantiker ist, um aber unter „Textverstehen" (s. 5.3) und vor allem „Kommunizieren" (s. 5.4) umso deutlicher zu zeigen, daß in Verstehensprozessen viel mehr als nur eine wie auch immer im einzelnen aussehende „natürliche" bzw. „Alltagslogik" eine Rolle spielt. Ich habe bewußt keine akademische Diskussion darüber geführt, wo die Semantik aufhört und die Pragmatik beginnt. Mir war es wichtiger, die Komplexität des Verstehens und des Kommunizierens vorzuführen, das Interagieren von sprachlichem und nichtsprachlichem Wissen.

Zurück zur lautlichen Form der sprachlichen Ausdrücke führt Kapitel 5 („**Lautlehre**") mit einer kurzen Skizze der artikulatorischen Phonetik und der Definition des Phonems, eines meines Erachtens für die Sprachwissenschaft zentralen Beispiels des methodologischen Prinzips der Abstraktion. Hier wird auch die Orthographie als eine Konvention u.a. zur Notierung von phonologischer Struktur angesprochen: Es liegt auf der Hand, daß das Thema „Orthographie" bzw. „Orthographiereform" zukünftige Lehrer unmittelbar betrifft. Wegen der leicht beobachtbaren Varietät in der Lautstruktur im deutschsprachigen Bereich (Dialekte bzw. regional gefärbte Vielfalt des Standarddeutsch) erlaubt dieses Kapitel einen leichten Übergang zur Soziolinguistik (Kapitel „**Sprache und Gesellschaft**").

Kapitel 7 („**Sprache und Individuum**") ist der Sprachfähigkeit als einem individuellen Phänomen gewidmet. Angesprochen werden also Themen der Psycholinguistik (Sprachstörungen, Spracherwerb, Sprachverarbeitung usw.).

Die Kapitel 6 und 7 sind deswegen so kurz, weil der Inhalt der Kapitel 1 bis 5 allein eine vierstündige Einführungsveranstaltung schon mehr als reichlich ausfüllt. Meine Überzeugung ist, daß man nur dann über gruppenspezifisches oder altersmäßiges Sprachverhalten Genaues sagen kann, wenn man mit den in den ersten 5 Kapiteln erworbenen Kenntnissen und Fähigkeiten am konkreten Material arbeiten kann: Kapitel 6 und 7 setzen Kapitel 1 bis 5 voraus, nicht umgekehrt. Außerdem ist das Interesse der Studienanfänger für sozio- und psycholinguistische Fragen eher vorhanden als etwa das für Grammatik: Deswegen rechne ich in diesen Gebieten mit einer größeren Bereitschaft zum Selbststudium, was ja durch die Lektüre mancher der genannten Arbeiten geschehen könnte. Der Kürze dieser beiden Kapitel entsprechend sind die Aufgaben lediglich als „Anregungen zur Vertiefung" zu verstehen, als Hinweise auf Problemkomplexe.

Manche Kollegen werden möglicherweise bedauern, daß kein Kapitel dem Bereich „Sprachwandel" gewidmet wird: Weil ich den zukünftigen Lehrern an konkreten Beispielen vorführen wollte, daß dieses Thema auch für sie einschlägig ist, habe ich es vorgezogen, den Sprachwandel an verschiedenen Stellen unter Wortschatz (Etymologie, Sprachkontakt/Fremdwörter, Entstehen und Sterben von Einzelwörtern, Bedeutungswandel), Morphologie und Phonologie (Lautgesetze), punktuell zu thematisieren. Ich glaube, daß man diese Entscheidung durch die Tatsache rechtfertigen kann, daß Kenntnisse über Entstehung und Entwicklung mancher sprachlicher Phänomene anderer Natur sind als die, die der sog. „Sprachkompetenz" zugeordnet werden – und außerdem in der Performanz der Grundschüler keine Rolle spielen. Das Bewußtsein, daß sich die Sprache mit der Zeit verändert, entsteht erst dann, wenn die Kinder mit früheren Varianten des Deutschen konfrontiert werden oder wenn sie selbst Zeuge von Innovationen (vor allem im Wortschatz) sind.

Insbesondere in den ersten Kapiteln 1 bis 5 bin ich mit der Erwähnung weiterer Literatur sehr sparsam umgegangen. Zum einen wollte ich möglichst nur solche Werke zitieren, die meine Adressaten nicht irritieren sollten, d. h. die ihnen verständlich und mit dem von mir gebrachten Inhalten konform sind. Zum anderen gehe ich nicht davon aus, daß sich viele die Zeit nehmen, durch eigene Lektüre den behandelten Stoff zu vertiefen oder gar zu erweitern. Als nützliche Hilfe bei der Suche nach Erläuterungen und Literaturhinweisen zu punktuellen Fragen seien Bußmann (1990) und Glück (1993) empfohlen.

Dieses Lehrbuch ist vor allem für Primarstufen-Studenten geschrieben; nichtsdestoweniger sollten nach meiner Überzeugung auch Sekundarstufen-Studenten mit dem hier vermittelten Stoff ebenso vertraut sein wie Magisterkandidaten in einem sprachwissenschaftlichen Fach. Nur: Eine Einführung in die Sprachwissenschaft in Studiengängen, in denen der Anteil der Sprachwissenschaft wesentlich größer ist, insbesondere in Magisterstudiengängen mit Schwerpunkt Linguistik (oder gar im eigenen Fach Linguistik), müßte anspruchsvoller sein und vor allem ausführlicher die Themen behandeln, die in der heutigen internationalen Linguistik diskutiert werden. Ob durch angemessene Erweiterungen diese Einführung zu einem Standardskript für alle Studienanfänger werden kann oder soll, ist noch offen.

Da diese Einführung meines Erachtens das Minimum enthält, was jeder Lehrer, der mit Sprache zu tun hat, über Sprache und Sprachwissenschaft wissen sollte, wünsche ich mir natürlich, daß sie auch von bereits aktiven Lehrern zur Kenntnis genommen wird. Es wäre für uns Linguisten sicher nützlich, wenn durch ein solches Buch ein Dialog zwischen Ausbildern und schon Ausgebildeten in Gang käme.

Es ist die drastische Erhöhung der Anzahl der Grundschullehramtsstudenten in den letzten Jahren, die mich dazu bewegt hat, eine Einführungsveranstaltung für sie zu konzipieren. Aber ohne die Aufmunterung und finanzielle Starthilfe des Wuppertaler Instituts für Schulforschung und Lehrerbildung (ISL) hätte ich vielleicht den Mut nicht gehabt, aus diesem Konzept, aus einer bescheidenen Loseblattsammlung, ein Lehrbuch zu machen. Unterstützt wurde dieses Projekt auch vom

Fachbereich Sprach- und Literaturwissenschaften der Bergischen Universität Gesamthochschule Wuppertal, der mir zusätzliche Hilfskraftsmittel zur Verfügung stellte. Beiden Institutionen sei hier gedankt. Das Geld wäre aber nicht viel wert gewesen, hätte nicht Simone Rathmann von Anfang an und bis zur Erstellung der Druckvorlage ihr ganzes Engagement und ihr technisches Können in den Dienst dieses Unternehmens gesetzt, ohne es sich je verdrießen zu lassen, wenn ich wieder einmal mit Korrekturwünschen kam – von ihren zahlreichen konstruktiven Anregungen zum Inhalt ganz zu schweigen.

Das sofort artikulierte Interesse des Westdeutschen Verlags, die Kooperationsbereitschaft von Herrn Dr. Schäbler verlieh uns den Schwung, das Vorhaben zügig zum Ziel zu bringen. Ich danke dem Westdeutschen Verlag für sein Vertrauen und seinen effektiven Einsatz.

Einige eifrige Studentinnen haben freundlicherweise eine Vorfassung des ganzen Buches kritisch gelesen und kommentiert: Ich danke Rita Herweg und ganz besonders Anja Kirschbaum. Auch einigen Kolleginnen und Kollegen verdanke ich Verbesserungsvorschläge; genannt seien Renate Steinitz und Wolf Thümmel (Kap. 2), Nina Fuhrhop (Kap. 3), Ewald Lang (Kap. 4), Ursula Kleinhenz und Bernd Pompino-Marschall (Kap. 5), Peter Scherfer (Kap. 6 und 7) und Barbara Lenz.

Ich muß nicht sagen, daß ich allein die Verantwortung trage für alles, auch für die Fehler, die mit Sicherheit noch im Buch stecken. Aber ich sage es trotzdem (s. Kap. 4!).

Wuppertal, im Juli 1996   Danièle Clément

1 Der Wortschatz

1.1 Über den Wortschatzumfang

Das Große Wörterbuch der deutschen Sprache (Duden 1977) enthält über 500.000 Stichwörter, Wahrigs Deutsches Wörterbuch (1968) sowie das Deutsche Universalwörterbuch (Duden 1983) 120.000 Stichwörter, somit mehr als die ca. 70.000 Wörter des „zentralen Wortschatzes der deutschen Sprache". Daß Wörterbücher in ihrem Umfang so voneinander verschieden sind, liegt nicht nur daran, daß sie verschiedene Benutzergruppen als Adressaten haben, sondern auch an zahlreichen grundsätzlichen Entscheidungen der jeweiligen Lexikographen: Welche Wörter werden als schon/noch zum deutschen Wortschatz gehörig betrachtet? Welche komplexen Wörter werden wie einfache behandelt? Wie werden idiomatische Redewendungen aufgenommen? Wenn ein Wort mehrere Lesarten hat (z. B. *Ball*), wird es nur einmal oder mehrmal gezählt? usw.

Auf den ersten Blick könnte man meinen, ein Stichwort im Wörterbuch sei ein zusammengeschriebenes Wort (z. B. *Frühstück* oder *Tusche*). Schlägt man nach diesen Wörtern in einem deutsch-französischen Wörterbuch nach, findet man als Entsprechungen *petit déjeuner* bzw. *encre de Chine*. Soll das heißen, daß die französische Sprache über weniger Wörter als die deutsche verfügt (*petit=klein*; *déjeuner=Mahlzeit, Essen*; *encre=Tinte*; *Chine=China*)? Oder soll man *petit déjeuner* und *encre de Chine* als je ein Wort zählen, obwohl es sich im orthographischen Sinne um getrennt geschriebene handelt? Der Vergleich mit dem Französischen deutet darauf hin, daß man „Wort" im Sinne von „Lexikoneintrag" nicht notwendigerweise mit „Wort" im orthographischen Sinne gleichsetzen muß. Und daß man nicht unreflektiert annehmen kann, daß je umfangreicher der Wortschatz, umso ausdrucksreicher die Sprache. Wir werden in Abs. 1.2–1.4 an ausgewählten Beispielen zeigen, warum es nicht nur schwierig, sondern grundsätzlich unmöglich ist, „die" Wörter einer Sprache zu zählen.

Auch die (genau genommen unlösbare) Frage, was „die" deutsche Sprache ist, ist Grund dafür, daß kein Konsens über den Umfang ihres Wortschatzes bestehen kann: Manche Lexikographen nehmen großzügig veraltete Wörter, Fachwörter, dialektal gefärbte Wörter, Fremdwörter usw. in den Bestand auf, während andere restriktiver vorgehen. (➟ Übung 1).

Jede Zählung des Wortschatzes ist insofern grundsätzlich problematisch, als der Wortschatz ein offenes System darstellt, das einem ständigen Wandel unterliegt und jederzeit erweiterungsfähig ist. Der Wortschatz eines einzelnen Sprechers einer Sprache enthält Wörter aus verschiedenen Mundarten, aus Varietäten unterschiedlicher sozialer Schichten, Berufsgruppen usw. sowie verschiedener Stilebenen (vgl. Kap. 6). Wer z. B. Linguistik betreibt, muß sich den sog. „Fachwortschatz" der Linguistik aneignen; solche speziellen Wortschätze stehen dem Wortschatz der sog. „Gemeinsprache" gegenüber. Durch immer neue Erkenntnisse in Wissenschaft und Technik, aber auch durch Neuerungen im kulturellen und gesellschaftlichen Bereich muß sich der Wortschatz durch neue Bildungen erweitern. Dies geschieht vor allem durch **Neuschöpfungen** und **Neubildungen**, **Entlehnungen** aus Fremdsprachen, Mundarten oder regionalen Umgangssprachen, Wiederbelebung alten Wortgutes und Bedeutungserweiterung (s. u.).

1.2 Definitionsversuch des Begriffes „Wort" – Was ist ein Wort?

So irritierend es auch ist, das Wort *Wort* bezeichnet keinen wissenschaftlichen Begriff aus der Linguistik. Jeder deutsche Schulabgänger hat eine intuitive Vorstellung von dem, was ein Wort ist, aber eine exakte, für alle Linguisten verbindliche Definition liegt dieser Vorstellung nicht zugrunde. Wenn eine scheinbare Definition von *Wort* aus der Feder eines Linguisten stammt, dann im Rahmen einer Kommunikation mit Laien. Wir werden daher keine wissenschaftliche Definition von *Wort* anstreben, sondern ausgehend von einem Wörterbucheintrag zeigen, inwiefern das allgemeine Verständnis des Begriffs Wort linguistisch ungenügend, inadäquat ist. Wir zitieren das Stichwort *Wort* aus dem „Wörterbuch der deutschen Gegenwartssprache" von Klappenbach/Steinitz (1977):

(1) Wort, das; -(e)s, Wörter/-e/*Verkl.*: Wörtchen, Wörtlein/ /*Pl.* Wörter, *auch* Worte/*ein- oder mehrsilbige selbständige sprachliche Einheit mit einem bestimmten Bedeutungsgehalt* [z. B. ...einsilbiges Wort...]

(2) /*Pl.* Worte/*mündliche oder schriftlich formulierte, sinnvolle Äußerung, Bemerkung* [z. B. ...mahnende Worte...]

(3) /ohne Pl.; ohne Verkl./*mündliche Darlegung, Äußerung von Gedanken zu einem bestimmten Thema vor einem bestimmten Publikum* [z. B. ... sich zu Wort melden...]

(4) /Pl. Worte; ohne Verkl./*Zitat* [z. B. ein bekanntes Wort... ein Wort von Goethe...]

(5)   /ohne Pl.; ohne Verkl./*(mündliches) Versprechen, (mündliche) Zusa-*
ge, Ehrenwort [z. B.... er gab ihr sein Wort...; jmd. hält sein Wort]."

Die Lesarten 2 bis 5 können wir außer acht lassen, da sie eher auf die globale Funktion der Rede („Mitteilung", „Formulierung", „Aussage", „Versprechen" (Lesart 5)) Bezug nehmen als auf eine formal definierbare sprachliche Einheit: Sie haben eine gewissermaßen „kollektive" Bedeutung, was sich daran zeigt, daß es für sie entweder keine Pluralform oder *Worte* (und nicht *Wörter*) als Pluralform gibt.

Für uns interessant ist die erste Lesart, nach der sich der Begriff „Wort" auf eine aus Form und Inhalt bestehende Einheit bezieht, auf das, was wir suchen, wenn wir ein Wort in einem Wörterbuch nachschlagen. Dieser erste Eintrag ähnelt sehr der Erläuterung, die der Linguist Engel zu Beginn seiner „Deutschen Grammatik" gibt – um gleich das „schier ausweglose Gestrüpp von Fragen, Schwierigkeiten, Widersprüchen" zu erwähnen, in das ein solcher Wort-Begriff führt :

„Wörter sind kleinste relativ selbständige sprachliche Einheiten, und sie haben eine eigene Bedeutung" (1988:15).

Unklar ist zunächst, was das Wort „**selbständig**" auf sprachliche Einheiten bezogen bedeuten kann. Vermutlich ist syntaktische Selbständigkeit gemeint, aber dann muß man wissen, in welchem syntaktischen Rahmen man sich bewegt. Ist gemeint, daß ein Wort unterschiedliche Funktionen im Satz ausüben kann? Oder im Satz beweglich ist? Oder ist „selbständig" orthographisch (ohne Spatien) gemeint? Oder morphologisch?

Steinitz/Klappenbach beschränken sich nicht auf „**kleinste**" sprachliche Einheiten, was zur Folge hat, daß deren Definition erstens auch auf komplexe Ausdrücke wie *der Oberbürgermeister der Stadt Wuppertal* oder *Erdbeben in Japan* zutrifft oder gar auf Sätze (*Es regnet.*). Eine Definition sollte nicht nur Eigenschaften aufzählen, sondern so präzise sein, daß sie nur für die zu definierenden Objekte gilt und so diese von benachbarten Objekten abgrenzt. Eine Wort-Definition, die aus jedem Satz ein Wort macht, ist unbrauchbar!

Auf der anderen Seite muß in Zweifel gezogen werden, daß Wörter per Definition die „kleinsten Einheiten" darstellen, da sie nämlich komplex, zerlegbar sein können. Das Wort *Kindheit* z. B. besteht aus einem freien Morphem (s. u.), das selbständig als Wort auftreten kann (*Kind*), und einem **Suffix** *-heit*, das nicht ohne ein Wort wie *Kind* (oder auch *schön* oder *belesen*) auftreten kann; dies wird in der Wortbildung (explizite) **Derivation** genannt (s. 1.8.2). Das Wort *Kindergarten* ist aus zwei nominalen Bestandteilen zusammengesetzt (dieser Vorgang wird in der Wortbildung als **Komposition** bezeichnet (s. 1.8.1)), wobei der erste Bestandteil sich weiter zerlegen läßt in *Kind* und *-er*, ein Suffix, das hier die Mehrzahl (Plural) kennzeichnet (vgl. Kap. 3).

Fragt man nach der Zahl der Wörter etwa in der deutschen Sprache, dann erwartet man nicht, daß *Kind* und *Kinder* gesondert gezählt werden: Man betrachtet *Kind* und *Kinder* (sowie *Kindes* und *Kindern*) als „Formen" ein und desselben Wortes *Kind*. Dasselbe gilt für *singen, singe, singst, singt, sang, gesungen...*). Morphologisch unterscheiden sich *Kind* und *Kinder*, aber wenn man den Wortschatz einer Sprache erfassen will, geht man von der unflektierten Form *Kind* („Nominativ" bedeutet ursprünglich „Nenn-Fall") bzw. *singen* (Infinitiv) aus.

Um das unklare Wort *Wort* zu meiden, wird für „**kleinste bedeutungtragende Einheit der Sprache**" in der Linguistik der Terminus **Morphem** eingeführt: Ein Morphem kann tatsächlich nicht ohne Bedeutungsverlust weiter zerlegt werden kann (z. B. *sie, gut, Fell, Kind, -er, -heit...*). *Kind* ist ein Morphem, weil es eine bestimmte Bedeutung hat, aber nicht aus zwei jeweils mit eigener Bedeutung versehenen Elementen *Ki* und *nd* besteht. Das Wort *Kindheit* ist eine Kombination von zwei Morphemen *Kind* und *heit* (*heit* hat eine zwar sehr abstrakte Bedeutung, es hat aber doch eine Bedeutung, sagen wir „Eigenschaft", „Zustand" bzw. hier „die Zeit, in der X in diesem Zustand ist"). Morpheme wie *heit* werden als **gebundene** Morpheme bezeichnet, weil sie nicht ohne eine Stütze wie *Kind* oder *frei* in einem Satz oder Teilsatz auftreten können, Morpheme wie *Kind* oder *frei* oder auch *sie* werden **freie** Morpheme genannt, weil sie in einem noch zu präzisierenden Sinne selbständig auftreten können.

Untersucht man die Form(en) der Wörter einer Sprache, dann betreibt man **Morphologie** (Formenlehre). Darunter ist zweierlei zu verstehen:

a)   Wie sind die Wörter (lexikalischen Einheiten, etwa Stichwörter in einem Lexikon/Wörterbuch; bisweilen **Lexeme** genannt) gebildet? Sind es einfache, nicht weiter zerlegbare Einheiten wie *Kind* und *singen* oder komplexe wie *Kindheit* und *vorsingen*?

b)   Welche verschiedenen Formen können die Wörter im Sinne von a) erhalten (*Kinder, singt, singt... vor*) und unter welchen Bedingungen?

a) ist der Bereich der Wortbildungsmorphologie, b) der der sog. Flektionsmorphologie. Wir befassen uns in diesem Kapitel nur mit ersterer, da nur sie für die Diskussion um den Wortschatzumfang relevant ist. Auf letztere gehen wir in Kap. 3 ein.

Viele Wörter, die heute als **Simplizia** (sg. Simplex) (d. h. nicht zusammengesetzt oder abgeleitet) aufgefaßt werden, sind eigentlich historisch komplex: Das Wort *Telefon* ist ein **Kompositum** aus dem griechischen Adjektiv *telé* („fern, weit") und dem griechischen Nomen *phoné* („Stimme"). Im Englischen hat man sogar das **Kurzwort** *phone* daraus gebildet (Kurzwörter im Deutschen sind z. B. *Porno, Uni,*

Krimi, Abo). Das Wort *Welt* entspricht dem altgermanischen Substantiv *weralt*, das eine Zusammensetzung aus *wer*, dem althochdeutschen Wort für „Mann" oder „Mensch", und **alt*, einem im Althochdeutschen nicht belegten Wort für „Welt", „Zeitalter", ist. *Spiegel* stammt von dem lateinischen Verb *specere* („sehen", „schauen"), das aber in der klassischen Zeit nicht als Simplex, sondern nur in Komplexen wie *aspicere* („hinsehen") zu finden ist. Mit anderen Worten: Nicht alle Wörter, die heute als „kleinste Einheiten" empfunden werden, sind ihrer Herkunft nach einfach. (➡ Übung 2).

Eine weitere nur scheinbar einfache Wortform stellt das **Abkürzungswort** dar. Es wird aus den Anfangssilben oder -buchstaben gebildet, z. B. *NATO* (*North Atlantic Treaty Organisation*), *Stino* (*Stinknormal* im Jargon der Skins). (➡ Übung 3).

Wenn man die ursprüngliche Struktur von Kurz- oder Ableitungswörtern noch rekonstruieren kann, faßt man sie intuitiv als komplex auf, wenn man es nicht kann wie bei *Welt* oder *Spiegel*, dann faßt man sie aus der gegenwärtigen Perspektive als einfach auf. (➡ Übung 4).

Dasselbe geschieht bei den durch **Kontamination** gebildeten Wörtern, z. B. engl. *smog* aus *smoke* und *fog, brunch* aus *breakfast* und *lunch*, *motel* aus *motor* und *hotel*, frz. *franglais* aus *français* und *anglais, denglisch* aus *deutsch* und *englisch*. Hier werden zwei Ausdrücke zu einem neuen Ausdruck verbunden, den dann nicht jeder Sprachbenutzer in seine Bestandteile zerlegen kann – obwohl es nützlich für deren Verstehen ist, wenn man weiß, wie sie entstanden sind (vgl. auch *Compusex, Schmidteinander*). (➡ Übung 5).

Man nennt nicht mehr zerlegbare, „untransparente" (undurchsichtige) Bildungen **unmotivierte** Wortbildungen. Im Gegensatz dazu gelten Wortbildungen als **vollmotiviert**, wenn sich die Gesamtbedeutung aus den Bedeutungen der einzelnen Bestandteile ablesen läßt, z. B. *Spülmaschine*. Ob ein Wort als durchsichtig (motiviert) oder nicht (oder zum Teil motiviert, vgl. *Hochzeit, Honigmond, Schweinehund*) empfunden wird, hängt vom Bildungsstand des Sprechers ab: Nur wer des Lateinischen mächtig ist, kann *individuell* zerlegen (*in* „nicht"; *dividere* „teilen"); wie generell für Etymologie (s. 1.4) ist hier deutlich, daß ein Sprecher auch mit Wörtern umgehen kann, deren Herkunft zu erklären er nicht in der Lage ist.

Kommen wir zum zweiten Teil der Definitionsversuche von Steinitz/Klappenbach und Engel zurück. Dort hieß es „[...] und sie haben **eine eigene Bedeutung**" bzw. „mit einem bestimmten Bedeutungsgehalt". Man kann annehmen, daß ein Wort einer Vorstellung von einem Gegenstand, einem Sachverhalt oder einer Eigenschaft usw. aus der Welt entspricht. Mit dem Wort *Sonne* z. B. kann man sich auf das (außersprachliche) Objekt beziehen, das die Erde erwärmt. Auch mit

dem Pluralmorphem *-er* verbinden wir eine Vorstellung, nämlich die
der Mehrzahl (*Kinder=Kind* + Mehrzahl).

Im allgemeinen ist die Beziehung zwischen der Wortform und ihrer
Bedeutung **arbiträr** (willkürlich). D. h.: Zwischen dem **Bezeichneten**
(der außersprachlichen Realität) und dem **Bezeichnenden** (dem sprachlichen Zeichen) besteht eine beliebige, unmotivierte Beziehung: Es gibt
keine Eigenschaften des Bezeichneten (z. B. der Sonne oder des Mon-
des), die es erwartbar machen, daß die Lautform, mit der auf sie referiert wird, so beschaffen ist, wie sie ist (etwa: Vokal „o", weil beide
rund sind!). Wäre es so, dann würde man eine deutlichere lautliche
Ähnlichkeit zwischen den Wörtern für *Sonne* und *Mond* in den
verschiedenen Sprachen erwarten, vgl. aber:

französisch	lune	soleil
tahitisch	avaè	maahana
türkisch	ay	günes
rumänisch	luna	soare
polnisch	księżyc	słońce
tschechisch	měslc	slunce
ungarisch	hold	nap
finnisch	kuu	aurinko
griechisch	feggari	'ēlios

Die Beziehung zwischen dem Bezeichnenden und dem Bezeichneten
ist nicht in dem Sinne willkürlich, daß jeder Sprecher nach Lust und
Laune davon abweichen könnte: Sie ist für die Sprecher jeder Sprache
(Mitglieder einer Sprachgemeinschaft) verbindlich, wir können nicht
plötzlich das Wort *Sonne* im Sinne von „Mond" oder „Gesicht" oder
sonst etwas verwenden, ohne daß es die Kommunikation störte.

Die These der Arbitrarität wird freilich durch **onomatopoetische**
Ausdrücke (=Ausdrücke, die durch Nachahmung von Lauten aus der
außersprachlichen Welt entstehen; Lautmalerei) wie *lallen, zischen,
quietschen, knurren, miauen, blubbern* usw. relativiert. Trotzdem muß
an der Grundsätzlichkeit von Arbitrarität festgehalten werden, denn die
onomatopoetischen Ausdrücke sind sprachspezifisch. Vgl. frz. *coco-
rico* (dt. *kikeriki*); frz. *siffler* (dt. *pfeifen*).

Wir werden in Kap. 4 detailliert auf die Beschreibung der Bedeutung (einfacher und komplexer) sprachlicher Zeichen eingehen (s. auch
1.6). Im nächsten Abschnitt geht es lediglich darum, zu klären, unter
welchen Bedingungen man sagen kann, daß Wörter „**eine eigene Bedeutung** haben". Denn es gibt Wörter, die mehr als eine Bedeutung haben
(Mehrdeutigkeit/Homonymie/Polysemie), es gibt Wörter, die zwar verschiedene lautliche Formen, aber dieselbe Bedeutung haben (Synonymie), und es gibt Ausdrücke, die aus mehreren Wörtern bestehen, aber
als Gesamtheiten eine eigene Bedeutung aufweisen (idiomatische Re-

dewendungen). All diese Erscheinungen können für die Frage relevant sein, aus wievielen „Wörtern" eine Sprache besteht.

1.3 Ein Wort, eine Bedeutung?

Es gibt Wörter, die die gleiche Ausdrucksform haben, aber unterschiedliche Bedeutungen besitzen, wie z. B. *Bar*[1] und *Bar*[2] und *Bank*[1] und *Bank*[2]. Unter welchen Bedingungen wird man sagen, daß es sich dabei um **ein** (mehrdeutiges, **polysemes**) Wort (d. h. um ein Wort mit zwei oder mehr verschiedenen Bedeutungen) oder um **zwei** bzw. mehrere verschiedene (nur zufällig gleichlautende) Wörter (**Homonyme**) handelt? Intuitiv neigt man dazu, zu sagen, es handelt sich um ein und dasselbe Wort, wenn man eine klare Bedeutungsverwandtschaft zwischen beiden Lesarten erkennt, sonst handelt es sich um zwei Wörter. Solche Reaktionen hängen von der Einbildungskraft des betroffenen Sprachbenutzers ab. In der Linguistik wird in der Regel die historische Herkunft der Wörter, deren **Etymologie**, als Entscheidungskriterium benutzt: Entspricht die Mehrdeutigkeit unterschiedlichen etymologischen Herkünften, dann nimmt man Homonyme an, wie etwa bei *Bar*[1] und *Bar*[2]. *Bar*[1] bedeutet die Maßeinheit des Luftdruckes und leitet sich aus griech. *baros* („Schwere", „Gewicht") ab, während *Bar*[2] die Trinkstube meint und auf altfrz. *barre* zurückzuführen ist, was zuerst nur „Stange" bedeutete, dann eine aus mehreren Stangen bestehende „Schranke" bezeichnete, wie sie in Wirtshäusern üblich war. Als weiteres (morphologisches) Argument dafür, daß *Bar*[1] und *Bar*[2] zwei homonyme Wörter sind, kann deren Genus genannt werden (*das Bar*[1] vs. *die Bar*[2]) (vgl. auch *das Band/der Band/die Band*). *Bank*[1] bezeichnet die Sitzgelegenheit und *Bank*[2] das Geldinstitut. *Bank*[2] leitet sich aber etymologisch aus *Bank*[1] ab, das früh aus dem Romanischen entlehnt wurde (italienisch *banca, banco*), somit haben beide Wörter die gleiche etymologische Herkunft, und man kann das Wort *Bank* als ein mehrdeutiges, polysemes Wort beschreiben. Da die meisten Sprachbenutzer heute von dieser gemeinsamen Etymologie nichts wissen, kann es aber passieren, daß ein Lexikologe zwei getrennte, unabhängige Einträge für *Bank* vorsieht, mit dem Argument, er wolle das heutige Sprachgefühl erfassen, rein „synchronisch" arbeiten. Ein weiteres Beispiel für Homonymie ist das Wort *Backe* im Sinne von *Wange*, das sich in *Backenzahn* und in *Arschbacke* findet: Nur in letzterem ist es etymologisch mit engl. *back* („zurück") verwandt, im ersteren nicht (*Wange*) (vgl. auch *Backenzahn*). (➤ Übung 6).

Ein eindeutiges Beispiel für Polysemie dürfte *Pferd*[1], *Pferd*[2] und *Pferd*[3] sein. Mit dem ersten Ausdruck ist das Tier gemeint, mit dem zweiten das Turngerät und mit dem dritten die Schachfigur. Die beiden

letzten Ausdrücke lassen sich auf den ersten zurückführen, weil die
Form des Turngerätes und die Form der Schachfigur an die Form des
Tieres erinnern, auch aus heutiger Sicht. Bei diesem Beispiel könnte
man sagen, daß die Bedeutung von *Pferd* [2] und *Pferd*[3] aus der von
Pferd[1] **metaphorisch** abgeleitet wird. Wird zwischen zwei Bedeutungen
bzw. zwei Lesarten einer Wortform eine metaphorische Beziehung erkannt, nimmt man in der Regel Polysemie an (vgl. *Rolle, Mutter,
spröde, Backfisch, Revolution, Schulterblatt, Flaschenhals, bohrende
Frage, Fingerhut, spitze Bemerkung.* (➤ Übung 7).[1]
    Die Entscheidung, ob Polysemie oder Homonymie vorliegt, hat
Konsequenzen für die Zählung der Wörter, weil man nur im Falle von
Polysemie ein Wort, im Falle von Homonymie aber mehrere Wörter
annimmt. Interessanterweise hat das umgekehrte Phänomen, nämlich
das Faktum, daß manchmal ein und dieselbe Bedeutung verschieden
ausgedrückt wird, nicht dieselben Konsequenzen: Ob man **Synonymie**
annimmt oder nicht, hat keinen Effekt auf die Zählung der Wörter;
niemand würde sagen, *Samstag* und *Sonnabend* seien, da sie dasselbe
bedeuten, ein und dasselbe Wort.
    Synonyme Wörter sind (weitgehend) bedeutungsgleich und lassen
sich gegenseitig austauschen. Dies ist etwas vage formuliert, weil es
wahrscheinlich keine Wörter gibt, die wirklich genau dieselbe Bedeutung haben. Beispiele für Synonymie sind die Wörter *Ranzen/Tornister*
und *beginnen/anfangen*. Es wird freilich oft bezweifelt, daß es echte
Synonyme geben kann: Mit einer nicht von der Hand zu weisenden
Plausibilität wird immer wieder daran erinnert, daß zwei Wörter, wenn
sie schon dieselbe außersprachliche Realität bezeichnen, nicht voll
äquivalent sind, weil sie unterschiedliche Assoziationen hervorrufen
können (*Abendstern/Morgenstern*) (vgl. Kap. 4), oder weil sie nicht zur
selben sprachlichen Variante gehören, geographisch (*Hocker/Schemel,
Knabe/Bube, Brötchen/Semmel...*), sozial (*Geld/Moos* bzw. *Kies, Frau/
Gattin*) usw. (vgl. Kap. 6). (➤ Übung 8).
    Es ist nicht immer einfach, die Bedeutung eines Wortes zu erklären
(z. B. einem Kind oder einem Ausländer). Besonders schwierig ist es
bei Partikeln wie *wohl, eben, freilich* usw., aber jeder Deutschsprecher
weiß, daß sie nicht ohne Bedeutung sind: *Er ist Alkoholiker* ist nicht
ganz dasselbe wie *Er ist eben Alkoholiker*! Die Frage, ob es Wörter
gibt, die keine Bedeutung haben, wird manchmal kontrovers disku-

---

1 Manche Ausdrücke haben in dem Sinne eine variable Bedeutung, als sie sich auf
   Entitäten beziehen, die von der jeweiligen Sprechsituation abhängig sind. Sie werden
   deiktisch genannt (aus 23griech. „zeigen"). Es sind Ausdrücke wie *ich, du, dort*
   (sog. Personendeixis), *hier* (sog. Raumdeixis) und *heute, jetzt* (sog. Zeitdeixis). Ein
   Satz wie *ich bin zur Zeit in Paris* ist nur verständlich, wenn man weiß, wer den Satz
   wann formuliert. *Ich* und *zur Zeit* sind nicht mehrdeutig, denn sie bezeichnen immer
   dasselbe (nämlich den Sprecher bzw. den Sprechzeitpunkt), nur das, was sie bezeichnen, variiert mit der Sprechsituation (s. Kap. 4).

tiert. Als Kandidaten werden sog. **Interjektionen** (*Au!, Ah!, Mmh...*) und sog. **grammatische Wörter** (*es* in unpersönlichen Konstruktionen wie *es hat geklopft* oder *es wurde geschwiegen* sowie vom Verb regierte Präpositionen, die ihre ursprüngliche Bedeutung nicht mehr aufweisen, z. B. *auf* in *warten auf*) behandelt.

Idiomatische Redewendungen sind feste mehrgliedrige Wortgruppen, deren Gesamtbedeutung in der Regel nicht vollständig aus der Bedeutung der Einzelelemente abgeleitet werden kann, z. B. *(jdn.) auf die Palme bringen, an einem Strang ziehen, in einem Boot sitzen, durch die Bank weg, einen Vogel haben, einen Kater haben, in der Tinte sitzen, Haare auf den Zähnen haben, kalter Kaffee, gang und gäbe, jemandem den Garaus machen, keinen Hehl aus etwas machen...* Bedeutungsmäßig verhalten sie sich wie Einzelwörter (vgl. *auf die Palme bringen* ≈ *aufregen*; *einen Vogel haben* ≈ *spinnen...*), obwohl sie syntaktisch komplex sind. *Boot* und *sitzen* in *wir sitzen alle in einem Boot* sind nicht wörtlich zu verstehen, d. h. als fester Ausdruck (idiomatische Redewendung) hat *in einem Boot sitzen* nicht dieselbe Bedeutung wie sonst. Manche ihrer Bestandteile haben einzeln nicht einmal klaren Wortstatus (*gäbe, Garaus, Hehl*). Eine weitere Charakteristik der idiomatischen Redewendungen ist, daß sie sehr schwer erweiterbar sind: Einem Nomen in einem Satz kann man normalerweise problemlos ein Attribut (Adjektiv oder Genitivattribut) hinzufügen, einem in einer idiomatischen Redewendung befindlichen Nomen kann man es in der Regel nicht bzw. wenn man es tut, dann wirkt das Ergebnis auffällig oder wird nicht mehr als idiomatische Redewendung aufgefaßt: *Klaus hat einen Vogel; Klaus hat einen lieben Vogel; Wir sitzen alle in einem Boot; Wir sitzen alle in einem kleinen Boot; Ich kann ihm nicht das Wasser reichen; Ich kann ihm nicht das kühle Wasser reichen.*

1.4 Der Wortschatz im Wandel: Das Sterben alter Wörter, das Entstehen neuer Wörter

Die Wörter werden den Bedürfnissen einer Sprachgemeinschaft angepaßt (vgl. Moser (1969); Wells (1989). Da sich die Bedürfnisse ändern, muß sich auch der Wortschatz ändern. Ein Wort kann z. B. verschwinden, weil das, was es bezeichnete, nicht mehr vorkommt. So z. B. das spätmittelhochdeutsche Wort *Federlesen* („schmeicheln"), was eigentlich – modeabhängig – meinte, „den „vornehmen" Personen die angeflogenen Federn von den Kleidern nehmen". Ein Wort kann verschwinden, weil es als anstößig empfunden wird: So wurde *after*, was einfach „nach", „hinter" bedeutete (vgl. heute engl.), als anstößig empfunden und durch *nach* ersetzt; so verschwand *Afterwelt* und wurde durch *Nachwelt* ersetzt. Schließlich stehen manche Wörter in Konkurrenz zueinander, was zum Verschwinden oder zum Bedeutungswechsel eines Wortes führen kann: Z. B. bedeutete *kriegen* ursprünglich „etwas bekommen", dann kamen die neuen Bedeutungen „sich bemühen, etwas zu bekommen" und später „streiten", „kämpfen", „Krieg führen" hinzu. Zu diesem Zeitpunkt war *kriegen* („bekommen") mit *kriegen* („Krieg führen") homonym. Diese Homonymie mußte aufgehoben werden, also verschwand *kriegen* im Sinne von „Krieg führen" (ein Rest findet sich noch in *bekriegen* (*ein Land bekriegen*)).

Es kann aber auch passieren, daß sich die Bedeutung eines Wortes im Laufe der Zeit ändert, z. B. bezeichnete *Frau* eigentlich „Dame von Stand". Als Standesbezeichnung ist *Frau* seit dem 17. Jahrhundert von *Dame* verdrängt worden, andererseits ist es in der Bedeutung „erwachsene, weibliche Person, Ehefrau" an die Stelle von mittelhochdeutsch *wîp* (*Weib*) getreten. (➡ Übung 9).

Der Wortschatz verändert sich nicht nur aufgrund des Verschwindens oder Ersetzens der Wörter, sondern auch aufgrund der Aufnahme von neuen Wörtern, z. B. durch die **Übernahme von Fremdwörtern**, wie engl. *pullover, hardware, software;* frz. *parfum, mousse* usw.

Der Einfluß von Fremdsprachen auf den Wortschatz kann zu verschiedenen Typen von Neubildungen (**Lehnbildungen**) führen.

Ein sprachlicher Ausdruck wird aus einer Fremdsprache in die Muttersprache oft dann übernommen, wenn es in letzterer keine Bezeichnung für neu entstandene Sachen bzw. Sachverhalte gibt (z. B. *Iglu, Guru, Anorak*). Es kann aber auch die Folge einer Mode, des Prestiges einer anderen Kultur sein (z. B. *Mousse, Perron, Rendez-vous, Trottoir*). Um welche Zeit und warum bestimmte Wörter aus fremden Sprachen ins Deutsche übernommen wurden und warum Wörter ihre Bedeutung änderten oder ganz verschwanden, darüber gibt die Geschichte der deutschen Sprache Auskunft (vgl. von Polenz (1970); Schmidt (1969)). Das übernommene Wort kann ein nicht an die Regelmäßigkeiten der Empfangssprache angepaßtes **Fremdwort** bleiben, z. B. englisch *cool, flirt, jeans*. Es wird daher leicht als Fremdwort erkannt, ist am wenigsten integriert. Es kann sich in Lautung, Orthographie und Flexion an die Empfangssprache anpassen, z. B. *Rollo* für frz. *Rouleau:* Es ist dann ein **Lehnwort**. Der Unterschied zwischen Fremdwort und Lehnwort ist eigentlich graduell: Die Anpassung des importierten Wortes an die Regelmäßigkeit der importierenden Sprache ist ein Prozeß, der Zeit braucht. Das Fremdwort wird am Anfang möglichst originalgetreu ausgesprochen und geschrieben, und allmählich verliert es die äußeren Merkmale seiner fremden Herkunft, vor allem in der Schreibweise (vgl. *Telephon/Telefon; Centrum/Zentrum; Strike/Streik; Bureau/Büro...*).

Der Einfluß einer Fremdsprache beschränkt sich nicht auf die Übernahme oder Anpassung einer fremden Wortform. Es gibt auch die sog. „semantische Entlehnung" (**Lehnprägung**). Die Empfangssprache bildet mit eigenen lexikalischen Mitteln, aber nach dem Muster des zu übersetzenden Fremdwortes ein neues Wort. Je nachdem, wie treu das neue Wort nach dem Original gebildet wird, kann man Lehnübersetzung, Lehnübertragung und Lehnschöpfung unterscheiden – wenn es auch Grenzfälle gibt (vgl. Betz (1949)). Der Einfluß des Fremdwortes ist bei der **Lehnübersetzung** am deutlichsten, wo der fremdsprachliche Ausdruck Bestandteil für Bestandteil übersetzt wird, z. B. engl. *steam engine* zu dt. *Dampfmaschine,* engl. *skyscraper,* zu frz. *gratte-ciel* (vgl. auch dt. *Konsonant* und *Mitlaut; Sympathie* und *Mitleid; Orthographie* und *Rechtschreibung*). Im Unterschied zur Lehnübersetzung wird bei einer **Lehnübertragung** der fremdsprachliche Ausdruck nur in etwa übersetzt, z. B. lat. *patria* zu dt. *Vaterland* (in *patria* steckt *pater* (*Vater*), aber nicht explizit *L a n d*) oder engl. *s k y s c r a p e r* zu dt. *Wolkenkratzer* (*sky* heißt nicht „Wolken", sondern „Himmel"). Das fremdsprachliche Wort wird relativ frei übersetzt, aber es hat einen gewissen Einfluß auf die Neuprägung. Eine **Lehnschöpfung** hingegen ist ganz frei übersetzt, so frei, daß man eigentlich ohne sprachgeschichtliche Kenntnis der Entstehung der betroffenen Wörter nicht erkennen kann, daß die Lehnschöpfung eine Lehnschöpfung ist, d. h. als Übersetzung eines fremdsprachlichen Terminus entstanden ist (vgl. *Cognac/Weinbrand; automobil*[2] vs. dt. *Kraftwagen*; frz. *milieu* vs. dt. *Umwelt*). Schließlich kann eine Fremdsprache bewirken, daß ein schon existierendes Wort eine neue Bedeutung erhält. Man spricht dann von **Lehnbedeutung**. Eine Lehnbedeutung ist die Bedeutung, die ein Wort unter fremdsprachlichem Einfluß annimmt. Das kann eine Bedeutungserweiterung sein; engl. *paper* bezeichnet z. B. nicht nur „Papier", sondern auch „Aufsatz"; entsprechend verwenden Journalisten und Wissenschaftler bisweilen das dt. Wort *Papier* oder das frz. Wort *papier* im Sinne von „Aufsatz, Artikel, Text". Engl. *to fire* bedeutet nicht nur „Feuer machen", sondern auch „(jdm.) kündigen"; diese Bedeutung wurde dem deutschen Verb *feuern* zugeordnet. Engl. *power* bedeutet nicht nur „Macht", sondern auch „elektrischer Strom"; diese zweite Bedeutung wurde dem frz. Wort *pouvoir* im französischsprachigen Canada zugewiesen (im Frankreich-Französisch heißt *pouvoir* nur „Macht", „Strom" wird durch *courant (électrique)* wiedergegeben).

   Zu den Lehnbildungen muß hinzugefügt werden, daß nicht nur Wörter Bestandteile der Entlehnungen sind, sondern auch gebundene Morpheme, z. B. *Neo-* (vgl. *Neonazi*). *Neo-* ist ein **Lehnpräfix** mit der

---

2 *Automobil* ist eine „hybride" Bildung: *auto* (*selbst*) ist griechisch, *mobil* ist latein (*beweglich*).

Bedeutung „neu", „erneuert", „jung". Zugrunde liegt das griech.
Adjektiv *neos* („frisch, jung") , das mit dt. *neu* urverwandt ist (vgl.
auch *pseudo-, super-, mini-, maxi-, ...*). Das **Lehnsuffix** *-ei* stammt aus
dem Frz. *-ie* (Eigenschaft oder Gewerbe, besonders zu Nomina agentis
auf *-œre, -er; vgl. boucherie/Metzgerei, boulangerie/Bäckerei,
tyrannie/Tyrannei... und Cochonnerie/Schweinerei...*). (➥ Übung 10–
15).

   Die Integration in die Empfangssprache, die Anpassung an deren
Regeln, ist ein mehr oder weniger lange andauernder Prozeß. Dem
Wort *Telephon* sieht man seine fremde Herkunft deutlicher an als dem
Wort *Telefon*, ähnliches gilt für *Friseur* vs. *Frisör*. Wer *Parfüm*
schreibt und spricht (und nicht *Parfum*), behandelt dieses Wort als
deutsches Wort und braucht keine Französischkenntnisse, um zu wissen, wie man mit diesem Wort umgeht. Er erkennt zwar, daß es eigen-
artig klingt (deutsche Wörter auf *üm* sind selten!), muß aber nicht wissen, woher es kommt, um es korrekt zu benutzen. Wer ein Fremdwort
nicht „richtig", d. h. der Herkunftssprache entsprechend, schreiben und
aussprechen kann, offenbart seine Unkenntnis der Herkunftssprache.
Deswegen die leidige, kontroverse Diskussion um den Gebrauch von
Fremdwörtern und um die Eindeutschung von deren Schreibung. Der
normale Sprachbenutzer akzeptiert eher *Foto* als der Wissenschaftler
Filosofie. Die eingedeutschte Schreibweise dürfte meist den deutschsprachigen Schülern ohne relevante Fremdsprachenkenntnisse leichter
fallen. Sie wird aber von denjenigen Sprachbenutzern als verfremdend
empfunden, denen die betroffenen fremdsprachigen Ausgangswörter
vertraut sind. Daher wird (besonders in den Wissenschaftssprachen,
aber nicht nur dort) der Eindeutschung der Schreibung vorgeworfen,
die internationale Verständigung zu stören. (Vgl. die aktuelle Diskussion um die Orthographiereform, Sitta (1994)).

   Nicht nur der Kontakt mit fremden Sprachen, auch die sog. **Volksetymologie** trägt zur Wortschatzveränderung einer Sprache bei. Wenn
die Herkunft eines Wortes nicht mehr erkannt wird, wenn die Sprachbenutzer mangels etymologischer Kenntnisse nicht erkennen können,
warum ein (ursprünglich transparentes) Wort so lautet, wie es lautet,
aufgrund irgendwelcher lautlichen Ähnlichkeiten mit bedeutungsnahen
Wörtern aber eine Verwandtschaft zu erkennen glauben, dann deuten
sie das Wort um. Durch diesen sprachhistorischen Prozeß werden un-
durchsichtig gewordene Wörter **sekundär motiviert**, d. h. durch eine
scheinbar plausible Deutung durchsichtig gemacht, wie z. B. bei dem
Wort *Maulwurf*. Der Name des Tieres lautete im Althochdeutschen
zunächst *muwerf* und bedeutete „Haufenwerfer". Seit spätalthochdeut-
scher Zeit kam *mu* (Haufen) als selbständiges Wort nicht mehr vor und
wurde daher nicht mehr verstanden, volksetymologisch umgedeutet,
und zwar nach althochdeutsch *molta*, mittelhochdeutsch *molt(e)*

(„Erde, Staub"). Die spätalthochdeutschen Formen bedeuteten demnach eigentlich „Erdaufwerfer". Als *molte* später ebenfalls außer Gebrauch kam, wurde es abermals umgedeutet, und zwar nach mittelhochdeutsch *mul(e)* („Maul, Mund"). Auf dieser Umdeutung beruht die neuhochdeutsche Form *Maulwurf*, die verstanden wird als „Tier, das die Erde mit dem Maul wirft". Ein anderes Beispiel: Das Wort *Hängematte* rührt von dem haitischen Wort *(h)amaca* her und hat weder etwas mit „hängen" noch mit „Matte" zu tun. Von deutschen Sprechern wurde die undurchsichtige Lautkette *(h)amaca* zu *Hängematte* umgedeutet: *Hängematte* ist dem haitischen Wort lautlich ähnlich und bedeutungsmäßig mit dem bezeichneten Gegenstand kompatibel. Dieser Prozeß zeigt, daß der normale Sprachbenutzer – trotz der grundsätzlichen Arbitrarität des sprachlichen Zeichens – gern wissen möchte, warum seine Wörter so sind, wie sie sind. Die typisch kindliche Frage „Warum heißt das Auto *Auto*?" ist Ausdruck einer ganz natürlichen Neugier beim Sprachbenutzer. Die **Etymologie** (Suche nach der historischen Herkunft der Wörter) gibt auf diese Frage nur eine Teilantwort, weil sie letztendlich nicht erklären kann, warum die angenommenen Ursprungswörter bzw. Wurzeln (z. B. indogermanische) so waren, wie sie waren – außer man hat es mit Lautmalerei zu tun. (➡ Übung 16).

In den bisherigen Abschnitten haben wir Erscheinungen angesprochen, die für die Frage relevant sind, ob man die Wörter einer Sprache zählen kann. Wir entfernen uns nun dieser Fragestellung und stellen in den folgenden 4 Abschnitten vor, nach welchen Gesichtspunkten man den Wortschatz einer Sprache als strukturiert betrachten kann.

1.5 Wortfamilien: Etymologische Verwandtschaft

Die **Etymologie** ist die Wissenschaft von der Herkunft, Grundbedeutung und Entwicklung einzelner Wörter sowie von ihrer Verwandtschaft mit anderen Wörtern (auch aus anderen Sprachen). Erkennen, daß *Salär* mit lat. *sal* („Salz"), frz. *Guillaume* mit dt. *Wilhelm, Förder* mit *Fahrt* etymologisch verwandt sind, das setzt Kenntnisse in mehreren Sprachen und deren Geschichte voraus. Es dürfte wohl jeder deutsche Sprecher erkennen oder vermuten, daß *finden, empfinden* und *erfinden* zur selben „Familie" gehören, weniger selbstverständlich ist es für *fahnden*. Nur: Man muß nicht Etymologe sein, um eine Sprache zu beherrschen. Man kann sehr wohl das Wort *fahnden* korrekt gebrauchen, ohne zu wissen, daß es mit *finden* verwandt ist, daß es auf die indogermanische Wurzel **pent-*[3]. („treten, gehen") zurückzuführen ist,

---

3 Der Stern * bedeutet hier, daß die genannte Wurzel eine rekonstruierte, hypothetische
   Form ist.

die (rekonstruierte, angenommene) Ausgangsform der Wortfamilie um
finden. M. a. W.: Etymologische Kenntnisse sind nicht notwendige Bestandteile der Sprach**kompetenz**[4]– vielleicht aber die Fähigkeit, formale
und inhaltliche Ähnlichkeiten zwischen Wörtern als wortschatz-
strukturierende Beziehungen zu erkennen, was auch in der Wortbildung gilt. Wenn sich die Hypothesen des Laien nicht historisch bestätigen lassen, dann spricht man von Volksetymologie. Wir haben gesehen, daß die natürliche Neigung der Laien (d. h. der normalen Sprecher) zur „Etymogelei" manchmal auch die Geschichte eines Wortes
beeinflussen kann.

Die Wortfamilien sind leider nicht immer leicht zu erkennen, da
man manchen Wörtern, die etymologisch miteinander verwandt sind,
ohne sprachhistorische Kenntnisse und ohne das Konsultieren etymologischer Wörterbücher (z. B. für Dt.: Kluge (1989) oder Duden 7.
Etymologie (1989)) ihre Verwandtschaft nicht mehr äußerlich ansehen
kann. Daß manche Familien „Großfamilien" sind, zeigt das Beispiel
*fahren: fertigen, ab/an/aus-fertigen, rechtfertigen, fertig, Fertigkeit,
friedfertig, ab/an/aus/be/durch/ein/er/ver/vor/will/ los/um- fahren,
Fahrt, Wohlfahrt, Fährte, Gefährt, Gefährte, Fahrer, Fahrerei, fahr-
lässig, Fähre, Ferge, Furt, Förde, führen, Anführer, Führung, an/auf/
aus/ein/ent/rück/ver/ab/mit/weiterführen, Fuhre,An/Ab/Aus/ Ein/ Zuf-
uhr...* (s. Agricola et. al (1969:539)). (➨ Übung 17–19).

Der Etymologe arbeitet zwar immer so, daß er eine formale Ähnlichkeit nur dann als Zeichen etymologischer Verwandtschaft betrachtet, wenn er in der Lage ist, auch eine semantische Ähnlichkeit anzunehmen. Trotzdem ist es so, daß aus heutiger Sicht die semantische
Verwandtschaft zwischen den Mitgliedern einer etymologischen Wortfamilie nicht immer spürbar ist. Eine Wortfamilie ist also primär eine
formale Gruppierung (vgl. Seebold (1981)).

1.6 Semantische Beziehungen zwischen Wörtern

Man kann den Wortschatz auch nach semantischen Gesichtspunkten
strukturieren (vgl. Lutzeier (1995)). Eine Beziehung zwischen den Bedeutungen zweier Wörter haben wir schon angesprochen: Die Bedeutungen von zwei **Synonymen** sind per Definition identisch (vgl. 1.3).
Eine andere Bedeutungsbeziehung ist die sog. **Antonymie** (etwa
„Gegenteil"): *hoch/tief; männlich/weiblich; kaufen/verkaufen...* Man

---

4 Unter „Sprachkompetenz" ist die abstrakte, weitgehend unbewußte Kenntnis der
   Regelmäßigkeiten und Prinzipien zu verstehen, die jedem konkreten (natürlichen)
   Sprachgebrauch zugrundeliegen. Jeder Deutschsprecher verfügt über diese Kenntnis,
   auch wenn er sich mal verspricht oder einen wohlgeformten deutschen Satz nicht
   richtig versteht.

kann zwischen verschiedenen Typen von antonymischen Beziehungen unterscheiden. Der Kontrast ist z. B. zwischen *alt* und *jung* nicht so prägnant wie zwischen *ledig* und *verheiratet*: Ein Mensch kann *weder alt noch jung* sein, nicht *weder ledig noch verheiratet*. Derselbe einfarbige Gegenstand kann *entweder rot oder grün* sein, nicht beides zugleich; er kann aber auch *weder rot noch grün, sondern gelb* sein. Die Beziehung zwischen *kaufen* und *verkaufen* wird **Konverse** genannt: *x kauft y von z* bedeutet dasselbe wie *z verkauft y an x*.

Solche Beziehungen zwischen Bedeutungen erlauben eine Teilordnung im Wortschatz: Man erhält „Reihen" (Paradigmata) von bedeutungsverwandten Wörtern wie

(a)   *eisig/kalt/kühl/lauwarm/warm/heiß*
(b)   *winzig/klein/groß/riesig*
(c)   *ausgezeichnet/gut/mittelmäßig/dürftig/schlecht/miserabel/ungenügend/mangelhaft/ausreichend/befriedigend*

Vergleicht man *Vater, Mutter, Kind, Sohn, Tochter* und *Eltern*, dann läßt sich feststellen, daß es zwischen *Vater/Mutter* und *Eltern(teil)* bzw. *Sohn/Tochter* und *Kind* eine sog. **Hyponymie**-Beziehung besteht: Ein Sohn ist ein Kind, eine Tochter ist ein Kind; anders gesagt: *Sohn* und *Tochter* bezeichnen Elemente der Kategorie „Kind", während *Kind* nicht *Sohn* (und auch nicht *Tochter*) impliziert (das Gegenteil von Hyponymie heißt „Hyperonymie": wenn x hyperonym von y ist, dann ist y hyperonym von x). Im Namen solcher (und weiterer) semantischer Beziehungen zwischen den Wörtern einer Sprache lassen sich Gruppen von Wörtern zusammenstellen, deren semantische Analyse gerade durch die Gruppierung erleichtert wird (s. auch Kap. 4).

Ein besonderer Typ von semantischer Gruppe wird in der Literatur **Wortfeld** genannt. Die Ausgangsidee der Vertreter der „Wortfeldtheorie" ist, daß sich die Bedeutung eines Wortes nur dann genau erfassen läßt, wenn man das gesamte Feld untersucht, von dem das betreffende Wort Bestandteil ist, da die vorhandenen Wörter eine (sprachspezifische) Einteilung der durch das Wortfeld erfaßten Realität versprachlichen. Nehmen wir das einfache Beispiel der Notenskala: Das Prädikat *sehr gut* hat nicht denselben Wert in einer Skala, wo *ausgezeichnet* bzw. *mit Auszeichnung* als beste Note existiert, wie in einer Skala mit nur 6 Noten (*ungenügend, mangelhaft, ausreichend, befriedigend, gut, sehr gut*). Beispiele von Wortfeldern sind das Wortfeld „menschlicher Körper" (*Kopf, Hals, Nacken, Scheitel; Nase, Lippe, Wange, Stirn, Schläfe; Auge, Haar, Ohr, Kinn, Gesicht...*), das Wortfeld „verstehen" (*verstehen, begreifen, einsehen, denken, meinen, glauben, wähnen....*), das Wortfeld „Verwandtschaftsbeziehungen" (*Vater, Mutter, Eltern, Sohn, Schwester, Tante, Neffe...*). Es ist nicht leicht, den Begriff „Wortfeld" (der vor allem von Trier geprägt wurde)

präzise zu umreißen, intuitiv kommt er dem in der Praxis des Wort-
schatzlernens vertrauten Begriff des Sachfeldes nahe. Vom linguistischen Standpunkt aus ist die These wichtig, daß die Bedeutung eines
einzelnen Wortes von der Bedeutung der übrigen Wörter des gleichen
Wortfeldes abhängig ist. Wenn ein zusätzliches Wort eingeführt wird
oder ein einziges Wort einen Bedeutungswandel erfährt, ändert sich
die Struktur des gesamten Wortfeldes (vgl. Trier (1931)). Das heißt für
die historische Wortbedeutungsforschung, daß man die Bedeutungsent-
wicklung eines einzelnen Wortes nicht ohne Berücksichtigung des gesamten betroffenen Wortfeldes angemessen beschreiben kann. Da zwei
verschiedene Sprachen durchaus unterschiedlich strukturierte Wort-
felder für etwa denselben Bereich haben können, gibt es nicht immer
eine genaue Entsprechungsbeziehung zwischen Einzelwörtern (vgl. frz.
boîte und dt. *Dose, Schachtel*, oder frz. *sac, poche* und dt. *Tüte, Ta-
sche*). So intuitiv einleuchtend die Wortfeldforschung auch ist, sie ist
etwas problematisch: Unklar ist z. B., wann ein Wortfeld als komplett
angesehen werden kann, welche Kriterien angenommen werden sollen,
um zu entscheiden, ob ein bestimmtes Wort zu einem bestimmten
Wortfeld gehört oder nicht. Kontrovers ist auch die Frage, inwiefern
die Wortfeldstruktur sprachlich oder außersprachlich bedingt ist und
welchen Einfluß sie möglicherweise auf das Denken hat. Den vorliegenden Wortfeldbeschreibungen wurde mit einem gewissen Recht vorgeworfen, sie seien zu intuitiv.
    Auf der Suche nach formal klareren semantischen Beschreibungs-
verfahren hat man die **Komponentenanalyse** (auch **Merkmalanalyse** genannt) in die Semantik eingeführt. Durch die Komponentenanalyse
wird die Bedeutung von Wörtern als Menge von semantischen Merkmalen beschrieben. Es wird versucht, die Bedeutung eines Wortes mit
einem begrenzten Inventar universell gültiger Merkmale zu beschreiben und auf diese Weise das Gesamtlexikon einer Sprache zu erfassen.
Das nötige Merkmalinventar hängt von den je zu beschreibenden
Wörtern ab, sowohl quantitativ als auch qualitativ. Auch die Merkmalanalyse erfordert, daß man sich ausschnittweise dem Wortschatz widmet; de facto geht man von einem „Wortfeld" aus und versucht, die
Ähnlichkeiten und Unterschiede zwischen dessen Elementen mithilfe
von Merkmalen zu erfassen. Wenn zwei Wörter Synonyme sind, muß
ihnen genau dieselbe Menge von semantischen Merkmalen zugewiesen
werden. Wenn sich zwei Wörter semantisch unterscheiden, müssen sie
in mindestens einem Merkmal differieren. Meist wird mit binären
Merkmalen gearbeitet: Um die vier Wörter *Straße/Gasse/ Haus/Hütte*
zu beschreiben, genügt das Merkmalpaar [± WEG] (wobei hier [−
WEG] etwa [+ GEBÄUDE] entspricht, auf jeden Fall mitabdeckt) und
[± KLEIN]:

	Straße	Gasse	Haus	Hütte
WEG	+	+	–	–
KLEIN	±	+	±	+

M.a.W.: *Gasse* und *Hütte* unterscheiden sich von *Straße* bzw. *Haus* nur durch die explizite +/– Markierung des Merkmals [KLEIN]. ± in der Tabelle heißt, daß das Merkmal KLEIN hier nicht relevant (nicht distinktiv) ist. Will man die Wörter *See/Teich/Tümpel; Fluß/Bach/ Rinnsal; Huhn/Hühnchen/Kücken; Bogen/Blatt/Zettel* beschreiben, dann wird man wahrscheinlich mit einem binären Merkmal [±KLEIN] nicht auskommen: Hier bietet sich ein Merkmal mit den 3 Werten 1,2 und 3 an[5]. (➜ Übung 20–21).

	See	Teich	Tümpel
GRÖSSE	3	2	1

1.7 Einteilung der Wörter in Wortarten

Eine lange Tradition hat die Einteilung der Wörter in sog. „partes orationis" (Redeteile, Wortarten). In der Linguistik ist die Frage, ob die verschiedenen Wortarten übereinzelsprachliche oder gar universelle Gültigkeit haben, noch nicht geklärt. Wir gehen auf dieses Problem nicht ein und beschränken uns darauf, die gemeinhin für die deutsche Sprache unterschiedenen Wortarten vorzustellen und die Kriterien zu nennen, die dieser Einteilung zugrunde liegen.

Bei der Klassifizierung der Wörter in Wortarten spielen überwiegend Formmerkmale, sog. **morphologische** Merkmale eine Rolle. Die Wörter werden in flektierend und nicht flektierend eingeteilt: Substantive, Adjektive, Verben und Pronomen sind flektierende, Adverbien, Konjunktionen und Präpositionen nicht flektierende Wörter. Ebenfalls einschlägig sind **syntaktische** Eigenschaften: Die Wörter werden z. B. danach eingeteilt, in welchen Kombinationen sie im Satz auftreten können und ob sie andere Elemente regieren, d. h., ob andere Elemente von ihnen abhängig sind. Hinzu kommen noch traditionell **begriffliche** Aspekte, die nicht unbedingt sehr griffig sind: Von Substantiven, Adjektiven und Verben wird bisweilen behauptet, sie bezeichneten Substanzen, Eigenschaften bzw. Prozesse, während Konjunktionen und Präpositionen nur Relationen bezeichnen könnten.

---

5   Da die 4 Minifelder „See", „Fluß", „Huhn", „Bogen" weit voneinander entfernt sind, wird hier nicht versucht, sie durch Merkmale wie etwa [± belebt] oder [± Natur] miteinander zu verbinden. In solchen Fällen kann man einem Wort aus dem Feld, am besten den Namen des Oberbegriffs (*See*, *Fluß* etc.) den Merkmalsstatus zuweisen, so daß man *See* [+ SEE, 3 GRÖSSE], *Teich* [+ SEE, 2 GRÖSSE] und *Tümpel* [+ SEE, 3 GRÖSSE] erhält.

Nicht nur die sich widersprechenden oder überschneidenden Kriterien stellen Probleme bei der Klassifikation in Wortarten dar, auch der Wortartwechsel (z. B. *ernst/Ernst, rahmen/Rahmen, das Für und Wider, leben/Leben*) erschwert bisweilen die eindeutige Einordnung eines Wortes in eine Wortart.

Die Zahl der Wortarten, die in der Literatur angenommen werden, variiert nach den zugrundegelegten Klassifikationskriterien. Relativ unkontrovers – wenn auch leicht unterschiedlich definiert – sind für das Deutsche die Wortarten **Verb, Substantiv, Adjektiv, Adverb, Präposition, Konjunktion, Artikel** und **Pronomen**. Nach fast allen Grammatiken sind diese Wortarten in zwei Gruppen unterteilt. In die erste Gruppe werden die Wörter der **lexikalischen** (der sog. **offenen**) **Klassen** subsumiert: Substantive, Verben, Adjektive und Adverbien. Präpositionen, Konjunktionen, Artikel und Pronomen werden als **Funktionswörter (geschlossene Klasse)** bezeichnet. (Funktionswörter werden auch „grammatische" Wörter im Unterschied zu den „lexikalischen" genannt.) Die Unterteilung zwischen lexikalischer und geschlossener Klasse beruht auf der Feststellung, daß nur die Wörter der lexikalischen Kategorie eine referierende Bedeutung haben, da sie etwas Bestimmtes bezeichnen, und sei es auch ein Abstraktum wie einen Zustand, einen Vorgang oder eine Eigenschaft. Funktionswörter bezeichnen (referieren) in dem Sinne nichts. Von offenen Klassen spricht man, weil die Zahl der Substantive, der Verben, der Adjektive und Adverbien groß ist und relativ schnell anwächst. Dagegen gilt die Zahl der Funktionswörter als relativ klein und wenig veränderlich.

1.7.1 Die Wortarten der offenen Klasse

Wie die Form der Wörter variiert (ob durch Abwandlung des Stammes oder durch Anfügen bestimmter Endungen), wird in der morphologischen Komponente der Grammatik beschrieben. Man nennt **Paradigma** (griech. „Beispiel") die Menge der Formen, die ein Wort bzw. eine Gruppe von Wörtern (nach Kategorien wie Kasus, Tempus, Modus, Numerus usw. variierend) annehmen kann.[6]

---

6 Der Terminus „Paradigma" bezeichnet in der Linguistik zweierlei. Zum einen eine Menge von Elementen, die in einem bestimmten Kontext gegeneinander austauschbar sind, wie z. B. die Menge {*ein, das, dieses, jenes...*}in *ich kaufte___Buch.* Hier steht der Paradigma-Begriff dem Begriff „Syntagma" entgegen. Letzterer meint eine Reihe von in der Rede aufeinander folgenden Ausdrücken/Wörtern, wie z. B. *ich kaufte ein Buch.* Man kann sagen: Die paradigmatische Beziehung ist ein entweder-oder, die syntagmatische ein sowohl-als-auch.
Die andere, ältere Bedeutung von „Paradigma" ist die hier gemeinte: Die verschiedenen Formen, die ein Wort einer bestimmten Sprache annehmen kann, werden klassischerweise als Tabelle (am Beispiel eines Exemplars der betroffenen morphologischen Klasse) angegeben (und im Unterricht gelernt), z. B.:

Im Deutschen werden die **Nomina dekliniert**: Unter Nomen im weiten Sinne[7] werden die Wörter zusammengefaßt, die kasusmarkiert werden können (insbesondere Substantive und Adjektive). Die Form der Artikel, Pronomina, Adjektive und Substantive verändert sich nicht nur nach dem **Kasus**, sondern auch nach dem **Numerus** und nach dem vom Substantiv festgelegten **Genus**. Auch die Numeralia und Pronomina variieren (**flektieren**) hinsichtlich Kasus, Genus und Numerus. Substantive sind hauptsächlich dadurch charakterisiert, daß sie ein **Genus** (sog. grammatisches Geschlecht, weitgehend unabhängig vom natürlichen Geschlecht: *das Mädchen, die Geisel, der Vormund*) haben.

Die **Verben** werden *konjugiert*. Bei der **Konjugation** wird die Verbform hinsichtlich **Person, Numerus, Tempus, Modus** (Indikativ (*ich bin*), Konjunktiv I (*ich sei*), Konjunktiv II (*ich wäre*), Imperativ (*sei*) und **Genus verbi** (Handlungsform Aktiv (*Sandro kauft ein Rieseneis*) vs. Passiv (*Ein Rieseneis wurde von Sandro gekauft*)) morphologisch gekennzeichnet. Numerus und Person der Verbform im Satz hängen vom jeweiligen Subjekt ab.[8] Die Form der Verben hängt außerdem von ihrer **morphologischen** Klasse ab (vgl. starke/schwache Verben usw.; s. Kap. 3). Problematisch ist die Wortarteinordnung der infiniten Verbformen: Der Infinitiv ist unveränderlich und einem Substantiv ähnlich (vgl. *das Trinken*), und die Partizipien I und II (*kaufend, gekauft*) können wie Adjektive verwendet werden. **Syntaktisch** bestimmen die Verben die Anwesenheit und die Form ihrer Ergänzungen (Objekte) – so *regiert sehen* den Akkusativ, *danken* den Dativ usw.; manche Verben regieren mehrere Objekte (*geben* + Akk. + Dat.; *lehren* + Akk. + Akk.). Objekte können auch durch eine vom Verb festgelegte (regierte) Präposition eingeleitet werden (*warten auf, bestehen aus, bestehen auf...*).[9] (Näheres in Kap. 2.)

Die **Komparation** (Steigerung, zum Ausdruck von Gradangaben und Vergleichen) gilt als eine charakteristische Eigenschaft von **Adjektiven** (und z. T. Adverbien). Daß nicht alle Adjektive graduierbar sind, zeigen die Beispiele: *ledig, schwanger, ehemalig, damalig, egal, gleich, gläsern..* Die Bildung der Komparationsformen **Positiv** (Grundstufe), **Komparativ** (Steigerungs- oder Vergleichsstufe) und **Superlativ**

lat.	amo	amamus	amabam	amabamus
	amas	amatis	amabas	amabatis
	amat	amant	amabat	amabant etc.

7 In manchen Büchern wird „Nomen" zur Bezeichnung von „Substantiv" (also im „engen" Sinne) verwendet. Wir meinen hier mit „Nomen" (im „weiten" Sinne) die Substantive, die Ausdrücke, die anstelle von Substantiven stehen können (Pronomina) und die sog. Begleiter des Substantivs, die Adjektive.

8 Man sagt, daß in bezug auf Numerus und Person das Subjekt und das finite Verb **kongruieren**.

9 Unter **Rektion** (etwa eines Verbs) versteht man die Zahl und Form der vom Verb regierten Ausdrücke – wobei das Subjekt nicht immer als vom Verb regiert betrachtet wird (s. Kap. 2). In *ich warte auf den Bus an der Haltestelle* ist *auf den Bus* von *warten* regiert, *an der Haltestelle* nicht.

(Höchststufe) ist weitgehend regelmäßig gekennzeichnet (*klein/ kleiner/kleinst-*). Es gibt aber einige sog. **suppletive** (unregelmäßige) Steigerungsformen, die durch Stammwechsel gekennzeichnet sind (*gut, besser, am besten*). Als charakteristische Eigenschaft der Adjektive wird aber auch die Fähigkeit angenommen, als **Attribut** zu einem Substantiv zu fungieren – obwohl es auch hier Ausnahmen gibt (z. B. *untertan, feind, schuld, egal, einerlei*).

Die **Adverbien** gehören der offenen Klasse an, obwohl sie nicht flektierbar sind und deshalb oft als Subgruppe der Partikeln klassifiziert werden. Vielfach überschneidet sich die Klasse der Adverbien mit den anderen Wortarten, und es gibt keine eindeutige Behandlung von ihnen in den Grammatiken. Adverbien werden unterschiedlich verwendet, z. B. können sie **adverbial** gebraucht werden (*Peter lernt* fleißig, *singt* leise, *läuft* schnell, *schläft* ruhig...) oder **prädikativ** (*Peter ist* hier/dort/da/draußen). Die Adverbien sind im Deutschen von den prädikativ gebrauchten Adjektiven formal nicht zu unterscheiden. Es ist umstritten, ob sie dann als Adjektive zu gelten haben. Es gibt aber auch Adverbien, die nur adverbial verwendet werden können (*Peter arbeitet* gern), was dafür spricht, daß man zur Unterscheidung von Adjektiv und Adverb syntaktisch-funktionale Kriterien annimmt.

1.7.2 Die Wortarten der geschlossenen Klasse

Bei den **Funktionswörtern** gibt es viele Zuordnungsprobleme, z. B. ist es umstritten, welche Wörter zu den Artikeln gehören. Das Hauptproblem ist dabei die Abgrenzung der **Artikel** von den **Pronomina**. Nach traditioneller Auffassung tritt das Pronomen im Satz **an die Stelle** eines Substantivs (Pro-Nomen=Fürwort) (so z. B. die Personalpronomina), es gibt aber auch Pronomina bzw. mit Pronomina formidentische Ausdrücke, die **bei** (**vor**) einem Nomen bzw. Substantiv stehen können (*Anette kauft dieses Buch ≠ Anette kauft dieses*). Man könnte die Unterscheidung „begleitet das Nomen" vs. „ersetzt das Nomen" als Kriterium für die Wortartunterscheidung „Artikel" vs. „Pronomen" betrachten, aber dann wären manche Wörter gleichzeitig zwei Wortarten zugeordnet, was man eigentlich vermeiden möchte. Manche Linguisten behandeln Pronomina und Artikel gemeinsam und teilen sie in **Determinatoren** (*der, dieser, mein, derjenige, derselbe, jener* usw.) und **Quantoren** ein, zu denen auch die Numeralia gezählt werden (*ein, kein, einige, manche, der, alle, drei, hundert* usw.). Es gibt auch hier keine deutlichen morphologischen Kriterien, da der bestimmte Artikel ähnlich wie das Pronomen flektiert, wenn auch eine morphologische Trennung von Stamm und Endung nur bedingt möglich ist. Die Unterscheidung Determinatoren vs. Quantoren ist im wesentlichen semantisch motiviert (s. Kap. 4).

Im Unterschied zu den Adverbien verfügen die **Präpositionen** über die Eigenschaft der **Rektion**, d. h., sie bestimmen den Kasus der von ihnen eingeleiteten Wörter bzw. Wortgruppen (*durch, für, ohne* fordern den Akkusativ; *gegenüber, von, zwischen* fordern den Dativ; *außerhalb, zugunsten, infolge, wegen* fordern den Genitiv, *vor, neben, in...* fordern Dativ oder Akkusativ). Präpositionen flektieren nicht, sie können nicht ohne die von ihnen regierten Ausdrücke auftreten und verbinden verschiedene Elemente syntaktisch miteinander. Diese Eigenschaften weisen die Konjunktionen auch auf.

Hinsichtlich der syntaktischen Funktion wird zwischen **koordinierenden** (nebenordnenden) **Konjunktionen** und **subordinierenden** (unterordnenden) **Konjunktionen** unterschieden. Koordinierende Konjunktionen sind z. B. *und, oder, aber, denn* und subordinierende Konjunktionen z. B. *weil, indem, bevor: Michael trinkt Kaffee, aber Sonja trinkt lieber Tee* vs. *Michael kocht Kaffee, bevor Sonja einschläft.* Die Subordinationskonjunktionen stehen im Deutschen immer am Anfang eines Nebensatzes, dessen finites Verb am Ende steht.

Aufgrund von unterschiedlichen Stellungseigenschaften lassen sich zwei verschiedene Typen von Koordinationskonjunktionen unterscheiden: echte und unechte. **Echte Konjunktionen** (*aber, allein, denn, oder, und, sondern*) sind nicht vorfeldfähig, d. h., daß in Sätzen mit Zweitstellung des finiten Verbs die erste Position durch einen anderen Ausdruck besetzt ist und somit die Konjunktion im Vor-Vorfeld steht (*Evelyn las den ganzen Tag, denn das war ihre Lieblingsbeschäftigung*). Unechte Konjunktionen verhalten sich wortstellungsmäßig wie Adverbiale und können allein die erste Position vor dem finiten Verb in einem Aussagesatz besetzen, wie in *Es gab einen Schneesturm, deshalb blieb Sascha zu Hause* (s. Kap 2.).

1.8 Wortbildung

Das vierte Prinzip zur Struktuierung des Wortschatzes ist formaler Art: Die Wörter werden nach ihrem Wortbildungstyp geordnet. Außerdem dient die Wortbildung zur unbeschränkten Vermehrung der Wörter einer Sprache und macht daher die Beantwortung der Frage, wieviele Wörter eine Sprache zählt, grundsätzlich unmöglich.

Neben einfachen, d. h. nicht weiter zerlegbaren Wörtern (*Tisch, Sonne, kalt*) gibt es komplexe Wörter. Die Wortbildung(s)lehre befaßt sich mit der Struktur von komplexen Wörtern. Man unterscheidet als Wortbildungsmittel die **Komposition** (auch **Zusammensetzung** genannt) und die **Derivation** (auch **Ableitung** genannt). Ein komplexes Wort ist entweder **zusammengesetzt** (*Schreibtischlampe*) oder **abgeleitet** (*Bege-*

gnung), kann aber sowohl Komposition als auch Derivation aufweisen (*Dichterlesung, Hausbesetzung, Eröffnungsfest*).

Zentrale Aufgabe der Wortbildungs(lehre) ist es, zu beschreiben, was ein mögliches Wort einer Sprache (z. B. der Deutschen) ist, d. h. welche Wörter bzw. Wortbestandteile (z. B. Affixe) wie miteinander kombiniert werden können, und welche regelmäßigen Beziehungen es zwischen der Bedeutung der Bestandteile und der Bedeutung des komplexen Wortes gibt. Man kann sich für den jetzigen Bestand von Wortbildungsprozessen interessieren (**synchrone** Wortbildung), man kann auch untersuchen, wann bestimmte komplexe Wörter wie entstanden sind, welcher Herkunft die Wortbildungs-Affixe sind, wie produktiv bestimmte Wortbildunsprozesse waren usw. (**diachrone** Wortbildung) (vgl. Fleischer/Barz (1992); Henzen (1965).

1.8.1 Komposition

Ein **Kompositum** geht aus der Verbindung zweier oder mehrerer sonst frei vorkommender Morpheme oder Wörter hervor. Besonders häufig kommen die N+N-Komposita vor, also die Komposita, die aus zwei nominalen Bestandteilen bestehen (*Postbote, Taschentuch*). Auch Komposita, die aus Adjektiv und Nomen bestehen, sind sehr produktiv (*Schöngeist, Rotlicht, Grünschnabel*). Seltener dagegen kommen Komposita aus der Verbindung zweier Verben zustande (*schlagbohren*).

Die meisten Komposita sind subordinierend, d. h., daß bei ihnen ein Bestandteil dem anderen untergeordnet ist; man nennt sie **Determinativkomposita**. Im Deutschen determiniert die Reihenfolge der Bestandteile die Abhängigkeitsbeziehung, und zwar so, daß der erste Bestandteil den zweiten determiniert (bestimmt): Eine *Großstadt* ist eine *Stadt, die groß ist*; ein *Schreibtisch* ist ein *Tisch zum Schreiben* usw. Diese Analyse gilt auch für Wörter wie *Rotkehlchen* (*rot* bezieht sich auf *kehlchen*). Jeder Bestandteil kann selbst komplex sein ([*Schreibmaschinen*]*tisch, Computer*[*arbeitsplatz*]...).

Bei den **Kopulativkomposita** sind die einzelnen Bestandteile koordiniert (nebengeordnet). Hier bestimmt kein Bestandteil einen anderen, sondern beide Bestandteile stehen semantisch gleichberechtigt nebeneinander. Eine *Strumpfhose* ist zugleich ein *Strumpf* und eine *Hose*; ein *Dichter-Komponist* ist jemand, der sowohl *Dichter* als auch *Komponist* ist (auch *taubstumm, blau-weiß-rot, marxistisch-leninistisch*...). Die Kopulativkomposita sind im Deutschen selten, und nicht alle Linguisten sind bereit, sie als solche zu analysieren.

Für die Komposita gilt in der Regel, daß sie der Wortart des letzten Bestandteils (des Determinatums) angehören und die syntaktischen und morphologischen Eigenschaften desselben übernehmen: *Gesangsverein* ist ein neutrales Nomen, weil *Verein* ein neutrales Nomen ist; *was-*

serdicht ist ein Adjektiv, weil *dicht* ein Adjektiv ist; *bauchtanzen* ist
ein Verb, weil *tanzen* ein Verb ist. Es gibt aber eine geringe Anzahl
von komplexen Wörtern, die weder als Determinativ noch als Kopulativkomposita beschrieben werden können (*Vergißmeinnicht, Stell-
dichein, Rührmichnichtan*).

1.8.2 Derivation

Die **Derivation** bildet den zweiten Haupttyp der Wortbildung. Sie un-
terschiedet sich von der Komposition dadurch, daß ein **Affix** (nicht-
freies Morphem) wortbildend wirkt: Geht ein Affix dem Stamm voran,
mit dem es kombiniert wird, dann nennt man es **Präfix**. (*un+schön*);
folgt das Affix dem Stamm, dann nennt man es **Suffix** (*schön
+heit*). Die Affixe im Deutschen sind entweder Präfixe oder Suffixe, es
gibt im Deutschen keine **Infixe** – außer, man betrachtet das sog. Fü-
gungs-s (*Schönheitsfehler*) oder Fügungs-n (*Flaschenhals*) als solche. Die deutschen Infixe sind allerdings weitgehend bedeutungslos.

Als (**innere**) **Derivation** wird manchmal auch eine innere Lautverän-
derung bezeichnet (z. B. bei *finden/Fund; geben/Gabe*), die freilich
(zumindest historisch) oft mit einer Affigierung kombiniert auftritt
(*ziehen/Zucht; Gut/Güte*). Der Terminus „innere Derivation" (ohne
Affigierung) ist jedoch nicht unproblematisch, denn er setzt eine Reihenfolge im Bildungsprozeß voraus, die nicht immer mit Sicherheit zu
rechtfertigen ist: Ist *Fund* von *finden* abgeleitet? Vorsichtiger ist es
– zumindest, wenn man die Details der Sprachgeschichte nicht kennt –
zu sagen, daß *finden* und *Fund* aus derselben Wurzel abgeleitet sind.
Von dieser gemeinsamen **Wurzel** aus werden **Stämme** gebildet, sowohl
verbale als auch nominale Stämme. Ähnlich werden wir sagen, daß
Kauf und *kaufen*, *Ernte* und *ernten*, *fließen* und *Fluß* aus derselben
Wurzel abgeleitet sind.

Ebenso wie bei der Komposition Ableitungen als Bestandteil des
Komplexes fungieren können, kann der Stamm einer Ableitung selbst
ein Komplex sein (ein Kompositum oder eine Ableitung): *Ausländerfeindlichkeit* ist ein Kompositum, weil es aus *Ausländer* und *Feindlichkeit* zusammengesetzt ist: Daß *Feindlichkeit* selbst eine Ableitung ist,
ändert am Endstatus von *Ausländerfeindlichkeit* nichts. *Lebenslänglich*
ist eine Ableitung, weil es aus *lebenslang* und *-lich* besteht; daß das als
Stamm fungierende Element *lebenslang* ein Kompositum ist, ändert am
Endstatus von *lebenslänglich* nichts.

1.8.3 Zu den Affixen

Die Affixe sind **gebundene Morpheme**, d. h. Ausdrücke mit abstrakter,
vager Bedeutung, die nicht selbständig im Satz auftreten können,

sondern etwas brauchen (ein Wort bzw. einen Wortstamm), an das bzw. an den sie affigiert werden. Ursprünglich waren sie oft freie Morpheme mit einer lexikalischen Bedeutung, z. B. geht das deutsche Suffix *-heit* auf ein selbständiges Substantiv mit der Bedeutung „Beschaffenheit, Eigenschaft, Stand" zurück. Auch heute kann man beobachten, wie Substantive so häufig zur Bildung von komplexen Wörtern verwendet werden, daß ihre Bedeutung verblaßt und sie im Begriff sind, zu Suffixen (Halbsuffixen) zu werden (so z. B. *mann, kraft, zeug, wesen*), so daß man beinahe z. B. *Schreibkraft* und *Schulwesen* eher als Derivationen denn als Komposita betrachten könnte. Mit der Bedeutung, die *kraft* in *Schreibkraft* hat, ist es kein freies, sondern ein gebundenes Morphem, kein Substantiv mehr. (➡ Übung 22).

Es gibt Affixe, die verschiedene Funktionen erfüllen, z. B. kann das Suffix *en* als Infinitivendung bei Verben benutzt werden und zählt dann zu den Flexionsmorphemen (*schwimm+en*), oder es dient zur Adjektivierung von Nominalen (*ird+en*) oder zur Bildung eines Verbs (*Ernte+(e)n, Buch+en*) und zählt dann zu den Derivationsaffixen. Dem Suffix *en* entsprechen also mehrere gleichlautende Morpheme.

Derivationsaffixe dienen der systematischen Bedeutungsdifferenzierung, z. B. zur Bildung von Abstrakta (*Schön+heit*) oder von Diminutiva (Verkleinerung und Verniedlichung wie *Kätz+chen*), oder sie dienen der kategoriellen Festlegung der Wortarten (*les+en*=Verb; *les+ung*=Nomen; *les+bar*=Adjektiv. (➡ Übung 23).

Suffixe sind im Gegensatz zu den Präfixen wortartdeterminierend. *Freiheit* ist ein Substantiv, weil *heit* ein nominales Affix ist, *langsam* ist ein Adjektiv, weil *sam* ein adjektivisches Affix ist (und nicht weil *lang* ein Adjektiv ist). Wichtige Suffixe zur Substantivbildung im Deutschen sind: *-e* (*Reise*); *-el* (*Schlingel*); *-er* (*Fänger*); *-ling* (*Liebling*); *-in* (*Bäckerin*); *-(ig)keit* (*Traurigkeit*); *-heit* (*Gesundheit*); *-nis* (*Zeugnis*); *-schaft* (*Gesellschaft*); *-tum* (*Reichtum*); *-ung* (*Befreiung*); *-lein* (*Kinderlein*); *-chen* (*Mütterchen*). In der Regel bestimmt das Suffix das Genus des abgeleiteten Substantivs. Wichtige Suffixe zur Adjektivbildung im Deutschen sind *-haft* (*schreckhaft); -ig (salzig); -lich (bestechlich); -sam (genügsam); -bar (eßbar)*.

Viele der heutigen Präfixe waren ursprünglich Präpositionen. So stammt z. B. *ent-* aus der ahd. Präposition *int* („gegen") (vgl. *entgehen, enthaupten, entgiften...*). *Ver-* geht auf drei verschiedene Präpositionen zurück (got. *faúr* („vor(bei)"), *fra* („weg von"), und *fair* („hindurch")). Daher die heute vielfältige Bedeutung von *ver-* (vgl. *verglasen, verschreiben, verkennen, verhören, vergeuden, verhallen, verlöschen...*). Zu den Präfixen des Deutschen zählen z. B.: *be- (belügen); ent- (enteignen); er- (erfinden); ver- (vergrößern); zer- (zerkleinern); un- (untauglich); Miß- (Mißgeschick); Erz- (Erzfeind); Ur- (Urknall); Fehl- (Fehltritt) usw.* Es werden noch heute eine Reihe von Präfixen griechischer oder lateinischer Abstammung verwendet, z. B. *proto-, poly-, super-, anti-, pro-, kontra-, a-, post-, mono-, soli-, pluri-, inter-, intra-...*

Durch das Anfügen eines Präfixes an einen Stamm (Präfigierung) ändert sich die Wortart nicht (*die Ernte, die Mißernte; fest, bombenfest*). Es gibt Wörter, die nur durch Suffigierung und Präfigierung zugleich abgeleitet werden, z. B. wird aus dem Adjektiv *feucht*, mit Hilfe des Suffixes *en* und des Präfixes *an* das Verb *anfeuchten*. Eine bloße Suffigierung würde nicht ausreichen (**feuchten*). Ebenso verhält es sich mit den Substantiven *Er+kund+ung* oder *Ver+zeih+ung*, die *ung*-Suffigierung ohne zusätzliche Präfigierung ergibt kein deutsches Wort (**Kundung, *Zeihung*). Diese Bildungen sprechen gegen die oft angestrebte grundsätzliche Binarität des Wortbildungsprozesses (s. 1.9).

In der sog. diachronischen Wortbildung wird versucht, die historischen Ursprünge zu erfassen. So läßt sich rekonstruieren, daß das heute noch sehr produktive Suffix *-er* (Vgl. die sog. „nomina agentis" *Fischer, Lehrer, Sänger*) zwar in der Form *-areis* im Gotischen, *-ari* im Althochdeutschen, *-aere* im Mittelhochdeutschen nachgewiesen ist, aber dem Lateinischen *-arius* entspricht, aus dem es schließlich herzuleiten ist. Die Zahl der aus Verben abgeleiteten nomina agentis nahm in Laufe der Geschichte sehr zu, wenn es auch Bildungen wie *(Eisen)-bahner, Violiner, Eigentümer* usw. gibt. Durch sog. „Personifikation" haben sich nach demselben Muster Werkzeugbezeichnungen entwickelt, z. B. *Bohrer, Wälzer, Füller, Schalter* usw. Die „erweiterten" Suffixe *-ler* und *-ner* (*Tischler, Klempner...*) sind Ergebnis einer falschen Analyse von Bildungen wie *Bettler* und *Wagner*: Hier gehört das *l* bzw. *n* zum Stamm, was übersehen wurde zugunsten der Annahmen, es läge ein Suffix *-ler* bzw. *-ner* vor. Mit diesen Bildungen nicht zu verwechseln sind Wörter wie *Speicher* und *Weiher*, die aus dem Lateinischen entlehnt wurden (*spicaium* wurde im Althochdeutschen zu *spichari; vivarium* entspricht dem Althochdeutschen *wiwari*): hier geht *-er* bzw. ahd. *-ari* auf das lat. Wort *-arium* zurück, womit der Ort, an dem sich eine Sache befindet, bezeichnet wird. Das Suffix *-er* in *Berliner, Schweizer...* stammt aus lat. *narii*, was zur Bildung von Völkernamen diente. (➜ Übung 24).

Um die Relationen zwischen den Bestandteilen existierender Wörter zu erklären, muß oft die Sprach- und Kulturgeschichte in Betracht gezogen werden (diachronische Wortbildung, Etymologie). Die heutigen Sprecher haben allerdings normalerweise kein historisches Wissen über die Elemente, die sie bei der Bildung neuer Wörter einsetzen. Wichtig ist für sie, daß sie (unbewußte) Kenntnis der Regeln haben, die der Bildung neuer Wörter zugrunde liegen (synchrone Wortbildung). Deutsch können heißt unter anderem, in der Lage sein, auch noch nie gehörte komplexe Wörter zu analysieren und zu verstehen

und noch nie gehörte komplexe Wörter zu bilden, die von den Gesprächspartnern korrekt verstanden werden können. Diese Fähigkeit
kann man „Wortbildungskompetenz" nennen.

Der Kontrast zwischen Diachronie und Synchronie ist in der Wortbildung nicht so groß, wie manchmal behauptet wird. Auch der heutige
Sprecher ist Zeuge von Sprachwandelprozessen und weiß daher, daß
sich der Wortschatz ständig verändert. Schließlich kann er jederzeit ein
neues Wort prägen und somit zur Bereicherung des Wortschatzes beitragen. Ebenso ist jeder kompetente Sprecher des Deutschen in der
Lage, auffällige und abweichende Wortbildungen, wie sie spielerisch
(etwa in der Werbung) gebildet werden, als solche zu erkennen (z. B.
Coca-Cola-Werbung bei der Einführung der Plastikflaschen: *unkaputt-
bar, gutgreifig, leichtwiegig*). Betrachtet man die Wortbildung als ein
Mittel, jederzeit neue Wörter zu bilden, dann sind die Begriffe der
„**Kreativität**" und „**Produktivität**" von zentraler Bedeutung: Nicht alle
Prä- und Suffixe können in gleichem Maße für Neubildungen benutzt
werden. Mit *miß-, -lich, -bar* oder *un-* lassen sich leicht heute neue
Wörter bilden, mit *-nis* oder *-sam* oder *-t-* nicht. Intuitiv weiß das jeder
kompetente Sprecher. Ableitungen aus früheren Zeiten, deren Muster
heute nicht mehr produktiv sind, werden wahrscheinlich wie Simplicia
gelernt, gespeichert und benutzt. Als „Kreativität" bezeichnet man die
Fähigkeit der Sprecher, produktive Wortbildungsmuster zur Bildung
neuer Wörter auszunutzen, je nach Bedarf, „ad hoc". (➡ Übung 25).

1.8.4 Lexikalisierung vs. Ad-hoc-Bildungen

Als **Ad-hoc-Bildungen** (Augenblicksbildungen) werden die Wörter bezeichnet, die nach Wortbildungsregeln neu gebildet werden und die
meist einen vorher noch nicht bezeichneten Sachverhalt bezeichnen,
z. B. könnte *Fliegenpilzfahrrad* ein Fahrrad bezeichnen, das rot mit
weißen Punkten gestrichen wurde, ein *Kreuzwortvogel* einen Vogel mit
einem in Kreuzworträtseln oft vorkommenden Namen.

Der wiederholte Gebrauch eines Wortes, das ad hoc gebildet worden ist, kann dazu führen, daß es zum festen Inventar der Sprache wird,
m. a. W., daß es **lexikalisiert** wird (z. B. *2-plus-4-Gespräche, Kohlep-
fennig, Jahrhundertvertrag, Weiße-Kittel-Kriminalität*). Lexikalisierung meint zunächst nur, daß eine bestimmte Bildung zuungunsten anderer denkbarer üblich wird (z. B. *Stammbaum* und *Ahnentafel*, aber
nicht *Stammtafel* oder *Ahnenbaum*). Man könnte sich zwar *Ahnenbaum*
(im Sinne von *Ahnentafel*) vorstellen, aber man würde stutzen, wenn
jemand (z. B. ein Ausländer) plötzlich *Ahnenbaum* sagen würde. Wenn
sich ein Wort zur Bezeichnung eines bestimmten Gegenstandes „einge-
bürgert" hat (wie *Ahnentafel*), dann steht es einer Ad-hoc-Bildung zur
Bezeichnung desselben Gegenstandes im Wege. Daher wird es übli-

cherweise im Wörterbuch aufgeführt, obwohl es leicht verstehbar
(transparent) ist. Die Fixierung kann auch eine formale Eigenschaft betreffen: So heißt es z. B. *Wortschatz* aber nicht *Wörterschatz, Bücher-
sendung*, aber nicht *Buchsendung*. (➡ Übung 26).

Eine weitere Art der Lexikalisierung ist die sog. **Idiomatisierung**.
Damit ist gemeint, daß die ursprünglichen semantischen Zusammen-
hänge zwischen den Morphemen fast nicht mehr zu erkennen sind
(*höflich, zügig*), daß die Bedeutung des ganzen streng genommen nicht
(mehr) aus den Bedeutungen der Bestandteile ableitbar ist (ein *Bleistift*
ist kein Stift aus Blei) oder daß die Bedeutung eines einzelnen Bestandteils nicht mehr erkennbar ist, weil das entsprechende Morphem
im Laufe der Sprachentwicklung nur als Teil eines Kompositums über-
lebt hat (Brom+*beere,* Schorn+*stein*).

1.9 Wortsyntax

Obwohl man traditionell die Wortbildung und die Syntax als zwei
deutlich getrennte Komponenten der Grammatik betrachtet, gibt es
zwischen ihnen interessante Affinitäten, die wir unter der Überschrift
„Wortsyntax" (vs. „Satzsyntax") hervorheben wollen (vgl. Olsen
(1986).

Wie bei der Satzbildung geht es in der Wortbildung um **potentielle**
Bildungen, hier um Wörter, die nach Regeln gebildet werden können. Es gibt in der Wortbildung, wie bei der Syntax, ein „dynamisches
Regelsystem". Simplizia und Morpheme sind grundlegende, arbiträre
Zeichen im System, komplexe Wörter sind (wie Sätze) strukturell und
semantisch reguläre Verbindungen aus kleineren sprachlichen Einheiten; es sind also Gebilde, denen eine hierarchische Struktur zugewiesen
werden kann, so wie es in der Satzsyntax üblich ist, Sätzen eine hierarchische Struktur zuzuweisen.

Die Syntax ist eine endliche Menge von Regeln, die die Bildung einer unendlichen Menge von Sätzen erlaubt. Auch in der Wortbildung
gibt es Regeln, die zur Bildung einer unendlichen Menge von komplexen Wörtern angewendet werden können. Wenn es eine Wortbildungs-
regel wie N + N → N gibt, dann heißt dies, daß ein N aus 2, 3, 4, theoretisch n Nomina[10] bestehen kann. Vgl.:

---

10 Damit der Bezug zur gängigen Abkürzung N klar ist, verwenden wir hier „Nomen"
im Sinne von „Substantiv".

(1)   N=Versammlung
             N + N=[Haupt + Versammlung]$_N$
             N + [N + N]$_N$=[Jahres [haupt+versammlung]]$_N$
             N + [N [N + N]]=N [Linguisten [jahres [haupt+versammlung]]]$_N$
(2)   N=Züchter (aus [zücht-]$_{V\text{-Stamm}}$ + [er]$_{N\text{-aff}}$)
             A + N=N [Klein+tier]$_N$
             [A + N] $_N$ + N=[[Klein+tier]züchter]]$_N$
             [[A+N]$_N$ +N]$_N$[N [N+N]]$_N$]=[[Kleintier]züchter][jahres[hauptver-
             sammlung]]]

Wie man an Beispiel (2) sieht, können manche Bestandteile des komplexen Kompositums selbst Ableitungen sein (*Versammlung*, *Züchter*),
und doch ist das Ergebnis eine Zusammensetzung aus zwei Nomina
(zwei freien Morphemen): *Kleintierzüchter* und *Jahreshauptversamm-
lung*.
     Es ist möglich, komplexe Wörter mit denselben Methoden zu ana-
lysieren wie Sätze. Man kann z. B. die **Konstituentenstrukturanalyse**
aus der Syntax benutzen, um die interne Struktur der Wörter zu analysieren (vgl. Kap. 2).
     Sobald ein komplexes Wort aus mehr als zwei Elementen besteht,
stellt sich die Frage nach seiner hierarchischen Struktur; und die wiederum hängt mit der Bedeutung des komplexen Wortes zusammen.
Man betrachte z. B. die Analyse von *Mädchenhandelsschule* als *Han-
delsschule für Mädchen* (vgl. (3))oder als *Schule für Mädchenhandel*
(vgl. (4)):

(3)   [[Mädchen]$_N$[[handels]$_N$[schule]$_N$]$_N$]
(4)   [[[Mädchen]$_N$[handels]$_N$]$_N$ [schule]$_N$]

(Man betrachte auch im Wuppertaler Zoo das Plakat „*Hier baut die
Stadt Wuppertal für ihre Bürger eine neues Menschenaffenhaus*").
Auch nicht-mehrdeutige komplexe Wörter lassen sich so strukturieren,
daß ihre Bedeutung aus ihrer Struktur ableitbar ist: Eine *Augenblicks-
bildung* ist keine Blickbildung für die Augen (6), sondern eine Bil-
dung, die etwas mit einem Augenblick zu tun hat (5). Nach diesem
Muster sind auch [[*Wohnungsbau*]*förderung*], [[*Buntstift*]*schachtel*],
[[*Krankenhaus*]*verwaltung*]... gebildet.

(5)   [[Augen+blicks]bildung]$_N$)
(6)   *[Augen[blicksbildung]]

Ein *Altbürgermeister* ist kein Meister für die Altbürger (7(b)), sondern
ein alter bzw. ehemaliger Bürgermeister, also (7(a)) (vgl. auch [*Hal-
len[fußball*]], [*Füll[federhalter*]], [*Gas[feuerzeug*]]...

(7) (a)   [Alt[bürger+meister]$_N$
(7) (b)   *[[Altbürger]meister]

Es reicht also nicht, die minimalen Bestandteile eines komplexen Wortes aufzuzählen, zur Analyse des komplexen Wortes gehört es auch, anzugeben, welche dieser Bestandteile enger zusammengehören als andere. Genau diese Beziehungen machen die hierarchische Struktur aus, die in Form eines indizierten Klammerausdruckes oder in Form eines Baumgraphs dargestellt werden kann: Hier die baumgraphischen Entsprechungen zu den beiden Klammerausdrücken für *Mädchenhandelsschule*:

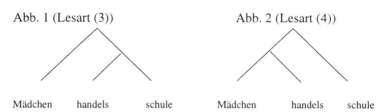

Abb. 1 (Lesart (3))   Abb. 2 (Lesart (4))

Mädchen   handels   schule   Mädchen   handels   schule

Die Regeln V+bar → Adj und A+keit → N legen nahe, daß *Dankbarkeit* wie folgt gebildet wurde: *dank+bar → dankbar*~Adj~; *dankbar+keit → Dankbarkeit*~N~, also die Struktur (9), aber nicht (10) aufweist.

(9)   [[Dankbar]~A~keit]~N~
(10)   *[Dank[barkeit]]

In vielen Fällen gibt es keine überzeugenden semantische Argumente für eine der beiden Srukturierungen [[x+y]z] oder [x[y+z]]. So z. B. bei *Hausdurchsuchung:*

(11)   [Haus][[durchsuch]ung]
(12)   [[Hausdurchsuch]ung]

Eine (11) entsprechende Analyse (*Durchsuchung eines Hauses*) wäre zufriedenstellend. Will man aber hervorheben, daß *Hausdurchsuchung* eine Nominalisierung ist, d. h. Ergebnis eines Prozesses, der aus einem Satz ((*jmd.*) *durchsucht (ein) Haus*) ein Substantiv macht, dann könnte man (12) vorziehen. Denn: *Haus+durchsuch(en)* bilden das Prädikat des zugrundeliegenden Satzes (VP (Verbalphrase) in Abb. 3), und *Hausdurchsuchung* enthält von diesem zugrundeliegenden Satz genau die VP. Anders gesagt: Im Falle des Satzes muß der VP ein Subjekt hinzugefügt werden, im Falle des Substantivs das Nominalisierungssaffix *-ung* (vgl. Abb. 4).

Abb. 3   Abb. 4

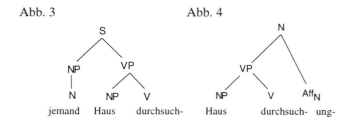

Dieses Beispiel zeigt, daß man manchmal ein und dasselbe Wort unterschiedlich beschreiben kann, je nachdem, wie weit man die Wortbildungsstruktur an die (syntaktischen) Satzstrukturen angleichen will.

Als ein weiteres Beispiel für die enge Verwandtschaft zwischen Wortbildung und Syntax wählen wir das Wort *Braunkohlenverarbeitungskombinat*. Vergleicht man dieses Kompositum mit dem ihm entsprechenden Satz, *(ein) Kombinat verarbeitet Braunkohlen*, dann erkennt man in *Braunkohlenverarbeitung* eine Nominalisierung wie *Hausdurchsuchung* (einem Prädikat entsprechend) und in *Kombinat* das dazugehörige Subjekt. Die Struktur dieses Kompositums ist in Abb. 5 wiedergegeben.

Abb. 5

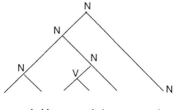

Braun   kohlen ver arbeit   ung   kombinat

Es ist nicht immer sinnvoll oder möglich, komplexe Wörter so zu analysieren, daß in den Baumgraphen nur binäre Verzweigungen vorkommen. So ist es z. B. nicht zu rechtfertigen, daß *beabsichtigen* als [be[absichtigen]] oder als [[beabsicht]igen] beschrieben wird, da weder *absichtigen* noch *beabsicht* existieren. Hier muß wohl eine ternäre Verzweigung (vgl. Abb. 6) angenommen werden:

(18)   [[be][absicht][igen]]$_V$

Abb. 6   Abb. 7

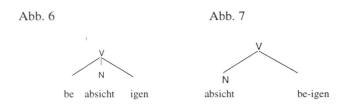

be   absicht   igen   absicht   be-igen

Sicherlich könnte man Verben wie *beabsichtigen, beruhigen, beunru-
higen, berücksichtigen, beaufsichtigen, behelligen...* als aus einem
Stamm (*Absicht, Ruhe...*) und einem komplexen diskontinuierlichen
Affix *be-igen* bestehend analysieren. Die daraus resultierende Baum-
struktur (Abb. 7) wäre dann zwar binär, gäbe aber die Reihenfolge[11]
der Wortbestandteile nicht korrekt wieder, wie es in den bisherigen
Abb. 1 bis 6 der Fall war.
   Es gibt noch weitere Gründe dafür, daß man von Wortsyntax
spricht: Nennen wir „**Argumente**" die Ausdrücke, die von einem Verb,
Nomen oder Adjektiv verlangt werden. *Verarbeiten* regiert zwei
Argumente: *das Kombinat* und *Braunkohle*; entsprechend hat *Verarbeitung* zwei Argumente: *Braunkohle* und *Kombinat*, die beide im Kompositum *Braunkohlenverarbeitungskombinat* enthalten sind. M. a. W.:
Das Determinatum entspricht hier dem Subjekt des Verbs, das Objekt
des Verbs entspricht dem Determinans von *Verarbeitung*. Sobald zur
Erklärung eines Kompositums ein Verb verwendet wird (Nominalisierung), wird deutlich, was als Subjekt und was als Objekt des Verbs
fungiert: Die Subjekt-von- und die Objekt-von-Beziehungen können
somit in die Analyse des Kompositums eingehen, vgl. *Kinderbetreu-
ung=X betreut Kinder* (Obj.); *Kinderprotest=Kinder* (Subj.) *protestieren*; *Ausländerhaß=X haßt Ausländer* (Obj.); *Studentendemonstra-
tion=Studenten demonstrieren* (Subj.); *Antidrogendemonstration=X
demonstriert gegen Drogen* (Obj.); *Friedensdemonstration=X demonstriert für Frieden* (Obj.). Solche Vergleiche zeigen, daß auch in der
Wortbildung (wenn auch nicht formal eindeutig gekennzeichnet)
sog. „**grammatische Funktionen**" relevant sind: Die Rektion des zugrundeliegenden Verbs hilft bei der Analyse des Kompositums, das
Kompositum darf nicht gegen die Rektion des Verbs verstoßen. Geht
man davon aus, daß das komplexe Wort einer Verbalstruktur entspricht, dann kann man diese Regelmäßigkeit als „Argumentverer-
bung" bezeichnen. Die Argumente, die das Verb normalerweise im
Satz fordert, finden sich (z. T.) im Kompositum wieder (*Kombinat* entspricht dem Subjekt von *verarbeiten*, *Braunkohlen* dem Objekt).

---

11 Auf das Problem der **diskontinuierlichen** Konstituenten und der Beziehung zwischen
Hierarchie und Reihenfolge der Konstituenten gehen wir im Kap. 2 ausführlicher ein.

Natürlich müssen sich nicht immer alle Argumente vom Verb im Kompositum wiederfinden. Die Nominalisierung dient oft der Absicht, ein Argument unbenannt zu lassen, wie es z. B. die Passivkonstruktion erlaubt: Sowohl *Braunkohlenverarbeitung* und *Wissenschaftsförderung* als auch *Senatsbeschluß* und *Dichterlesung* sind wohlgeformte Nominalisierungen, obwohl bei ersteren kein Agens und bei letzteren kein Objekt genannt sind. Im Falle eines Aktivsatzes müßte das Agens genannt werden (*jemand verarbeitet Braunkohlen; jemand fördert die Wissenschaft*).

Das Beispiel der Nominalisierung zeigt also, daß Wortbildung nicht völlig unabhängig von der Syntax gesehen werden kann. Zwar beschreibt man in der Syntax Ausdrücke, die aus mehreren syntaktischen Wörtern bestehen und nicht die interne Struktur einzelner Wörter, aber

– zur Beschreibung der internen Struktur komplexer Wörter werden Formalismen, Begriffe und Regelmäßigkeiten benutzt, die in der Syntax definiert bzw. aufgedeckt werden;

– es gibt regelmäßige Entsprechungen zwischen bestimmten Satztypen einerseits und bestimmten Worttypen andererseits;

– wie es die idiomatischen Redewendungen zeigen, gibt es sogar Ausdrücke, die sich auf der einen Seite vielleicht syntaktisch wie Einzelwörter verhalten, auf der anderen Seite aber intern so gebildet werden, wie es nicht die Regeln der Wortbildung, sondern die der Syntax ermöglichen (z. B. *Haare auf den Zähnen haben, eine Fahne haben, ins Blaue fahren, tote Hose sein, in die Hosen gehen, einen breiten Buckel haben, eine heilige Kuh sein...*). (➡ Übung 27–29).

Wir werden nun in Kap. 2 mehr und detaillierter erfahren, wie hierarchische Satzstrukturen aufgebaut sind und wie man sie rechtfertigen kann.

Zugabe: Analyse von Werbesprüchen

(1)   *COMPJUHUUUTER*
         Einfach eingeben. Spielend anwenden. Problemlos verbinden. Sicher speichern. Perfekt ausdrucken. Mühelos pflegen. Übersichtlich archivieren. [...] [boeder for computers].

Das Wort *Computer* ist eigentlich ein Fremdwort (aus dem Englischen) und wird im Deutschen [kɔmpjuːtər] ausgesprochen. Das zugrundeliegende Wort *computer* ist im Englischen abgeleitet von *compute* (historisch betrachtet entspricht es lat. *con* (mit) + *putare* (denken)). Der heutige durchschnittliche Sprecher des Englischen weiß genau so wenig wie der heutige Sprecher des Deutschen, daß und woraus dieses

Wort abgeleitet ist: *Computer* dürfte als nicht-zerlegbares Morphem aufgefaßt werden, als arbiträre Lautkette zur Bezeichnung eines bestimmten Werkzeugs, d. h. keine Eigenschaft dieser Fähigkeit erklärt die Lautform des sie bezeichnenden Wortes.

Im Werbespruch wird die mittlere Silbe des Wortes JUHUUU geschrieben, was als Interjektion im Deutschen Freude, Jubel, signalisiert. M.a.W.: das Wort *computer* wird so behandelt, als würde dessen Silbe [pju:] ein Morphem [juhu] enthalten mit der Bedeutung „Jubel, Freude". Es wird in einen nicht bedeutungstragenden Teil des Wortes eine Bedeutung „hineininterpretiert", es wird somit suggeriert, daß ein Computer deswegen Computer heißt, weil er Freude macht. Was hier geschieht, ist das, was man unter "Volksetymologie" versteht. Der kleingedruckte Text („einfach eingeben...übersichtlich archivieren) verstärkt, daß *Computer* mit Spiel, Freude... assoziiert werden soll. Wer mit Computern arbeitet, ist spielerisch veranlagt – und wird seine Freude am Wortspiel haben!

(2)   *Guten morgähn. Fit für den Tag* [Hannoversche Allgemeine]

Gespielt wird mit dem Wort *Morgen*, das man nach *guten* erwartet. *Morgen* wird aber in *morgähn* umgeschrieben und wird dadurch in Verbindung gesetzt mit *gähnen*. D. h.: Es wird (wie im Werbespruch (1)) so getan, als ließe sich das Morphem *Morgen* in zwei Morpheme (bedeutungstragende Einheiten) zerlegen, von welchen das zweite etwa „gähnen" bedeutet. Freilich bleibt bei dieser spielerischen Zerlegung *Mor* unerklärt, aber suggeriert wird, daß die Bedeutung von *gähnen* in der Bedeutung von *Morgen* steckt. Die lautliche Ähnlichkeit zwischen *-gen* und *-gähn* ist freilich nicht sehr groß (sie kann regional variieren, was den Öffnungsgrad des Vokals betrifft, es dürfte aber immer einen Längenunterschied zwischen den beiden Vokalen geben), weshalb dieses Wortspiel wohl schriftlich besser als mündlich funktioniert und darüber hinaus nicht in allen Gegenden gleichermaßen (vgl.[moin] in Flensburg,[moaŋ] in Hamburg und [mɔʁɡə] in Stuttgart).

(3)   *Die Profikamera für Ehrgeizige und Geizige* [Minolta]

Das Spiel besteht hier darin, daß *Ehrgeizige* und *Geizige* miteinander koordiniert werden, d.h. beide als Adressaten der Anzeige genannt werden. *Ehrgeizig* bezeichnet (gerade für Profis) eine positive Eigenschaft, *geizig* grundsätzlich eher eine negative. Die Ehrgeizigen sind nicht eine spezifische Sorte von Geizigen, im lexikalisierten Kompositum *ehrgeizig* bedeutet der Bestandteil *geizig* nicht (mehr) das, was *geizig* allein bedeutet. D.h.: Dem formalen Parallelismus entspricht

semantisch ein Kontrast. Dieser kann nur dadurch abgeschwächt werden, daß man *geizig* als positiv wertet. Und das ist in der Werbung
möglich, denn der niedrige Preis eines Produkts, mit dem der Sparsame
angesprochen wird, muß erst recht den Geizigen ansprechen. Wenn sogar der Geizige angesprochen werden kann, dann heißt das wohl, daß
der Preis ganz besonders niedrig ist. Wer die Geizigen als Adressaten
der Werbung ausdrücklich nennt, dürfte kaum die Geizigen als eine
minderwertige, abscheuliche Klasse von Menschen betrachten.
Schließlich spricht die Werbung die positiven Eigenschaften der Kun-
den an!

(4)   *Ich bin ein Heppinger (...) Heppinger. Und ich fühl
        mich heppi. [Heppinger − Natürliches Heilwasser.*
        (Bild: eine wohlige Frau mit Sonnenhut, von Blumen
        umgeben, hebt ihr Glas)].

Das Wort *Heppinger* bezeichnet ein Produkt aus Heppingen: Es läßt
sich bestenfalls analysieren als *Hepping(en)+er*, wobei *er* als Suffix
die Herkunft („stammend aus") bedeutet, wie in *Wuppertaler, Berliner,
Hattinger, Göttinger...* (Bei Ortsnamen, die auf *ingen* enden, wie *Hat-
tingen, Göttingen*, ist der Wegfall der unbetonten Silbe *en* im Falle einer *er*-Bildung regelmäßig.) *Heppingen* als Ortsname ist nicht weiter
analysierbar. In diesem Werbespruch wird aber so getan, als enthielte
es durch die Lautkette [hɛpi] auch die Bedeutung von eng. *happy*
[hæpi]. Das wird durch den folgenden Text *und ich fühl mich heppi*
(*heppi* in eingedeutschter und dem Wort *Heppinger* angepaßter
Schreibweise) zur Sicherheit deutlich gemacht. M.a.W.: Auch hier
wird über die Lautform eine Bedeutung in das Wort *Heppinger* hinein-
suggeriert, die eigentlich nicht drinsteckt. (Ansatz zur Volksetymologie).

(5)   *Welt. Hunger. Hilfe! Konto 111.* [Deutsche Welthun-
        gerhilfe].

Das zusammengesetzte Wort *Welthungerhilfe* als Name der inzwischen
berühmten gemeinnützigen Organisation, ist vielleicht in den Augen
mancher Leser nur ein Eigenname, dessen Bedeutung nicht ganz bewußt ist und ernst genommen wird (so wie bei den Eigennamen *Müller*
und *Fischer*). Durch die Getrenntschreibung der drei Bestandteile des
Kompositums wird deren volle Bedeutung aktiviert: Die Organisation
kümmert sich wirklich um Hilfe gegen Hunger auf der Welt, der Name
ist kein willkürlich gewählter. Durch die Zeichensetzung wird suggeriert, daß Welt und Hunger beide in gleichem Maße Fakten sind
(vgl. etwa die Aussagesätze: *Es gibt die Welt. Es gibt Hunger.*), wäh-

rend *Hilfe!* ein Ausruf, ein Appell ist (wie z. B. *Feuer!*). Damit wird eine andere Bedeutung suggeriert als die, die im Namen selbst steckt: es ist eine Aufforderung zum Handeln (zum Helfen), nachdem Hunger auf der Welt festgestellt wurde. Man ist von einem Kompositum zu einem Mini-Text gekommen, von einem Namen für eine Organisation zu einem Handlungsaufruf, wo der Leser zur Handlung aufgefordert wird. Die letzte Information *Konto 111* deutet an, welche Handlungsmöglichkeit es für diejenigen gibt, die den Appell verstanden haben: Geld überweisen. Die Zeichensetzung macht aus Einzelwörtern Sätze (Einwortsätze), aus einem komplexen Wort einen Text, der den Leser zu Reaktionen bewegen soll (man reagiert normalerweise nicht auf (Eigen)namen, man nimmt sie einfach hin). (Vgl. nach demselben Schema: Mode. Bewußt. Sein. [René Lezard]).

Übungen zu Kapitel 1

Übung 1: Suchen Sie in drei Wörterbüchern der deutschen Sprache, ob die folgenden Wörter aufgeführt sind: 1) *Bub, Brotzeit, Schrippe, Bulette* 2) *hold, dasig, ewiglich* 3) *Mousse, Petitesse* 4) *Scanner, Layout, happy* 5) *Politesse, geil, Beziehungskiste* 6) *Kapitälchen, petit* (als Schriftart) 7) *A.c.I.* (accusativus cum infinitivo)

Übung 2: Suchen Sie nach der Herkunft der folgenden (scheinbar einfachen) Wörter: *Brille, Nelke, Muskel, Freund, Eltern, Feind, Efeu, Glück, Laune.*

Übung 3: Die meisten Abkürzungen, die aus den je ersten Buchstaben der Bestandteile des komplexen Namens bestehen, werden im Deutschen so ausgesprochen, daß man die Buchstabenkette ausbuchstabiert (*SPD* [ʔɛspe:de:], *Adac* [ʔa:de:ʔat:se:ˑ] und nicht [ʔadak], *IC* [ʔi:tse:] und nicht [ʔik]... (vgl. *ABM, PKW, SED, USA...*). Suchen Sie nach Beispielen, die wie *Nato, UNO, ETA, GAU...* so ausgesprochen werden, als wären sie nicht einfach eine Kette von Anfangsbuchstaben.

Übung 4: Wie sind die folgenden Abkürzungswörter gebaut: *Kudamm, Buga, Groka, Stasi, Gestapo, Obus, U-Bahn, Juso, Schuko, Azubi* und *D-Mark*?

Übung 5: Die folgenden Wörter sind ähnlich wie *Motel* gebaut: *Kutel, Nicoleicht* (Magerstufe von Nicolait), *elefantastisch, schlepptop* (schleppen und Laptop), *Schiegen/Forpfen* (vgl. „*Gentechniker bauen Pflanzen und Tiere um, sie generieren Schiegen (Schaf-Ziegen) und Forpfen (Mischwesen aus Forelle und Karpfen*") [aus einem Text zur Genforschung]). Suchen Sie nach weiteren Bildungen dieser Art und erläutern Sie deren vermeintliche Bedeutung.

Übung 6: Die Tatsache, daß manche Wörter mehrdeutig sind, wird oft im spielerischen Umgang mit der Sprache (Witzen, Werbesprüchen, Graffiti...) ausgenutzt, um bestimmte Effekte zu erreichen. Um welche Mehrdeutigkeiten geht es bei den folgenden Beispielen:

    (1)   *Lieber Sex nehmen als acht geben.*
    (2)   *Lieber arm dran als Arm ab.*
    (3)   *Der Student geht solange zur Mensa, bis er bricht.*
    (4)   *Wir machen seit 50 Jahren Druck* [Werbung einer Druckerei].
    (5)   *Die Stärke eines Unternehmens liegt im Rückgrat seiner Mitarbeiter.* [Werbung von Dauphin Sitzkultur].
    (6)   *Etwas Meer aus Paris.* [Werbung des Saarlandes. Lebensqualität: Frischer Fisch wird aus Frankreich importiert].

(7)   *Sonne, Sand und mehr.* [Werbung für den Reiseteil in „Hannoversche
           Allgemeine"].
(8)   *Große Klappe. Viel dahinter. Der neue Trockner von Bosch.*
(9)   *Heute schon eine aufgerissen?* Lucky Strike. sonst nichts. [Bild: Zi-
           garetten-Schachtel, halb befreit von ihrer Zellophanverpackung.]
(10)   *Sie sind am Zug* [Werbung Camel, Bild: Anstatt wie sonst auf Sand
           zu stehen, steht das Kamel auf einem Feld eines Schachspielbrettes].
(11)   *Der neue Philishave. Besser abschneiden.* (Mann will Leistung).
(12)   *Der neue Philishave. Haargenau Ihre Einstellung* (Mann will Lei-
           stung).
(13)   *Das Sanitär-Handwerk: Dichtung und Wahrheit* [Ihr Bad vom
           Fachmann].
(14)   *Er fliegt mit uns nach Fernost, um Geschäfte zu machen. Die Chance
           ist groß, daß er baden geht.* [Werbung Philippine Airlines].

Übung 7: Suchen Sie nach Bezeichnungen für den Körperteil „Kopf" (*Birne, Glocke,
Nuß*...), und versuchen Sie, herauszufinden, aufgrund welcher Bedeutungsmerkmale
diese Bezeichnungen brauchbare, „sprechende" Bezeichnungen sind (Form, Funktion,
Position...).
Übung 8: Sind die folgenden Wörter Synonyme voneinander? Wenn nicht ganz, dann
geben Sie an, worin sie sich bedeutungsmäßig oder auch in anderen Hinsichten unterscheiden: *Fahrstuhl/Aufzug; Pyjama/Schlafanzug; Pantoffeln/Hausschuhe; Ohrfei-
ge/Backpfeife; verstehen/begreifen/kapieren/schnallen/tanken; Tram/Straßenbahn;
Auto/Wagen; Kavallerie/Reiterei; Einfahrt/Ausfahrt.*
Übung 9: 1. Recherchieren Sie die ursprüngliche/frühere Bedeutung von: *albern; Ver-
gnügen; vergleichen; vergeben; dumm; erkennen; Gesicht; klein; Bein; Ding; fromm;
hübsch; Knecht; Gast; schlecht.*
Übung 10: Recherchieren Sie nach den folgenden (untergegangenen) Wörtern, und versuchen Sie herauszufinden, warum sie untergegangen sind: *Kurzweile* vs. *Langeweile;
Näher* (=*Schneider*); *Schwieger* (=*Schwiegermutter*); *Heimsucht; Nehmendung; Nenn-
endung; Unfreund.*
Übung 11: Es gibt im heutigen Deutsch Wörter, deren fremde Herkunft auf der Hand
liegt, die jedoch im Deutschen mit einer anderen Bedeutung verwendet werden als ihre
fremde Entsprechung. So bedeutet dt. *Kuvert* „(Brief)umschlag", während *couvert* im
heutigen frz. „Gedeck" oder „Besteck" bedeutet. Vor solchen Fällen wird im Fremd-
sprachenunterricht unter dem Terminus „faux amis" gewarnt. Suchen Sie für dieses
Phänomen weitere Beispiele.
Übung 12: a) Suchen Sie nach Fremd/Lehnwörtern, die wie *Club/Klub, chic/schick* oder
Café/Kaffee zwei Schreibvarianten haben, und sagen Sie, inwiefern die zweite dem
Deutschen angepaßter ist als die alte; b) Lesen Sie Sitta (1994) und nehmen Sie zu den
dort gemachten Reformvorschlägen bzgl. Schreibung von Fremdwörtern Stellung.
Übung 13: Es gibt immer wieder Sprachkritiker, die gegen die „Verfremdung" ihrer
Sprache sind und dafür plädieren, daß man möglichst auf Fremd- bzw. Lehnwörter
verzichtet. Um einzuschätzen, wie realistisch ein solcher Wunsch ist, machen Sie fol-
gendes Experiment: Nehmen Sie einen beliebigen Artikel aus irgendeiner deutsch-
sprachigen Zeitung. Unterstreichen Sie alle Wörter, die Sie als Fremd- oder Lehnwort
zu erkennen glauben und versuchen Sie, diese Wörter durch „deutsche" zu ersetzen.
Übung 14: Gibt es – abgesehen von der Herkunft – Unterschiede (in der Bedeutung , im
Register...) zwischen *Telefon* und *Fernsprecher; frankieren* und *freimachen;
Hydropsie* und *Wassersucht; Urin* und *Harn; Hotel* und *Gasthaus; passieren* und
geschehen; kollidieren und *zusammenstoßen; Exemplar* und *Stück?*
Übung 15: Suchen Sie nach hybriden Wörtern, d. h. nach Wörtern, die aus Bestandteilen
unterschiedlicher Sprachen bestehen, wie z. B. *Sympatisant* (griech. *sym-* (mit)+*path*
(Leid) +*ant* (lat. Partizip-Präsens-Endung), *Spermabank, Trendwende, Tintenkiller.*

Übung 16: Suchen Sie nach der Etymologie der folgenden Wörter, und fragen Sie sich dabei insbesondere, ob und inwiefern die Volksetymologie die Geschichte dieser Wörter beeinflußt hat oder deren Verstehen heute noch beeinflußt: *Rosenmontag*; *Meerrettich*; *Leinwand*; *Armbrust*; *Grasmücke*; *Fledermaus*; *Kichererbse*; *Pleitegeier*; *Friedhof*. Was mag im Kopf eines Kindes passieren, das statt *Musketiere* „Muskeltiere" sagt? Was mag im Kopf eines erwachsenen Sprechers des Deutschen passieren, der statt *Alpenveilchen* „Altenveilchen" sagt?

Übung 17: Suchen Sie nach der Etymologie von *Lavendel*; *Humor*; *Schüsse*; *Schläfe*.

Übung 18: Suchen Sie nach der Etymologie a) der deutschen Wochentagsnamen und b) der deutschen Monatsnamen.

Übung 19: Prüfen Sie, daß die folgenden Wörter etymologisch verwandt sind: *Feier* + *Ferien*; *Biest* + *Bestie*; *Kurbel* + *Kurve*; *Pforte* + *Portal*; *Jenner* + *Januar*; *Penis* + *Puzzle* + *Penizillin*; *Prophet* + *Professor*; *Skala* + *Skandal*; *Idiot* + *Idiom*; *Klinik* + *Deklination* sowie frz. *ascension* + *échelle* + *escalier* + *échantillon*.

Übung 20: Welche semantischen Merkmale würden Sie annehmen, um die Bedeutung der Wörter *Auto*; *Fahrrad*; *Motorrad*; *Bus*; *Flugzeug*; *Schiff* aus dem Wortfelde „Fortbewegungsmittel" so zu beschreiben, daß sich jedes Wort von allen anderen unterscheidet?

Übung 21: Semantische Analyse eines Wortfeldes: Ordnen Sie jedem Wort die ihm zukommenden Merkmale zu.

    (a)   *Gehalt; Lohn; Vergütung; Salär; Sold; Besoldung; Honorar;*
    (b)   *Wohnung; Appartement; Villa; Bungalow; Hütte; Haus;*
    (c)   *Hengst; Stute; Wallach; Fohlen/Füllen; Mähre; Roß; Gaul; Rappen;*
                 Schimmel; Pferd.

Übung 22: Suchen Sie nach weiteren Morphemen, die möglicherweise heute im Begriff sind, zu Suffixen zu werden. Geben Sie Beispiele an, aus denen deutlich wird, daß die Bedeutung dieser Morpheme in komplexen Wörtern verblaßt.

Übung 23: Suchen Sie nach Beispielen für die folgenden Wortbildungsregeln, die einen Wortartwechsel bewirken:

a) Verbstamm + UNG → Nomen   d) VER+ Adjektivstamm + EN → Verb
b) Verbstamm + BAR → Adjektiv   e) Adjektivstamm + HEIT → Nomen
c) BE + Nomenstamm + EN → Verb   f) Nomenstamm + IG → Adjektiv

Übung 24: (a) Suchen Sie nach Wörtern, die fremde Affixe enthalten.
(b) Geben Sie Beispiele dafür, daß im heutigen Deutsch *spitzen-*, *höchst-*, *blitz-*, *mords-*, *bomben-*, *höllen-*, *riesen-*, *fehl-* und *wohl-* als Präfixe fungieren.
(c) Geben Sie Beispiele mit den Suffixen *-ade*, *-age*, *-enz*, *-anz*, *-esse*, *-ie und -ion.*

Übung 25: Analysieren Sie in den folgenden Werbesprüchen die auffälligen Wortbildungen:

    (1)   *Lamy Swift. Der erste Kugelfüller ist da.*
    (2)   *Lieber verklammert als verzettelt* [Büro actuell] (Auf dem Bild ist
                 eine Klammerheftmaschine abgebildet.)
    (3)   *Die Lecker-Vorhersage. - Das neueste aus der Gerichte-Küche. –*
                 Das Hauptgericht tagt. [Erasco. Konservierte Fertiggerichte. *Das*
                 Gute daran ist darin].

Übung 26: Unter den vielen Möglichkeiten, mit Wortbildung zu spielen, gibt es folgende: Man benutzt ein schon existierendes, lexikalisiertes Kompositum, aber mit einer anderen Bedeutung, als Ad-hoc-Bildung. Vgl.: *Die Lauf-Masche* [Initiativen aus Berlin. Informationen über Sport und Freizeit. (Bild: Horst Milde, Leiter des Berlin-Marathon beim Training)] Sammeln Sie weitere Werbesprüche dieses Typs.

Übung 27: Worin besteht der Unterschied zwischen (1) *Männer. Mode* (Pierre Lafitte) und *Männermode*; (2) *Preis & Wert!* (Neckermann-Katalog) und *preiswert?*

Übung 28: Analysieren Sie (indem Sie die Bestandteile identifizieren und die hierarchischen Beziehungen zwischen ihnen durch indizierte Klammerung und/oder eine Baumstruktur wiedergeben) die folgenden Wörter: *Autodiebstahl, Modebewußtsein, Gebrauchtwagenhändler, Einzelteilverkaufsstelle, Tintenstrahldrucker, Heroinüberdosis, verunglücken, unverzeihlich, Tischlaserdruckerleistungssteigerungsanzeige* [Berolina].

Übung 29.: Welcher „Trick" liegt den drei folgenden Werbesprüchen gemeinsam zugrunde?

(1)   *Dividende gut, alles gut* (Der Wirtschaftsteil in der Hannoverschen Allgemeine).

(2)   *Die charmante ART, der Höflichkeit. Cognac. L´Art de MARTell.* (Die in Kapitälchen geschriebenen Teile sind vom Rest des Textes farblich hervorgehoben.)

(3)   *Durch zehn Jahre Ehe und deine feinfühlige Art, direkt zu sein, habe ich viel gelernt. Daß Seidenstrümpfe nicht in die Waschmaschine gehören, daß es einen wirksamen Trick gegen Schnarchen gibt und daß man sogar den Hund der Nachbarin freundlich grüßen muß. Du bist und bleibst für mich unnachahmlich.* [Memoire, der Diamantring für Hochzeitstage. Ein Diamant ist unvergänglich.]

2 Syntax

2.1 Einleitung

Woraus besteht ein Satz? Man könnte beim ersten Hinschauen meinen, daß er aus Wörtern besteht. Nachdem wir aber eben ein ganzes Kapitel über „Wortschatz" geschrieben haben, ohne eine wissenschaftliche Definition von „Wort" zu liefern, nachdem wir also gesehen haben, wie mehrdeutig das Gemeinwort *Wort* ist, können wir uns nicht mit der Aussage begnügen, ein Satz sei eine Aneinanderreihung von Wörtern.

Um uns in diesem Syntaxkapitel nicht durch die Mehrdeutigkeit des Wortes „Wort" in die Irre führen zu lassen, werden wir „syntaktisches Wort" jede Einheit nennen, die bei der syntaktischen Analyse sowie in den syntaktischen Regeln als atomar betrachtet wird. Wird ein syntaktisches Wort genannt, so setzen wir es zwischen zwei hochgestellte Haken, z. B.: ⌜auf Grund⌝, ⌜um zu⌝. Zur Unterscheidung setzen wir ein morphologisches Wort zwischen zwei tiefgestellte Haken (z. B. ⌞er⌟, ⌞hat⌟, ⌞geschlafen⌟)[12]. Welche Ausdrücke eines Satzes als syntaktische (atomare) Wörter betrachtet werden, hängt von der jeweiligen syntaktischen Analyse ab, allgemeiner: von dem zugrundegelegten Analyseprinzip. Syntaktisch hat es einen Sinn, *auf Grund* als ein syntaktisches Wort (eine Präposition) zu betrachten, obwohl es aus zwei orthographischen Wörtern besteht. Ebenso hat es Sinn, *im* als syntaktisch komplex zu betrachten, weil es die Präposition ⌜in⌝ und den Artikel ⌜dem⌝ enthält. Dem einen morphologichen Wort entsprechen bei einer solchen Analyse zwei syntaktische Wörter. Wieviele syntaktische Wörter man z. B. dem morphologischen Wort ⌞kommst⌟ zuordnen will, hängt ganz und gar von der Analyse ab. Einigkeit dürfte wohl darin bestehen, daß man auf jeden Fall ein syntaktisches Wort annimmt – notieren wir es hier als ⌜komm⌝–, dem die Bedeutung 'kommen' und der Stamm *komm* von ⌜kommst⌝ entspricht. Geringe Einigkeit wird man bei der syntaktischen Analyse von *-st* erzielen. Entspricht es ge-

---

12 Oft ist es nützlich, außerdem einen Unterschied zwischen morphologischem und orthographischem Wort zu machen. Für (a) *Sie wollen einschlafen* und (b) *Sie schlafen ein* kann ⌜einschlaf⌝ als syntaktisches Wort betrachtet werden, das jedenfalls den morphologischen Wörtern ⌞ein⌟ und ⌞schlafen⌟ entspricht. In (a) entspricht diesen beiden morphologischen ein einziges orthographisches Wort, in (b) entsprechen ihnen zwei.

nau einem syntaktischen Wort – als ⌜st⌝ oder ⌜2. Pers.Sg.⌝ notiert? Oder
etwa vier: ⌜2. Pers.⌝, ⌜Sg.⌝, ⌜Präs.⌝, ⌜Ind.⌝?

Die Unterscheidung zwischen syntaktischem und morphologischem
Wort erlaubt auch Analysen, nach welchen ein syntaktisches Wort
mehreren morphologischen Wörtern entspricht: So kann es gute Argumente dafür geben, daß man ⌞um⌟ ⌞zu⌟ als ⌜um zu⌝ (infinitivsatzein-
leitende Konjunktion), ⌞von⌟ ⌞an⌟ (in *von Anfang an*) als ⌜von an⌝;
⌞stand⌟ ⌞auf⌟ als ⌜stand auf⌝ bzw. ⌜auf stand⌝; frz. ⌞ne⌟ ⌞pas⌟ (Negation)
als ⌜ne pas⌝ auffaßt.

Auch Folgen von morphologischen Wörtern wie z. B. ⌞in⌟ ⌞der⌟
⌞Tat⌟ können als atomare Einheit ⌜in der Tat⌝ beschrieben werden. Dies
ist vor allem dann plausibel, wenn man Wert darauf legt, ⌜in der Tat⌝
als syntaktisch substituierbar mit ⌜wirklich⌝ oder ⌜wahrlich⌝ usw. zu
klassifizieren. Besonders wichtig – und nützlich – ist die Unterscheidung zwischen morphologischen und syntaktischen Wörtern im Zusammenhang mit der Beschreibung der Wortstellung: Natürlich ist ein
Satz eine Aneinanderreihung von morphologischen Wörtern in dem
Sinne, daß jedes morphologische Wort vor oder nach einem anderen
morphologischen Wort steht. Es ist schon aus artikulatorischen und
wahrnehmungstechnischen Gründen unmöglich, daß zwei morphologische Wörter gleichzeitig artikuliert werden. In der uns geläufigen
Schrift steht jedes morphologische Wort entsprechend vor (links von)
und/oder hinter (rechts von) einem anderen. Aber die Reihenfolgebeziehungen zwischen den morphologischen Wörtern sind schon deswegen keine syntaktischen Beziehungen, weil die morphologischen Wörter keine syntaktischen Einheiten sind. Wenn man ⌜um zu⌝ als syntaktisches Wort beschreibt, dann kann man sagen, daß in dem Satz *Er ging
in den Garten, um einen Blumenstrauß für seine Frau zu pflücken* ⌜um
zu⌝ den infinitivischen Finalsatz einleitet, d. h. *Er ging in den Garten*
mit *einen Blumenstrauß für seine Frau pflücken* verknüpft. Dabei
spielt es keine Rolle, daß nur ⌞um⌟ am Anfang, ⌞zu⌟ hingegen erst unmittelbar vor dem Infinitiv steht. Dieses Faktum wird dadurch, daß ⌜um
zu⌝ als syntaktisches Wort analysiert wird, von der syntaktischen
Analyse ausgeblendet.

Die Reihenfolge der morphologischen Wörter, die im Satz manifestiert wird, ist im Deutschen z. T. „frei" (d. h. Ergebnis einer stilisti-
schen oder vom Kommunikationskontext abhängigen Entscheidung
des Sprechers), z. T. syntaktischen Bedingungen unterworfen (z. B.
steht das finite Verb am Ende eines Nebensatzes, das Relativpronomen
am Anfang des Relativsatzes usw.); sie ist somit bestenfalls ein Reflex
der syntaktischen Struktur selbst. Die Nähe von morphologischen Wörtern im Satz ist aber keine Garantie für eine besonders enge syntaktische Beziehung der ihnen zugrundeliegenden syntaktischen Einheiten.
In *Peter ist darüber sehr erbost, daß ihn seine Frau nicht angerufen*

hat gibt es zwischen ⌐darüber⌐ und dem durch ⌐daß⌐ eingeleiteten Satz
eine enge syntaktische Beziehung, obwohl sie nicht unmittelbar aufeinander folgen; ebenso ist die Beziehung zwischen ⌐ist⌐ und ⌐erbost⌐
so eng, daß man ⌐ist erbost⌐ als syntaktisches Wort beschreiben könnte,
obwohl sie voneinander getrennt auftreten.

Wenn die minimalen syntaktischen Bestandteile eines Satzes die
syntaktischen Wörter sind, welche interessanten Beziehungen sind
dann zwischen ihnen erkennbar? Von der Schule her dürften die Beziehungen vertraut sein, die unter dem allgemeinen Terminus **grammatische Funktion** aufgezählt werden: Subjekt-von, Objekt-von, Ergän-
zung-zu, Attribut-von usw., z. B. in *Tanja schläft* ist *Tanja* Subjekt von
schläft; in *Böse Hunde beißen* ist *böse* Attribut zu *Hunde*. Man kann
aber auch die besonders enge Beziehung zwischen *böse* und *Hunde* als
Argument dafür anbringen, daß die beiden syntaktischen Wörter ⌐böse⌐
und ⌐Hunde⌐ zusammen einen syntaktischen Komplex bilden, der als
Ganzes Subjekt von *beißen* ist. D. h.: Man kann die syntaktische Struktur eines Satzes als ein Netz von Beziehungen zwischen syntaktischen
Wörtern oder syntaktischen Komplexen beschreiben. Wenn man dies
tut, kann man einen Satz wie *Gabi schenkt ihrem Freund eine Reise* so
beschreiben, daß *Gabi* nicht einfach Subjekt von *schenkt*, sondern von
schenkt ihrem Freund eine Reise ist. Entsprechend läßt sich bei *Die
Reise, die ihm Gabi geschenkt hat, war sehr schön* nicht einfach sagen,
daß *Reise* Subjekt von *war* ist, sondern: *die Reise, die ihm Gabi geschenkt hat* ist Subjekt von *war sehr schön*.

Syntaxen, in denen nicht nur syntaktische Wörter miteinander in
syntaktische Beziehungen gesetzt werden, sondern auch Komplexe
miteinander sowie mit syntaktischen Wörtern, heißen ganz allgemein
Konstituentensyntaxen (die Komplexe und die syntaktischen Wörter
werden dann **Konstituenten** genannt. Wir werden auf die Konstituenten
in Abs. 2.3 eingehen.) Es werden aber auch Syntaxen verwendet, mit
denen lediglich Beziehungen zwischen atomaren Einheiten – zwischen
syntaktischen Wörtern also – postuliert werden. Beispiele hierfür sind
die Dependenzsyntaxen. Wir werden solche Syntaxen in Abs. 2.2 vorstellen.[13] In beiden Fällen werden wir auch dem Status der Wortstellungsregelmäßigkeiten unsere Aufmerksamkeit widmen, weil insbesondere bei Konstituentensyntaxen nicht immer deutlich und konsequent zwischen der Reihenfolge der syntaktischen Einheiten in der
syntaktischen Struktur und der Reihenfolge der morphologischen Wörter im konkret gegebenen Satz unterschieden wird.

---

13 Wir stellen in 2.2 die Dependenzsyntax (in der Version von Tesnière 1953) nicht
   deswegen vor, weil wir sie verteidigen wollen, sondern weil eine gewisse Vertrautheit mit einigen Begriffen und Annahmen der Dependenzgrammatik notwendig
   ist, um nicht nur manche Lehrbücher (z. B. Helbig/Buscha (1986), sondern sogar die
   Duden-Grammatik zu verstehen. Eine konsequente Dependenzsyntax des Deutschen
   ist Engel (1988).

2.2 Aufgaben der Syntax

Was den normalen Sprachbenutzter primär interessiert, wenn er mit einem Text oder einem Satz konfrontiert ist, ist mehr seine Bedeutung
als seine syntaktische Struktur. Im Regelfall merken wir uns nicht,
WIE sich unser Gesprächspartner ausgedrückt hat, sondern WAS er
ausgedrückt hat. Erst recht ist uns der genaue Wortlaut und die Wortstellung von dem Moment an, wo wir die Nachricht empfangen und
verstanden haben, nicht mehr bewußt. In diesem Sinne sind die drei
folgenden Aussagen völlig austauschbar:

(1) (a)   *Bei Müllers ist gestern eingebrochen worden.*
(1) (b)   *Bei Müllers hat man gestern eingebrochen.*
(1) (c)   *Bei Müllers hat es gestern einen Einbruch gegeben.*

In der Regel gibt man den Inhalt nur selten wortwörtlich wieder, trotzdem wäre es falsch, aus solchen Erfahrungen zu schließen, der Satzbau, d. h. die syntaktische Struktur, und allgemein die Syntax sei uninteressant, denn jeder Hörer der drei eben genannten Sätze analysiert sie
syntaktisch (automatisch und weitgehend unbewußt), um sie zu verstehen. M. a. W: Die syntaktische Struktur eines Satzes ist nicht der Bedeutung eines Satzes gleichzusetzen, ist jedoch Bedingung für dessen
Verstehen. Wenn die syntaktische Struktur eines Satzes nicht eindeutig
ist, genauer gesagt, wenn ein bestimmter Satz zwei oder mehrere verschiedene syntaktische Strukturen zuläßt, kann das zur Folge haben,
daß der Satz auf zwei bzw. mehrere Weisen verstanden wird. So ist
z. B. der Satz (2) zweideutig, denn die Interpretation dieses Satzes
hängt davon ab, ob *mit dem Fernglas* als Attribut zu *die Frau* (vgl. 2
(a)) oder als freie Angabe zu *beobachtet die Frau* (vgl. 2 (b)) verstanden wird.

(2)   *Er beobachtet die Frau mit dem Fernglas.*
(2) (a)   *Welche Frau? Die Frau mit dem Fernglas.*
(2) (b)   *Wie beobachtet er die Frau? Mit dem Fernglas.*

An solchen Beispielen sieht man, daß die semantische Interpretation
eines Satzes von dessen syntaktischer Analyse abhängt. Trotzdem ist
die Syntax von der Semantik klar zu unterscheiden.

(3)   *Die Demokratie streichelt den Chaoten.*

Ein Satz wie (3) kann als syntaktisch wohlgeformt beschrieben werden
(nämlich genau dann, wenn es keine Regel in der Syntax gibt, gegen
die er verstößt), obwohl es einem schwerfallen dürfte, ihn mit Bedeutung zu versehen, denn *streicheln* verlangt im Normalfall ein Lebewesen als Subjekt, und abgesehen von Allegorien (vgl. *das Recht*

(Justitia) *spricht ihn frei*), ist das Merkmal [+belebt] schwerlich auf *die Demokratie* übertragbar. Näheres dazu findet sich im Kap. 4.

Aufgabe der Syntax ist es, ein System von Regeln aufzustellen, mit dem Sätzen, die im erwähnten Sinne unauffällig sind, je mindestens eine Struktur zugeordnet werden kann, die die Beziehungen zwischen den syntaktischen Wörtern und gegebenenfalls den Gruppen syntaktischer Wörter – den Konstituenten – für jeden Satz erkennbar machen (vgl. Matthews (1981). Der Untersuchungsgegenstand der Syntax ist der Satz.[14]

Es gibt unterschiedliche Ansichten darüber, was als ein Satz anzusehen ist (z. B. *Die Sonne scheint*, aber auch *Herr Ober!*, *Hilfe!*, *Ausfahrt freihalten!*, *Zutritt verboten*). Der Begriff „Satz" ist intuitiv kontrovers, formal jedoch einfach: Gemessen an einer Syntax Syn ist ein Satz das, was durch die Syntax Syn als Satz beschrieben werden kann. Anders gesagt: der Begriff „Satz" ist ein theorieabhängiger Begriff, und eine adäquate Syntax ist eine Syntax, deren Satzbegriff empirisch gerechtfertigt ist, d. h. mit dem, was im allgemeinen als Satz aufgefaßt wird, weitgehend in Einklang steht[15].

---

14 Die Syntax („Satzlehre") ist nur eine Komponente der Grammatik einer Sprache, neben der „Lautlehre" (Phonologie), der „Formenlehre" (Morphologie) und der „Bedeutungslehre" (Semantik). Wegen der vielseitigen Beziehungen zwischen diesen Komponenten und der Syntax ist jedes syntaktische Modell eingebettet in ein Grammatikmodell. Daher werden „Dependenzsyntax" und „Konstituentensyntax" oft unter allgemeinere Begriffe wie „Dependenzgrammatik" bzw. „Konstituentengrammatik" (oder „Generative Grammatik") behandelt. Wir konzentrieren uns hier auf die jeweilige Syntaxkomponente und werden keine umfassende Vorstellung der entsprechenden Grammatikmodelle geben. Ebenso werden wir nicht systematisch auf die Frage eingehen, ob und inwiefern das Lexikon (vgl. Kap. 1) als Bestandteil der Grammatik zu betrachten ist. Es sei lediglich hervorgehoben, daß jedem Wort (im Lexikon) Eigenschaften zukommen, die phonologischer, semantischer, aber auch morphologischer und syntaktischer Art sind, was ja deutlich macht, daß man nicht das Lexikon (den Wortschatz) schlicht der Grammatik entgegensetzen kann, wie es bisweilen Laien tun.

15 Aus dem eben Gesagten wird deutlich, daß das Wort „Satz" zweideutig ist: Zum einen bezeichnet es einem konkreten Ausdruck, der zu beschreibenden Sprache (z. B. deutsch), also aneinandergereihte morphologische Wörter (eine „Kette" von morphologischen Wörtern); zum anderen eine abstrakte syntaktische Größe, auf die ein gegebener, konkreter (deutscher) Satz bezogen und so in einer bestimmten K-Syntax als zur Kategorie Satz) gehörig beschrieben werden kann. Ersteres ist gemeint, wenn z. B. davon die Rede ist, daß der Satz (3) unverständlich ist oder der Satz *Hilfe!* aus nur einem Wort besteht; Letzteres, wenn es z. B. heißt, daß der Satz im Deutschen aus einem Subjekt und einem Prädikat besteht. Wir verzichten im folgenden auf eine systematische terminologische Unterscheidung dieser beiden Begriffe, in der Hoffnung, daß der jeweilige Kontext zur Vermeidung von Mißverständnissen ausreicht. Man kann im engeren Sinne auch von der Syntax der Fragesätze, Syntax der Nominalphrase, Koordinationssyntax... reden, wenn man sich speziell für die Syntaxregeln interessiert, die der Beschreibung von Fragesätzen, Nominalphrasen bzw. Koordination dienen. In bezug auf eine gegebene natürliche Sprache handelt es sich dabei genau genommen um Fragmente einer umfassenderen Syntax. Ohne weitere Spezifizierung meint im folgenden „Syntax" Satzsyntax.

2.3 Dependenzsyntax

Die **Dependenzsyntax** (auch „**Abhängigkeitssyntax**") wurde in der Form, die wir hier vorstellen wollen, von L. Tesnière (1953) entwickelt. Wie der Name schon sagt, soll der Satz einer natürlichen Sprache nach seiner Dependenzstruktur (im folgenden abgekürzt: D-Struktur), und zwar nach den Abhängigkeitsrelationen zwischen seinen Bestandteilen beschrieben werden. Von zentraler Wichtigkeit ist hier die Tatsache, daß die **Dependenzrelation grundsätzlich zwischen syntaktischen Wörtern** besteht und nicht zwischen Komplexen.

Für Tesnière sind die **Dependenzrelationen** zwischen den syntaktischen Wörtern grundlegend für die Struktur des Satzes. Er nennt diese Relationen „**Konnexionen**" und repräsentiert sie in sog. Dependenzgraphen durch vertikale Kanten (=d. h., Kanten, die von oben nach unten gehen); eine solche Kante verbindet immer zwei syntaktische Wörter, ein **regierendes** (übergeordnetes) und ein **untergeordnetes**. Man sagt, daß das untergeordnete abhängig ist vom übergeordneten, oder einfach, daß es von ihm abhängt.

Ein und dasselbe Wort kann in einem Satz mehrere Wörter „regieren" , aber es darf nach den festgelegten Spielregeln für die Konstruktion von D-Strukturen nur von einem Wort abhängig sein:

(4)   *Mein Freund spricht.*
(5)   *Margot liebt Klaus.*

In einem Satz wie (4) ist für Tesnière *spricht* das oberste Wort, von welchem *Freund* abhängt; *Freund* wiederum ist *mein* übergeordnet, d. h. *mein* hängt von *Freund* ab, wie Abb. 1 zeigt. Da *mein* nicht von *spricht* abhängt, gibt es keine Kante, die *mein* und *spricht* verbindet.

Abb. 1   Abb. 2

Wenn ein und dasselbe Wort zwei Wörter regiert, wie z. B. in (5), wo sowohl *Margot* als auch *Klaus* von *liebt* abhängt, dann werden die vertikalen Kanten zu schrägen Kanten mit demselben Knoten als Ausgangsknoten, was sich graphisch als Abb. 2 darstellen läßt.

Im D-Graphen[16] sind einzig jene Beziehungen von Interesse, die durch Kanten dargestellt sind. Da man D-Graphen üblicherweise so konstruiert, daß der Ausgangsknoten mit dem jeweils regierenden syntaktischen Wort höher plaziert wird als die Knoten mit den abhängigen Wörtern, kann man auch sagen: In einem D-Graphen ist nur die vertikale Dimension von Belang. Sie repräsentiert die **Hierarchie der Konnexionen**: Die horizontale Anordnung von Knoten, die auf ein und denselben Knoten gerichtet sind, ist willkürlich und erfährt im allgemeinen keine linguistische Interpretation. Sie dient vor allem nicht der Beschreibung der Reihenfolgebeziehungen zwischen den in dem Graphen erfaßten morphologischen Wörtern. Wenn in einigen D-Bäumen die Plazierung der Knoten auf der horizontalen Dimension an die Wortstellung im konkreten Satz erinnert, geschieht dies – solange man sich in dem von Tesnière vorgegebenen Rahmen bewegt – rein zufällig. Ein D-Baum gibt sowohl bei Tesnière wie auch bei Engel (1988) grundsätzlich und explizit nicht die Reihenfolge der morphologischen Wörter im Satz wieder. Abb. 3 gibt die D-Struktur der Sätze (6) (a) und (b) wieder:

(6) (a)   *Meine sehr liebe Schwester gibt ihrer kranken Freundin ein sehr schönes Buch.*

(6) (b)   *Ihrer kranken Freundin gibt meine sehr liebe Schwester ein sehr schönes Buch.*

Abb. 3

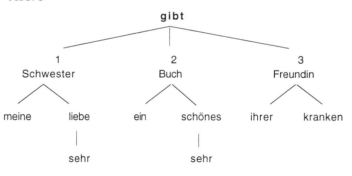

Schwester, Buch und *Freundin* sind abhängig von *gibt*; *meine* und *sehr* abhängig von *Schwester* bzw. *liebe* usw. Aber *sehr* ist nicht abhängig von *Schwester*. Da die Abhängigkeitsrelation immer nur zwischen zwei syntaktischen Wörtern besteht, bedeutet Abb. 3 nicht, daß z. B. *meine*

---

16 „D-Baum" und „D-Graph" werden hier synonym verwendet, denn jeder D-Graph ist ein D-Baum.

sehr liebe Schwester von *gibt* abhängig ist: Es gibt im Tesnièreschen Modell keine Möglichkeit, eine Konnexion zwischen *gibt* einerseits und dem Komplex *meine sehr liebe Schwester* zu postulieren.

Nicht immer entsprechen einzelne morphologische Wörter den Knoten einer D-Struktur: In manchen Fällen repräsentiert Tesnière mehrere morphologische Wörter durch ein einziges syntaktisches Wort in der D-Struktur. Tesnière unterscheidet zwei Arten von Wörtern: Volle Wörter und leere. Es handelt sich dabei um eine Unterscheidung zweier Arten morphologischer Wörter, wie wir nach der hier getroffenen Sprachregelung sagen müssen. „Voll" meint etwa „mit Bedeutung versehen", „etwas bezeichnend", wie *Hunger, Pferd, grün, stehen* usw. Als „leere" Wörter werden die Wörter bezeichnet, die ausschließlich eine grammatische Rolle spielen insofern, als sie z. B. Dependenzrelationen ausdrücken (z. B. Präpositionen, Hilfsverben, Artikel). Einige Beispiele von Tesnière mögen das illustrieren. Den Ausdrücken (7) (a)–(g) ordnet Tesnière die D-Strukturen in den Abb. 4 a–g zu. Die in Abb. 4 eingekreisten Ausdrücke (von Tesnière „Nukleus" genannt) sind syntaktische Wörter: Ein syntaktisches Wort besteht aus mindestens einem vollen Wort und fakultativ aus einem leeren.

(7) (a)   *Nadine ist angekommen.*
(7) (b)   *Arne ist klein.*
(7) (c)   *Es regnet.*
(7) (d)   *Alfred est debout.*
(7) (e)   *Alfred steht.*
(7) (f)   *Das Haus von Karl.*
(7) (g)   *Karls Haus.*

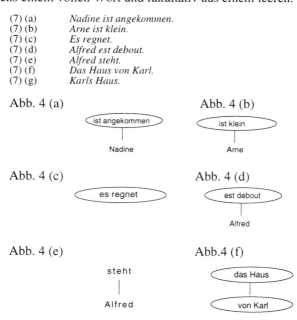

Abb. 4 (a)

ist angekommen

Nadine

Abb. 4 (b)

ist klein

Arne

Abb. 4 (c)

es regnet

Abb. 4 (d)

est debout

Alfred

Abb. 4 (e)

steht

Alfred

Abb.4 (f)

das Haus

von Karl

Abb. 4 (g)

Über die D-Graphen aus Abb. 4 ließe sich im einzelnen diskutieren. Für uns ist hier die Tatsache interessant, daß die syntaktischen Wörter, von denen Tesnière ausgeht, nicht immer morphologischen Wörtern (und schon gar nicht einfachen Morphemen) entsprechen: Daß im Deutschen das eine syntaktische Wort ⌐steht⌐ durch genau ein morphologisches Wort, nämlich durch ⌐steht⌐, wiedergegeben wird und daß es in der französichen Entsprechung die zwei morphologischen Wörter ⌐est⌐ und ⌐debout⌐ sind, die dem einen syntaktischen Wort ⌐est debout⌐ (oder ⌐être debout⌐) gegenüberstehen, ist ein morphologisches, kein syntaktisches Faktum. Syntaktisch ebenfalls irrelevant ist, daß das nullwertige Verb ⌐regnen⌐ im Deutschen nicht wie seine Entsprechung z. B. im Lateinischen durch ein einziges morphologisches Wort ausgedrückt werden kann, sondern immer in Begleitung des morphologischen Wortes ⌐es⌐ als ⌐es⌐ ⌐regnet⌐ oder als ⌐regnet⌐ ⌐es⌐. Im Lateinischen entspricht dem syntaktischen Wort ⌐pluit⌐ genau ein morphologisches Wort, nämlich ⌐pluit⌐. Die Präposition *von* in (f) ist nur ein Ausdrucksmittel der Abhängigkeitsbeziehung zwischen *Karl* und *Haus*, die Abhängigkeitsstruktur von (f) ist identisch mit der von (g): D. h., zur Kennzeichnung der Attributsbeziehung durch den Genitiv in *Karls* gibt es die alternative Kennzeichnung durch *von*, in beiden Fällen ist *Karl* abhängig von *Haus* – und darauf kommt es syntaktisch an.

Weitgehend unabhängig vom Konzept der Dependenz als grundlegender Beziehung zwischen syntaktischen Minimaleinheiten (syntaktischen Wörtern) ist der von Tesnière geprägte und in der Literatur ausgiebig verwendete Begriff der **Verbvalenz** noch zu erwähnen.

Bei Tesnière ist immer das Verb der Kern des Satzes. Vom Verb **regiert** werden die sog. **Aktanten** (das Subjekt und die Objekte), während die sog. **Angaben** (circonstants) das Verb begleiten können, und zwar ebenfalls vom Verb abhängig, aber nicht vom Verb regiert sind und daher als **freie Angaben** gelten. In Abb. 3 gibt es drei Aktanten, die vom Verb abhängig sind: Der erste Aktant stellt das Subjekt (*Schwester*) dar, der zweite das direkte Objekt (*Buch*) und der dritte das indirekte Objekt *(Freundin)*.

Die Zahl der Angaben (der Orts-, Zeit-, Modalangaben usw.) ist grundsätzlich unbegrenzt. Im Strukturbaum werden die Angaben nach üblicher Vereinbarung rechts von den Aktanten angeordnet, sofern Angaben und Aktanten vom gleichen Verb abhängen:

(8)   *Jörg ging heute traurig weg.*
(9)   *Man liebt natürlich seine Eltern immer sehr.*
(10)   *Ihre schöne kleine weiße Katze.*

In (8) ist nur *Jörg* Aktant, *heute*, *traurig* und *weg* sind Angaben (vgl. Abb. 5).

Abb. 5

In (9) sind nur *Man* und *Eltern* Aktanten (vgl. Abb. 6).

Abb. 6

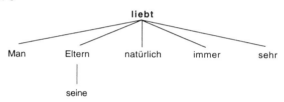

Ebenso ist die Zahl der Adjektive, die dem Substantiv untergeordnet sind (Attribute), unbeschränkt. In (10) ist nach Tesnière *Katze* sowohl *Ihre* als auch jeweils *schöne, kleine* und *weiße* übergeordnet. Diese vier Attribute werden wie in Abb. 7 dargestellt beschrieben. (➡ Übung 1).

Abb. 7

Da Tesnière dem Verb eine zentrale Rolle im Satz zuweist, lehnt er eine Zerlegung des Satzes in Subjekt und Prädikat (bzw. Verb) ab: Das Subjekt ist ein Aktant wie die Objekte (Komplemente, Ergänzungen) auch, es wird wie sie vom Verb regiert.[17]

---

17 Da es Tesnière nur um Beziehungen zwischen Wörtern (und nicht Konstituenten) geht, ist sein Subjekt-Begriff auch die Beziehung zwischen einem Aktanten (einem

Für Tesnière hängt der Aufbau des Satzes maßgeblich von der **Verbrektion** ab: Tesnière verallgemeinert den Begriff der Verbrektion, indem er ihn durch den Begriff der **Verbvalenz**[18] ersetzt, bei dem im Unterschied zur Rektion das Subjekt miterfaßt wird (vgl. Helbig (1969)). Das jeweilige Verb legt die Anzahl der Aktanten im Satz fest:

> Verben ohne Aktanten (nullwertig): *regnen, schneien...*, lat. *pluit* (*Es* ist in *es regnet* kein Aktant, schon deswegen, weil es hier ein leeres Wort ist).
> Verben mit einem Aktanten (einwertig): *schlafen, blühen...*
> Verben mit zwei Aktanten (zweiwertig): *binden, danken, gedenken, achten (auf)...*
> Verben mit drei Aktanten (dreiwertig): *geben, beschuldigen, lehren...*

Die Unterscheidung zwischen **Aktanten** und **Angaben** ist problematisch. Letztere sind zwar weitgehend frei bzw. fakultativ (d. h., ihre Anwesenheit ist möglich, aber nicht notwendig), aber nicht immer (semantisch) völlig unabhängig vom Verb. Das führt zu Unsicherheiten in der Behandlung z. B. von Richtungsangaben (vgl. (10)).

> (10)   *Peter fährt/*schläft nach Paris.*

Eine Richtungsangabe ist nur mit bestimmten Verben kompatibel, jedoch meist nicht obligatorisch. Ist sie deswegen freie Angabe? Was ist generell mit den in (11) eingeklammerten Ausdrücken?

> (11) (a)   *Er fragt (uns), warum wir nicht protestieren.*
> (11) (b)   *Die Beratung dauerte (drei Stunden).*
> (11) (c)   *Das Verbrechen geschah (aus Eifersucht/gestern/in München).*
> (11) (d)   *Ich hänge das Bild (an diese Wand).*
> (11) (e)   *Klaus nennt mich (einen Lügner).*
> (11) (f)   *Der Lehrer spricht (zu den Kindern über seine Reise).*

Dasselbe Problem stellt sich bei Substantiven (vgl. Sommerfeldt/ Schreiber (1977)): Ist *etwas* in *Sehnsucht nach etwas* nur Angabe zu *Sehnsucht* oder ist es von *Sehnsucht* regiert (und daher Aktant)? (➥ Übung 2–4).[19]

Nomen) und dem Verb, nicht die Beziehung zwischen einer (möglicherweise komplexen) Konstituente und dem Rest des Satzes (bisweilen „Prädikat" genannt), wie es in der Konstituentensyntax der Fall ist (vgl. 2.3).

18 Man findet in Lehrbüchern zum einen Aussagen wie „das Verb *danken* regiert den Dativ": Dann wird das Subjekt außer acht gelassen, die Lehrbuchautoren legen nicht die Dependenzgrammatik (und den Valenzbegriff) zugrunde. Man findet aber auch Aussagen wie „das Verb *danken* ist zweiwertig" oder „*danken* verlangt zwei Aktanten, ein Subjekt und ein Objekt (im Dativ)", die auf den Einfluß der Dependenzgrammatik zu schließen erlauben.

19 Diese Probleme stellen sich auch bei der Konstituentensyntax, der wir uns im folgenden widmen werden. Bei der Konstituentensyntax werden die gerade beschriebenen Probleme unter „Subkategorisierung" behandelt (s. 2.4.2). Es gibt bis heute keine befriedigende Antwort auf die Frage, welche Angaben wie frei sind und welche Ergänzungen obligatorisch sind.

2.4 Konstituentensyntax

Der Kerngedanke der Konstituentensyntax ist der, daß die syntaktische
Struktur eines Satzes ein Geflecht von durch die Relation „bestehtaus"
verbundenen Größen ist, von denen die kleinsten syntaktische Wörter
sind, die aber auch aus mehreren syntaktischen Wörtern bestehen können. Diese Größen werden **Konstituenten** genannt. Die Struktur eines
Satzes (ihre **Konstituentenstruktur**, abgekürzt K-Struktur) ist folglich
eine Hierarchie von Konstituenten: Jede Konstituente – außer der größ-
ten – ist **unmittelbare Konstituente** einer (und nur einer) anderen. Und
jede Konstituente – außer den syntaktischen Wörtern (auch
„Terminale" oder „Endkonstituenten" genannt) – besteht aus zwei oder
mehreren Konstituenten. Die größte Konstituente umfaßt alle in der
Satzstruktur vorkommenden Konstituenten als mittelbare oder unmittelbare Konstituenten. Sie repräsentiert den ganzen Satz.[20]
     Ein solches Strukturprinzip setzt natürlich voraus, daß man die ein-
zelnen konstitutiven Teile voneinander abgrenzen kann. Daher müssen
wir als erstes klären, in welcher Weise man die zu beschreibenden
Ausdrücke so gliedert, daß die einzelnen Teile – für sich oder zusammen genommen – Konstituenten einer K-Struktur entsprechen. Wir
werden einige Proben vorstellen, mit denen sich feststellen läßt, welche
Wortgruppen durch eine Konstituente dargestellt werden können.
     Eine derartige Gliederung ist das Ziel der **Konstituenten-Analyse**. Es
handelt sich um eine Analysemethode, deren Ergebnis eine **Konstituentenstruktur** für einen vorgegebenen Satz ist. Erst wenn man eine
Vielzahl unterschiedlich gebauter Sätze analysiert hat, kann man zu
Verallgemeinerungen kommen, d. h. zu **Regeln**, nach denen sich auch
neue wohlgeformte Sätze bilden lassen: Dies sind die sog.
Konstituentenstrukturregeln (KS-Regeln), die zusammen eine **Kon-
stituentenstruktursyntax** (oder einfach: Konstituentensyntax) darstellen.
Wir befassen uns zunächst mit der Methode der K-Analyse.

---

20 Ein Vergleich: Ein wissenschaftlicher Aufsatz (z. B. eine Seminararbeit) besteht aus
   Wörtern. Das ist aber triviale, uninteressante Aussage. Will man Genaueres über
   die Struktur des Aufsatzes sagen, kann man z. B. folgende Zerlegung vorschlagen:
   Der Aufsatz besteht aus einem Textteil, einem Fußnotenapparat und einer
   Bibliographie. Der Textteil besteht aus einer Einleitung, einem Argumentationsteil
   und einem Schlußteil. Der Argumentationsteil besteht aus einem Kapitel über
   Fragestellung und Arbeitsmethode, einem Kapitel über den bisherigen
   Forschungsstand und Kritik desselben und einem Kapitel über die Analyse neuer
   Daten und deren Beschreibung. Eine solche Struktur ließe sich problemlos graphisch
   darstellen, z. B. durch ein Baumdiagramm, wobei die Reihenfolge, in der die
   Bestandteile des Textes auftreten, durch den Baumgraph nicht unbedingt erfaßt ist
   (die Fußnoten können an verschiedenen Stellen auftreten, obwohl sie zusammen eine
   Konstituente des Textes ausmachen).

2.4.1 K-Analyse

2.4.1.1 Substitutionsprobe

Dieser Test besteht darin, daß man Teile eines gegebenen Ausdrucks (z. B. eines gegebenen deutschen Satzes) durch andere Ausdrücke ersetzt und prüft, ob der so modifizierte Ausdruck (z. B. Satz), also das Ergebnis der Substitution, in gleichem Maße akzeptabel ist wie der Ausgangsausdruck (Ausgangssatz).

Wenn ein Ausdruck der Form „A B C D" genauso akzeptabel ist wie ein Ausdruck der Form „E C D", dann sind die Chancen groß, daß AB als eine Einheit (vom selben Typ wie E) zu betrachten ist.

Einige Beispiele: In dem Satz (12) läßt sich z. B. *jeden Montag* durch *regelmäßig* ersetzen:

(12) (a)	*Peter trainiert*	*jeden Montag.*
(12) (b)		*regelmäßig.*

Ausgehend von dem Satz (13) lassen sich die Substitutionen (13) (a)– (e) sowie (13) (f)–(j), aber nicht (k)–(l) durchführen:

(13) (a)	*Peter*	*spielt*	*mit seinem jungen Bruder*	*Schach.*
(13) (b)	*Er*		*mit Klaus*	
(13) (c)			*allein*	
(13) (d)			*mit dem Sohn seines Lehrers, der wegen Krankheit zu Hause bleiben muß*	
(13) (e)			Ø	

(13) (f)	*Peter spielt mit*	*seinem jungen Bruder*	*Schach.*
(13) (g)		*Klaus*	
(13) (h)		*Begeisterung*	
(13) (i)		*seinem Bruder*	
(13) (j)		*ihm*	
(13) (k)		**mit Klaus*	
(13) (l)		**allein*	
(13) (m)		**Ø*	

Je nachdem, ob der ursprüngliche Ausdruck komplexer oder einfacher ist als der ihn ersetzende, ist die Substitution eine **Expansion** oder eine **Reduktion**. Die Ersetzung eines Ausdrucks durch Ø ist eine **Tilgung**. Am interessantesten für die Frage, ob der substituierte Teilausdruck einer Konstituente entspricht, ist seine Ersetzung durch einen Teilausdruck, der einem einzigen syntaktischen Wort entspricht: Denn ein syntaktisches Wort kann in einer K-Struktur nichts anderes sein als eine einfache Konstituente. *Allein* kann anstelle von *mit seinem jungen Bruder* stehen, nicht aber anstelle von *mit seinem* oder *jungen Bruder*.

Seinem jungen Bruder kann ersetzt werden durch *seinem Bruder /Klaus /ihm*, aber keines dieser Substitute kommt für *mit seinem jungen Bruder* in Frage. Die Substitution (13) (c) spricht dafür, daß *mit seinem jungen Bruder* in (13) eine Konstituente darstellt. Die Substitution (13) (g) spricht dafür, daß *mit seinem jungen Bruder* eine Konstituente darstellt, die selbst aus den beiden Konstituenten *mit* (syntaktisches Wort) und *seinem jungen Bruder* besteht: [mit[seinem jungen Bruder]].

Die Tilgung gibt eher Auskunft darüber, was in einem bestimmten Kontext weglaßbar, d. h. **fakultativ** ist und was nicht. Die Substitutionsprobe (13) (e) zeigt, daß in (13) *mit seinem jungen Bruder* (bzw. in (13) (c) *allein* usw.) fakultativ ist, während (13) (m) zeigt, daß in (13) *seinem jungen Bruder* nach *mit* nicht weggelassen werden kann. (13) (i) zeigt, daß *jungen* fakultativ ist. Fakultative Konstituenten notiert man in runden Klammern, also (14) (a), vereinfacht als (14) (b):

(14) (a)   [[[*mit*] [[*seinem*] ([*jungen*]) [*Bruder*]]]]
(14) (b)   [*mit* [*seinem* (*jungen*) *Bruder*]]

Eckige Klammern (gegebenenfalls indiziert) markieren die übrigen Konstituentengrenzen.

Die Konstituente (14) ist in (13) fakultativ (durch Ø ersetzbar, d. h. weglaßbar). *Peter* dagegen kann zwar durch *der Junge* oder *er* ersetzt werden, nicht jedoch durch Ø: *Peter* kann deshalb nur einer obligatorischen Konstituente des Satzes entsprechen. *Schach* kann in (13) durch *Fußball, Theater, eine spannende Partie* oder Ø ersetzt werden und entspricht daher einer fakultativen Satzkonstituente.

Die Substitutionsprobe wurde bisher so angewendet, daß das Substitut genau an der Stelle im Ausgangsausdruck stand, wie das, was es ersetzt. Es gibt aber Fälle, wo es nützlich ist, die Substitutionsprobe liberaler anzuwenden, nämlich auch dann als erfolgreich zu betrachten, wenn dies nicht der Fall ist: (15) (a) ist kein wortstellungsmäßig korrekter Satz des Deutschen, aber man kann trotzdem *hat gespielt, wird spielen* und *wird gespielt haben* als Substitute von *spielt* oder *spielte* betrachten:

(15) (a)	Peter	*hat gespielt	mit seinem jungen Bruder Schach.	
(15) (b)		spielt		
(15) (c)		spielte		

(15) (d)	Peter	hat	mit seinem jungen Bruder Schach	gespielt.
(15) (e)		wird		spielen.
(15) (f)		wird		gespielt haben.

Die Wortstellung ist im deutschen Satz so geregelt, daß in Sätzen wie (15) *hat* und *gespielt* voneinander getrennt auftreten; aber es ist trotzdem sinnvoll, *hat...gespielt* zusammen auf **eine** Konstituente zurückzuführen. Man nennt solche Konstituenten, deren Realisierungen aus nicht unmittelbar aufeinander folgenden Ausdrücken bestehen, **diskontinuierliche Konstituenten**. Es sind syntaktische Wörter, denen zwei oder mehrere morphologische Wörter entsprechen.

Allerdings sollte man nicht voreilig zwei Ausdrücke einer diskontinuierlichen Konstituente zuordnen.

| (16) | *Der Lehrer* | *verspricht* | *den Kindern Kuchen* | *mitzubringen.* |
| (17) | | *schenkt* | | *∅.* |

Zwar sind sowohl (16) als auch (17) korrekte deutsche Sätze, und man könnte *schenkt* als Substitut von *verspricht mitzubringen* betrachten, aber weitere Substitutionsproben können deutlich machen, daß *Kuchen* in (16) Objekt von *mitzubringen*, in (17) aber Objekt von *schenken* ist, m. a. W., daß (16) und (17) unterschiedlich strukturiert sind.

(18) (a)	*Der Lehrer verspricht den Kindern*	*nicht streng zu sein.*
(18) (b)		*gute Noten.*
(19) (a)	*Der Lehrer schenkt den Kindern*	**nicht streng zu sein.*
(19) (b)		*gute Noten.*

Auch auf unmittelbar aufeinander folgende Ausdrücke angewandt kann die Substitutionsprobe zu voreiligen, unangemessenen Schlüssen führen:

(20) (a)	*Georg liest*	*ein spannendes Buch über*	*Schiller.*
(20) (b)		*∅*	
(20) (c)	**Georg schreibt*	*∅*	*Schiller.*

Aus der Tatsache, daß der Ausdruck *ein spannendes Buch über* hier durch ∅ substituiert werden kann (denn (20) (b) ist wie (20) (a) ein korrekter deutscher Satz), sollte man nicht schließen, daß dieser Ausdruck einer Konstituente entspricht. Schon das Ersetzen von *liest* durch *schreibt* in (20) (c) zeigt, daß das Ersetzen von *ein spannendes Buch über* durch ∅ zu einer wesentlichen Strukturveränderung führt: *Schiller* wird als Dativ gedeutet und verstanden. Wichtiger noch: Sucht man nach weiteren Substituten für *ein spannendes Buch über*, dann findet man viel weniger Ausdrücke als solche, die *ein spannendes Buch* oder *ein spannendes Buch über Schiller* ersetzen können. Überhaupt läßt sich kein Kontext finden, in dem *ein spannendes Buch über* allein nach einem Verb stehen kann. Und die Permutationsprobe (s. 2.3.1.2) liefert kein Argument dafür, daß *ein spannendes Buch über* einer Konstituente entspricht.

Die Substitutionsprobe dient insbesondere dazu, sog. „Substitutionsklassen" aufzustellen, d. h. Klassen von gegeneinander substituierbaren Ausdrücken, also von Ausdrücken mit etwa gleichem syntaktischen Verhalten. Auch unter diesem Gesichtspunkt sollte man mit der

Interpretation der Befunde vorsichtig sein: Nach (21) sind *gern, mit Begeisterung* und *um sich zu entspannen* mögliche Substitute von *Schiller*, aber (22) zeigt, daß *Schiller* und *gern* usw. eigentlich nicht zur selben Substitutionsklasse gehören

(21) (a)	Georg liest	Schiller.	
(21) (b)		gern.	
(21) (c)		mit Begeisterung.	
(21) (d)		um sich zu entspannen.	

(22) (a)	Georg liest	gern	Schiller.
(22) (b)		mit Begeisterung	Ø.
(22) (c)		um sich zu entspannen	

Eine wichtige Rolle spielt in der Literatur die folgende Probe:

(23) (a)	Georg	liest ein spannendes Buch über Schiller.
(23) (b)		liest.
(23) (c)		schläft.
(23) (d)		studiert.

Diese Probe zeigt, daß ein Satz auch dann schon vollständig (wohlgeformt) sein kann, wenn er aus einem Subjekt (*Georg*) und einem syntaktischen Wort, nämlich dem Verb ⌜liest⌝, besteht. Daß man *liest ein spannendes Buch über Schiller* leicht durch Ausdrücke ersetzen kann, die sich als genau ein syntaktisches Wort beschreiben lassen, spricht dafür, daß man es entsprechend als eine Konstituente betrachtet. *Georg liest* hingegen läßt sich schwerlich durch Ausdrücke ersetzen, die sich als je ein syntaktisches Wort beschreiben lassen (es kommen wohl nur Imperativformen wie *lies* oder *kauf* in Frage, die wiederum nicht als äquivalent zu *Georg liest* gelten können, wie (24) zeigt.): Das spricht gegen eine Zerlegung des Satzes in *Georg liest* einerseits und *ein spannendes Buch über Schiller* andererseits.

(24) (a)	Er sagt, daß	Georg liest.
(24) (b)		*lies!

Diese Beispiele zeigen, daß die Substitutionsprobe eher zuverlässig zu sagen erlaubt, was keine Konstituente ist, aber nicht definitiv zu sagen erlaubt, was eine Konstituente ist. Die Substitutionsprobe wie auch die anderen Proben, die wir gleich vorstellen werden, ermöglicht nur eine erste Annäherung, Hypothesen über Konstituentenkandidaten aufzustellen. Erst wenn die verschiedenen Tests zu konvergierenden Hypothesen führen (d. h., sich nicht widersprechen), kann man eine K-Analyse begründen.
  Bei der Substitutionsprobe ist man wie bei den folgenden Proben in der Regel darauf bedacht, keine Substitute ins Spiel zu bringen, die den Satzbau wesentlich verändern würden; was nicht heißt, daß der

Satz nach der Substitution genau dasselbe bedeuten muß wie vorher.
Sollte ein massiver Strukturwechsel durch die Substitution eintreten,
würden die anderen Proben wahrscheinlich den Befund der Substitutionsprobe relativieren bzw. zunichte machen, was ja bedeuten würde,
daß die Substitutionsprobe sozusagen „zufällig" funktioniert hatte:

| (25) (a) | *Annika möchte* | *daß die Kinder* | *kommen.* |
| (25) (b) | | *nach München* | |

Keine andere Probe dürfte bestätigen, daß *daß die Kinder* eine Konstituente ist. Die Substitutionsprobe hat hier nur funktioniert, weil *kommen*, isoliert genommen, entweder als eine finite Verbform (Präsens,
Indikativ, 3. Person Plural) oder als eine infinite Verbform verstanden
werden kann. Nur in (25) (a) ist *die Kinder* Subjekt von *kommen*. In
(25) (b) ist von Annikas Kommen die Rede. Zwischen (25) (a) und
(25) (b) andererseits gibt es also einen gravierenden, für die Bedeutung
zudem wichtigen Unterschied. Die Substitutionsprobe baut nicht nur
darauf auf, daß die Informanten in der Lage sind, zu beurteilen, ob das
Ergebnis der Substitution wohlgeformt, akzeptabel oder grammatisch
ist, sondern auch auf der Fähigkeit der Informanten (kompetenter
Sprecher des Deutschen (s. u.)), intuitiv zu erkennen, ob zwei Sätze
oder Ausdrücke etwa demselben Muster entsprechen oder nicht.[21]

2.4.1.2 Permutationsprobe

Bei der **Permutationsprobe** (oder Umstellprobe) werden Ausdrücke im
Satz umgestellt, wobei geprüft wird, ob das Ergebnis der Umstellung
ein wohlgeformter und strukturell nicht wesentlich veränderter Satz ist.

---

21 Wenn der Linguist, der die deutsche Sprache untersucht, selbst Kenner (Sprecher) des
Deutschen ist, dann kann er selbst als Informant fungieren, d. h. seine eigenen intuitiven Urteile zu den vorgefundenen oder manipulierten Ausdrücken als Ausgangspunkt
seiner Beschreibung benutzen. Freilich ist in diesem Fall besondere Vorsicht geboten,
denn die Gefahr, daß seine „Linguisten-Brille" seine Sprecherintuitionen beeinflußt,
ist naturgemäß reell. Die Urteile der befragten Sprecher zu den ihnen vorgelegten
Ausdrücken ihrer (Mutter)sprache sind auch nicht immer zuverlässig; manche lehnen
in der Befragungssituation Ausdrücke ab, die sie selbst hin und wieder verwenden,
oder beurteilen als „unauffällig", „normal" oder „korrekt" solche, die sie selbst spontan nicht verwenden. Deshalb werden in der Regel mehrere Informanten konsultiert.
Prädikate wie „O. K.", „korrekt", „wohlgeformt", „akzeptabel" oder „unmöglich",
„falsch", „ausgeschlossen", „abweichend", „auffällig"... werden von Sprechern (Test-
personen) verwendet, die ihrer Intuition Ausdruck verleihen. Als „grammatisch",
„syntaktisch wohlgeformt" oder „syntaktisch abweichend" kann ein Linguist einen
Ausdruck nur unter bezug auf die Grammatik bzw. die Syntax qualifizieren, die er
gerade konstruiert,: Derselbe Ausdruck kann sehr wohl von den Sprechern abgelehnt
werden, aber vom Syntaktiker als „syntaktisch wohlgeformt" betrachtet werden,
wenn er ihn als aus anderen als syntaktischen Gründen abweichend auffaßt und beschreibt. Es dürfte kaum einen Sprecher des Deutschen geben, der die *Franziska hat ge-
schwimmt schnellst* oder *Die Erbsen streiken* als unauffällige Sätze betrachten würde;
der Syntaktiker würde sie aber akzeptieren, da sie nur morphologisch bzw. semantisch, nicht aber syntaktisch abweichend sind.

Die Faustregel ist folgende: Eine Wortkette, die als Ganzes permutiert (umgestellt) werden kann, läßt sich möglicherweise als Konstituente beschreiben.

(26) (a)   *Die Kinder haben lange* auf Laura und Michael *gewartet.*
(26) (b)   *Auf Laura *haben die Kinder lange gewartet* und Michael.
(26) (c)   *Und Michael *haben die Kinder lange gewartet* auf Laura.
(26) (d)   Auf Laura und Michael *haben die Kinder lange gewartet.*

Daß der Ausdruck *Auf Laura und Michael* in einem Aussagesatz allein die erste Position vor der finiten Verbform besetzen kann, wird bisweilen als Argument dafür angesehen, daß er einer Konstituente entspricht.

(27) (a)   Am Wahlabend *übernimmt keine der Parteien die Rolle des Verlierers.*
(27) (b)   *Keine *übernimmt der Parteien am Wahlabend die Rolle des Verlierers.*
(27) (c)   *Keine der *übernimmt Parteien am Wahlabend die Rolle des Verlierers.*
(27) (d)   Keine der Parteien *übernimmt am Wahlabend die Rolle des Verlierers.*
(27) (e)   *Keine am Wahlabend *übernimmt der Parteien die Rolle des Verlierers.*
(27) (f)   * Am *übernimmt Wahlabend keine der Parteien die Rolle des Verlierers.*
(27) (g)   *Die Rolle *übernimmt am Wahlabend keine der Parteien des Verlierers.*
(27) (h)   Die Rolle des Verlierers *übernimmt am Wahlabend keine der Parteien.*
(27) (i)   *Übernimmt am Wahlabend keine der Parteien die Rolle des Verlierers?*
(27) (j)   *Am Wahlabend übernimmt keine des Verlierers die Rolle der Parteien.*
(27) (k)   *Keine der Parteien übernimmt am die Rolle des Verlierers Wahlabend.*
(27) (l)   Die Rolle des Verlierers *übernimmt keine der Parteien am Wahlabend.*
(27) (m)   *Daß am Wahlabend keine der Parteien die Rolle des Verlierers übernimmt.*

Wie bei der Substitutionsprobe wird bei der Permutationsprobe untersucht, welche der Ausdrücke (27) (b)–(m) wohlgeformte Ausdrücke des Deutschen sind (und in etwa dasselbe bedeuten wie (a)). Daß (b) und (c) als abweichend beurteilt werden, spricht dagegen, *keine* bzw. *keine der* je als eine Konstituente zu beschreiben, daß (d) hingegen als akzeptabel beurteilt wird, spricht nicht dagegen, *keine der Parteien* einer Konstituente zuzuordnen. Daß (h) akzeptabel ist, spricht dafür, *die Rolle des Verlierers* auf eine Konstituente zu beziehen. Die Permutationsproben (27) (b)–(m) erlauben die Hypothese, daß (27) einem Satz aus vier Konstituenten entspricht.

(27')   [*Am Wahlabend*] [*übernimmt*] [*keine der Parteien*] [*die Rolle des*
             Verlierers]

Im Unterschied zur Substitutionsprobe liefert die Permutationsprobe
kein Argument dafür, daß [*übernimmt die Rolle des Verlierers*] eine
Konstituente ist, und auch keines dafür, daß sich *die Rolle des Verlie-*
rers in *die Rolle* und *des Verlierers* zerlegen läßt. D. h.: Die Permutationsprobe allein erlaubt nur die Identifizierung einiger „Konstituentenkandidaten", nicht aller. Das liegt u. a. daran, daß die Wortstellung im
deutschen Satz systematischen Einschränkungen unterliegt, die
zugleich das Fundament, aber auch die Grenzen der Permutationsprobe
darstellen.
    Das Ergebnis der Anwendung der Permutationsprobe ist – trivialer-
weise – von den geltenden Wortstellungsregelmäßigkeiten abhängig:
Der Relativsatz in (28) kann extraponiert werden ((28) (b)), obwohl er
eigentlich mit seinem Bezugswort (Antezedens) *eine Schreibkraft* zusammen eine Konstituente darstellt, wie (28) (c) nahelegt und die
Substitutionsproben (28) (d) und (e) bestätigen:

(28) (a)   *Ich möchte eine Schreibkraft, die mit einem Computer umgehen*
             kann, einstellen.
(28) (b)   *Ich möchte eine Schreibkraft einstellen, die mit einem Computer um-*
             gehen kann.
(28) (c)   *Eine Schreibkraft, die mit einem Computer umgehen kann, möchte*
             ich einstellen.
(28) (d)   *Ich möchte eine Schreibkraft einstellen.*
(28) (e)   **Ich möchte die mit einem Computer umgehen kann, einstellen.*

Man beachte, daß es ohne Widerspruch möglich ist, von einem bestimmten (komplexen) Ausdruck zu sagen, er entspreche einerseits einer
Konstituente, andererseits zweien. Die Substitutionsprobe (27) (n) erlaubt die Annahme, daß (anders als in (27') notiert) *übernimmt die*
Rolle des Verlierers einer Konstituente entspricht. (27'') zeigt, wie
man den Satz (27) so analysieren kann, daß diese ebengenannte Annahme mit (27') kompatibel ist.

(27) (n)   *Am Wahlabend jubelt keine der Parteien.*
(27'')   [*Am Wahlabend*][*keine der Parteien*][*übernimmt*[*die Rolle des Ver-*
             lierers]]

Ähnlich kann man sagen, daß auf einer Seite *eine Schreibkraft, die mit*
einem Computer umgehen kann eine Konstituente darstellt, die sich im
nächsten Analyseschritt in zwei Konstituenten zerlegen läßt:

(28')   [[*Eine Schreibkraft*][*die mit einem Computer umgehen kann*]]

Dieses schrittweise Vorgehen ergibt sich ganz natürlich aus dem Begriff „Konstituente": Ein Ausdruck ist nicht einfach eine Konstituente,

sondern eine Konstituente von einer anderen. Die Konstituente (28') ist selbst Konstituente vom Prädikat *möchte eine Schreibkraft, die mit einem Computer umgehen kann, einstellen*, welches wiederum neben *ich* **unmittelbare**[22] Konstituente des Satzes (28) ist.

Eine Konstituente wie (28'), deren obligatorischer Bestandteil ein Substantiv ist (*Schreibkraft*) nennt man **Nominalphrase** (abgekürzt NP). Ebenfalls eine NP ist (29):

(29)   *Eine des Umgangs mit dem Computer kundige Schreibkraft*

Obwohl es keine Permutationsprobe gibt, die *des Umgangs mit dem Computer kundige* als Konstituente zu identifizieren erlaubt, wird man (29) ebenfalls als komplex betrachten, im Namen z. B. der Tilgungsprobe.

(29')   [*Eine*[*des Umgangs mit dem Computer vertraute*]*Schreibkraft*]

Obwohl es beim Auffinden der syntaktischen Struktur eines Satzes nicht primär um seine Bedeutung geht, wird man sich bemühen, die verschiedenen Proben nur dann als erfolgreich zu bewerten, wenn die Gesamtbedeutung des Substituts nicht wesentlich von der des Ausgangsausdrucks abweicht, da eine wesentliche Bedeutungsveränderung oft mit einer syntaktischen Strukturveränderung einhergeht.

Auch bei der Anwendung der Permutationsprobe wird man auf eine möglichst geringe Bedeutungsveränderung des Ausgangssatzes achten:

(30) (a)   *Die Studenten feiern am Montag nach der Klausur das Ende des Semesters.*
(30) (b)   *Am Montag feiern die Studenten nach der Klausur das Ende des Semesters.*
(30) (c)   *Am Montag nach der Klausur feiern die Studenten das Ende des Semesters.*

Wenn (30) (a) bedeuten soll, daß die Semesterabschlußfete an dem auf die Klausur folgenden Montag stattfindet, dann ist (30) (c) eine zulässige Permutation (ohne wesentliche Bedeutungsveränderung), die darauf hinweist, daß *am Tag nach der Klausur* als eine Konstituente aufzufassen ist (*nach der Klausur* ist Attribut zu *Tag*). Wenn hingegen (30) (a) bedeuten soll, daß die Semesterabschlußfete am selben Montag stattfindet wie die Klausur, dann ist nicht (30) (c), sondern (30) (b) eine zulässige (bedeutungsneutrale) Permutation, die darauf hinweist, daß in (30) (a) (in dieser Lesart) *am Montag* und *nach der Klausur*

---

22 Die Unterscheidung zwischen „unmittelbarer" und „mittelbarer" Konstituente dient zur Beschreibung des hierarchischen Aufbaus der K-Struktur: Wenn wie in der Struktur $_x[_y[y]_y {}_z[_v[v]_v {}_w[w]_w]_z]_x$ eine Konstituente x aus den beiden Konstituenten y und z besteht und z aus den beiden Konstituenten v und w besteht, dann sind v und w mittelbare Konstituenten von x.

zwei syntaktisch voneinander unabhängige Konstituenten repräsentieren. Auf diese Weise wird man semantische Mehrdeutigkeiten und syntaktische Mehrdeutigkeiten miteinander in Beziehung setzen können. Auch der Satz (31) ist zweideutig:

(31)   *Der Detektiv beobachtet den Mann mit dem Fernglas.*

In der einen Lesart ist das Fernglas das Instrument, mit dem der Detektiv den Mann beobachtet, in der anderen Lesart trägt der beobachtete Mann ein Fernglas. In der ersten Lesart ist *mit dem Fernglas* Adverbialbestimmung zu *beobachtet den Mann*, in der zweiten ist es Attribut zu *den Mann*. Das läßt sich durch die Permutationsprobe deutlich machen:

(31) (a)   *Mit dem Fernglas beobachtet der Detektiv den Mann.*
(31) (b)   *Der Detektiv beobachtet mit dem Fernglas den Mann.*
(31) (c)   *Den Mann mit dem Fernglas beobachtet der Detektiv.*

(31) (a) und (b) sind nur in der ersten Lesart mögliche Permutationen, dagegen ist (c) nur mit der zweiten Lesart kompatibel, d. h., nur in der zweiten Lesart ist *den Mann* eine und *mit dem Fernglas* eine andere Konstituente. Diese Beispiele zeigen, daß die Bedeutung eines Satzes von seiner syntaktischen Struktur abhängt. (➔ Übung 5).

2.4.1.3 Frageprobe

Man kann die – oft in der Schule benutzte – **Frageprobe** als einen Spezialfall von Substitution deuten: Was im Aussagesatz dem *w*-Wort des entsprechenden Fragesatzes entspricht, d. h. was als Antwort auf die **w-Frage** (auch **Satzgliedfrage**[23] oder **Konstituentenfrage**) genannt werden kann, gilt als eine Konstituente. Beispiele:

| (32) (a) | *Wer* | *hat den Kuchen gebacken?* |
| (32) (b) | *Anjas Schwester* | *hat den Kuchen gebacken.* |

(33) (a)	*Wann*	*fährt Charles nach Italien?*
(33) (b)	*Im Juli*	*fährt Charles nach Italien.*
(33) (c)	*Am 1. Juli*	*fährt Charles nach Italien.*
(33) (d)	*Nach Semesterschluß*	*fährt Charles nach Italien.*

---

23 Wir meiden den (gängigen) Terminus „Satzglied", weil er nicht klar definiert ist (auch in der Duden-Grammatik nicht): Sofern das Verb kein Satzglied ist, ist nicht jede Konstituente ein Satzglied. Offenbar unter dem Einfluß der D-Syntax bezeichnet die Duden-Grammatik als Satzglieder die „Aktanten" und „Circonstants", meint aber damit nicht wie Tesnière syntaktisch atomare Größen, sondern komplexe (also etwa Konstituenten). M. a. W.: Der Begriff „Satzglied" zeigt, daß die Duden-Grammatik nicht konsequent den D- und K-Syntax unterscheidet. Wir können und wollen hier nicht den Begriff „Satzglied" genau analysieren (und kritisieren). Es sei lediglich hervorgehoben, daß z. B. auch Attribute, d. h. Konstituenten von Konstituenten (eines Satzes) nach der Duden-Grammatik keine „Satzglieder" sind.

(34) (a)	*Warum*	*fährt Frank im Sommer nach Rom?*
(34) (b)	*Weil er dort billig bei seiner*	*fährt Frank im Sommer nach Rom.*
	Schwester wohnen kann,	

Ein Spezialfall der Substitutionsprobe ist der Fragetest deswegen, weil
(a) das *w*-Wort nicht immer an der Stelle im Fragesatz steht, die der
der Antwortkonstituente im Aussagesatz entspricht: Die Wortstellungsregeln im Deutschen sehen vor, daß das *w*-Wort (Fragewort) am Satzanfang steht, während die entsprechende „erfragte" Konstituente (der
dem Fragewort entsprechende Ausdruck im Aussagesatz bzw. im Ant-
wortsatz) nicht notwendigerweise am Satzanfang steht:

| (35) (a) | *Heidi fährt* | *im Sommer* | *nach Rom.* |
| (35) (b) | *Heidi fährt* | *??wann* | *nach Rom?* |

(b) Faßt man die Testpaare als Frage/Antwort-Paare auf, dann gibt es
manchmal weitere Kontextunterschiede, wie z. B. Genus-, Numerus-
oder Personenkongruenz – die bei strenger Handhabung der Substitutionsprobe nicht zugelassen wären:

(36) (a)	*Wer*	*bringt den Wein?*
(36) (b)	**Du*	*bringt den Wein?*
(36) (c)	*Du*	*bringst den Wein?*
(36) (d)	**Wer*	*bringst den Wein?*

(37) (a)	*Wer*	*ist gekommen?*
(37) (b)	**Die Kinder*	*ist gekommen.*
(37) (c)	*Die Kinder*	*sind gekommen.*
(37) (d)	**Wer*	*sind gekommen?*

| (38) (a) | *Wer* | *hat seine Stimme den Grünen gegeben?* |
| (38) (b) | *Die Frauenbeauftragte* | *hat ihre Stimme den Grünen gegeben?* |

Auch diese Probe ist nicht immer anwendbar, denn nicht alle Konstituenten in einem Satz sind erfragbar: So sind z. B sog. „Satzadverbien"
wie leider und vermutlich Satzkonstituenten, denen aber kein *w*-Fra-
gewort entspricht. Wenn vermutlich als Antwort auf eine Frage fungiert, dann auf eine **Satzfrage** (auch **Entscheidungsfrage** oder **ja/nein-
Frage** genannt), ähnlich wie *ja, nein, sicher, vielleicht...* Weitere nicht
erfragbare Ausdrücke sind z. B. nicht, insbesondere, ausgerechnet,
obwohl-Sätze, *da*-Sätze...

2.4.1.4 Kombinierbarkeit

Beim Vergleich zwischen Sätzen, wenn es darum geht, die Ergebnisse
von Einzelsatzanalysen zu verallgemeinern (vgl. 2.3.3), ist es oft
fruchtbar, zu prüfen, ob Konstituentenkandidaten, die zur selben Substitutionsklasse zu gehören scheinen, nicht miteinander kombinierbar

sind, d. h., ob es nicht einfache Sätze gibt, in denen die beiden Konstituentenkandidaten zusammen auftreten. Denn wenn die Konstituentenkandidaten kombinierbar sind (und zwar derart, daß sie beide zusammen auftreten können, ohne daß die eine Bestandteil der anderen ist), kann es vernünftig sein, sie doch zwei verschiedenen Substitutionsklassen zuzuordnen. Wir haben in 2.3.1.2 gesehen, daß die Ersetzung eines komplexen Ausdrucks durch einen anderen – auch wenn letzterer atomar ist – nicht garantiert, daß das Substitut wirklich den ganzen komplexen Ausdruck ersetzt. Die Kontrollprobe ist dann der Test der Kombinierbarkeit: S. (39) aber (40).

(39)	*Sascha trinkt*	*jeden Abend ein Bier*	
		Wein	

(40)	*Sascha trinkt*	*jeden Abend*	*ein Bier*
		immer	*Wein*
		gern	
		bekanntlich	

Eine strenge Formulierung der Kombinierbarkeitsprobe könnte etwa lauten: Wenn zwei Ausdrücke miteinander in einem Satz kombiniert auftreten können (d. h. wenn ein und derselbe einfache Satz sie beide enthalten kann, ohne daß der eine Teil des anderen ist), dann gehören sie nicht zur selben Substitutionsklasse.

Bei der Anwendung und Beurteilung der Kombinierbarkeitsprobe wird man freilich einige Typen von Kontexten ausschließen, die sonst zu falschen Hypothesen führen könnten. So ist es z. B. plausibel, daß *einen Bürodrehstuhl* und *seinen alten Sessel* zur selben Klasse gehören, obwohl sie in (41) miteinander kombiniert auftreten.

(41) (a)   *Er hat für sein Arbeitszimmer* einen Bürodrehstuhl *gekauft, weil seine Tochter* den alten Sessel seines Vaters *für ihre Studentenbude haben wollte.*

(41) (b)   *Er hat für sein Arbeitszimmer* den alten Sessel seines Vaters *gekauft, weil seine Tochter* einen Bürodrehstuhl *für ihre Studentenbude haben wollte.*

Beim genauen Hinschauen kommen diese beiden Ausdrücke aber in (41) (a) in zwei verschiedenen „Sätzen" vor, der eine im sog. „Hauptsatz", der andere in dem durch weil eingeleiteten sog. „Nebensatz": Mit der Satzgrenze hört die Domäne der Kombinierbarkeitsprobe auf, sobald diese den Satzkonstituentenstatus eines Ausdrucks bestätigen

soll. Anders gesagt: Wenn zwei Konstituenten auf zwei Sätze verteilt
auftreten, gelten sie nicht als miteinander kombiniert im Sinne der
Kombinierbarkeitsprobe, sondern können sehr wohl als Elemente ein
und derselben Substitutionsklasse betrachtet werden.

   In anderen Fällen fungieren kleinere Einheiten als Domänen der
Kombinierbarkeitsprobe. In (42) z. B. treten zwei wohl grundsätzlich
gegeneinander substituierbare Ausdrücke kombiniert auf, aber jeder
innerhalb einer eigenen NP:

   (42)   *Durch das Nachfüllen* der Druckpatronen *erspart man sich die An-
               schaffung* umweltfeindlicher Einwegpatronen.

In einem einfachen Satz können nur soviele Ausdrücke dieser Art auftreten wie der Satz Nominalphrasen enthält (pro NP grundsätzlich nur
ein Genitivattribut). Natürlich wird man von der Kombinierbarkeitsprobe auch die Koordination grundsätzlich ausschließen, denn sie dient
gerade dazu, gleichwertige Ausdrücke, also Ausdrücke, die grundsätzlich gegeneinander substituierbar sind, miteinander zu verbinden.

   Aber ansonsten wird man die Substitutionsklassen, die ja den Syntaxregeln zugrunde liegen werden, so definieren, daß sie nicht zu uner-
wünschten Prognosen führen. Wenn man zulassen würde, daß auch
miteinander kombinierbare Ausdrücke ein und derselben Substitutionsklasse gehören, dann könnte man zu inadäquaten Syntaxregeln kommen.

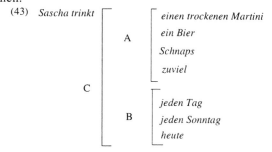

(43)   *Sascha trinkt*

               A   *einen trockenen Martini*
                        ein Bier
                        Schnaps
                        zuviel

       C

               B   *jeden Tag*
                        jeden Sonntag
                        heute

Die gesamte Substitutionsklasse C in (43) enthält Ausdrücke, die nicht
miteinander kombinierbar sind (A-Ausdrücke und B-Ausdrücke untereinander), aber auch solche, die miteinander kombinierbar sind:

(44)	*Sascha trinkt*	A *einen trockenen Martini* *ein Bier* *einen Schnaps* *zuviel*	B *jeden Tag* *jeden Sonntag* *heute*

Wenn man C nicht aufgrund der Kombinierbarkeit von A- und B-Ausdrücken subklassifiziert und als einzige Klasse beibehält, dann sieht man a) entweder für Sätze wie den vorgegebenen nur das Vorkommen von einem Ausdruck der Klasse C vor (vgl. (43)) und kann die Sätze (44) nicht beschreiben oder b) erlaubt wiederholtes Vorkommen von Ausdrücken aus C. In diesem Fall kann man die Sätze in (44) beschreiben, aber auch die nicht akzeptablen Sätze (45):

(45)	*Sascha trinkt	einen trockenen Martini	ein Bier
	*	einen Schnaps	ein Bier
	*	zuviel	einen Schnaps
	*	ein Bier	ein Bier
	*	jeden Tag	jeden Sonntag
	*	heute	jeden Tag
	*	heute	heute

Diese Nachteile hat man nicht, wenn man die Klasse C in A und B zerlegt hat und den Ausgangssatz als eine Kette vom Typ: Sascha+ trinkt+(X_A)+(X_B) beschreibt, wobei X_A ein beliebiger Ausdruck der Klasse A ist, X_B einer der Klasse B, und die runden Klammern heißen, daß sowohl X_A als auch X_B fakultativ sind.

Die Kombinierbarkeitsprobe erlaubt also eine Verfeinerung der durch die Substitutionsprobe erzielten Ergebnisse und eine oft adäquatere Formulierung der Syntaxregeln (s. 2.3.3).

Freilich bestätigen in unserem Beispiel die Permutationsproben (46) (a)–(f), daß die Substitutionsklassen A und B interessanter sind als die Klasse C:

(46) (a)   Jeden Tag trinkt Sascha ein Bier.
(46) (b)   Ein Bier trinkt Sascha jeden Tag.
(46) (c)   *Jeden Tag ein Bier trinkt Sascha.
(46) (d)   *Ein Bier jeden Tag trinkt Sascha.
(46) (e)   *Jeden Tag zuviel trinkt Sascha.
(46) (f)   *Zuviel jeden Tag trinkt Sascha.

2.4.2 Darstellung der K-Struktur

Man kann die K-Struktur eines Satzes durch Klammerung oder in Form eines Baumdiagramms darstellen. Dem Satz (47) kann man die in Abb. 8 dargestellte K-Struktur zuordnen.

(47)   Das kleine Kind trinkt warme Milch.

Jedem Klammerpaar unter Abb. 8 entspricht eine Verzweigung. Zur Vereinfachung sind die einzelnen syntaktischen Wörter (die sog. **terminalen Konstituenten**) nicht eigens in Klammern gesetzt worden. Ein Baumdiagramm eignet sich besonders gut zur visuellen Veranschau-

lichung einer Struktur. Die Linien zwischen den Knoten sind die **Äste**
oder **Kanten** des Baumes und die Punkte, an denen sich die Äste
verzweigen, die **Knoten** des Baumes.

Abb. 8

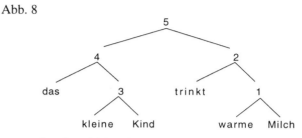

$_5[\ _4[$ das $_3[$ kleine Kind $]_3\ ]_4\ _2[$ trinkt $_1[$ warme Milch $]_1\ ]_2\ ]_5$

Knoten und Kanten erhalten in einem K-Baum eine andere Bedeutung
als in einem D-Baum: Die Kanten verbinden in einer K-Struktur Knoten derart, daß jeder tiefere Knoten eine **unmittelbare** Konstituente
jener Konstituente repräsentiert, die vom zugehörigen höheren Knoten
repräsentiert wird. Der Knoten 3 steht für eine unmittelbare Konstituente der durch den Knoten 4 repräsentierten Konstituente, als zweite
unmittelbare Konstituente von 4 steht hier *das*.[24] Ein Baumgraph wie
Abb. 9 würde in einer D-Grammatk bedeuten, daß das syntaktische
Wort B seinerseits und das syntaktische Wort C seinerseits je von dem
syntaktischen Wort A abhängt, wobei A, B und C für Wörter aus dem
zu beschreibenden Satz (z. B. (48)) A=liebt; B=*Norbert*; C=*Doris*):

(48)   *Norbert liebt Doris.*

Abb. 9

In einer Konstituentensyntax bedeutet der abstrakte Graph in Abb. 9,
daß eine Konstituente vom Typ A (z. B. Satz) aus zwei Konstituenten,
nämlich einen vom Typ B (in (48): *Norbert*) und einen vom Typ C (in

---

24 Die Zahlen als Knotenetiketten in Abb. 8 sind willkürlich gewählt. Wir werden sie
   später ersetzen durch Namen von Konstituentenklassen, d. h. durch sog. „Kategorialsymbole". Zur Vereinfachung haben wir die terminalen Knoten nicht durch Zahlen
   etikettiert, sondern gleich mit den entsprechenden syntaktischen Wörtern.

(48): *liebt Doris*) besteht. Die Konstituente vom Typ B und die Konstituente vom Typ C sind **Kokonstituenten** voneinander. Beide sind **unmittelbare Konstituenten** der Konstituente vom Typ A. Dabei ist es systematisch ausgeschlossen, daß die Konstituente vom Typ A ein syntaktisches Wort ist. A ist als Symbol Name eines Typs komplexer Ausdrücke. Wenn B und C für Typen von syntaktischen Wörtern stehen (wie z. B. B=*warme*, C=*Milch*), dann handelt es sich um sog. „**terminale Konstituenten**" (in der Regel Elemente der Wortarten, hier z. B. B=Adjektiv und C=Nomen): Z. B. seien A=Nominalphrase, B=Adjektiv und C=Nomen. Da *warme* ein Adjektiv ist und *Milch* ein Nomen ist, so ergibt sich durch die Verbindung von *warme* und *Milch* der Ausdruck *warme Milch*, wobei *warme* das Attribut zu *Milch* ist. Der Ausdruck *warme Milch* ist vom Typ **Nominalphrase**. In Abb. 8 repräsentiert der Knoten 1 die Konstituente, die dem Ausdruck *warme Milch* entspricht. Im Unterschied zu einer D-Struktur gibt es in Abb. 8 grundsätzlich kein syntaktisches Wort, das von einem anderen Wort regiert würde.[25] Die K-Struktur ist keine Repräsentation der Rektionsbeziehung. Die Konstituente 4 (*das kleine Kind*) wird nicht mit trinkt, sondern mit der Konstituente 2 (*trinkt warme Milch*) in Beziehung gesetzt. Zum Vergleich sei hier noch der D-Graph zu Satz (47) angegeben:

Abb. 10

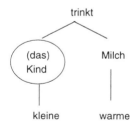

Der Ausgangsknoten in Abb. 10 steht für das Verb *trinkt*, in Abb. 8 steht er für den gesamten zu zerlegenden Satz. Abb. 8 besagt, daß 5 aus 4 und 2 besteht, 4 aus ⌐das⌐ und 3, 2 aus ⌐trinkt⌐ und 1, 3 aus ⌐kleine⌐ und ⌐Kind⌐ und 1 aus ⌐warme⌐ und ⌐Milch⌐.
    Nun möchte man die verschiedenen Typen von Konstituenten benennen: In unserem Beispiel (Abb. 8) lassen sich die Knoten 5 als S(atz), 4 als NP (Nominalphrase) und 2 als VP (Verbalphrase) identifi-

---

25 Wenn bisweilen so gesprochen wird, daß man mit Bezug auf Abb. 8 sagt, das Verb *trinkt* regiere die Wortgruppe *warme Milch*, so ist damit entweder gemeint, daß das syntaktische Wort ⌐trinkt⌐ zur Sättigung einen Objektausdruck wie *warme Milch* fordert oder daß dieser geforderte Objektausdruck im Akkusativ stehen muß.

zieren. Die Namen „Nominalphrase" und „Verbalphrase" (als Übersetzungen von engl. „noun phrase" bzw. „verb phrase") bezeichnen Konstituenten, deren Kern („**Kopf**") ein Nomen (Substantiv) bzw. ein Verb
ist. Das Nomen (Substantiv) wird deswegen als „Kopf" der NP
betrachtet, weil sich die anderen (fakultativen) Bestandteile der NP,
namentlich Artikel und attributives Adjektiv, in Genus und Numerus
nach dem Nomen richten. Das Verb ist deswegen „Kopf" der VP, weil
es die anderen Bestandteile der VP (die Objekte) in dem Sinne regiert,
daß es für deren Anwesenheit und Form verantwortlich ist. Schwieriger
ist die Benennung von 1, 3 und 4: Es gibt eigentlich keinen Grund, für
1 und 3 unterschiedliche Etiketten vorzusehen: In beiden Fällen haben
wir es mit einer Folge Adjektiv + Nomen zu tun. Nennen wir eine solche Konstituente (die mit einem Artikel kombiniert eine reguläre NP
bildet, wie 4) Nominalkomplex (NK). Nun können wir den Baum etikettieren.

Abb. 11

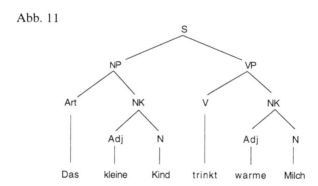

Der Baum in Abb. 11 ist die K-Struktur des vorgegebenen Satzes. Die
Symbole S, NP, VP, NK, Art, N, Adj sind Namen für bestimmte Typen
von Ausdrücken, die in geeigneten K-Strukturen als Konstituenten
vorkommen können. Da die Namen im allgemeinen in Form von Abkürzungen verwendet werden und in formaler Hinsicht gar nicht als
Namen, sondern als Symbole betrachtet werden, heißen sie auch
Kategorialsymbole. (Statt von Typen spricht man oft auch von Kategorien).[26]

---

26 Oft sagt man statt „der mit NP etikettierte Knoten" einfach „der Knoten NP". Diese
Sprechweise kann zu Mißverständnissen führen, besonders wenn es in ein und demselben Konstituentenbaum mehrere Vorkommen wie in Abb. 11 bei NK gibt. Wir
werden diese nicht unübliche Sprechweise dennoch gelegentlich beibehalten und setzen darauf, daß eventuelle Mißverständnisse durch den jeweiligen Kontext ausgeschlossen werden.

Mit einer K-Struktur werden die Hierarchiebeziehungen eines Satzes beschrieben: Der S-Knoten **dominiert** unmittelbar die Knoten NP und VP; der NP-Knoten **dominiert unmittelbar** die Knoten-Folge Art und NK; der NK-Knoten dominiert unmittelbar die Knoten-Folge Adj und N usw. Die Dominanzbeziehung ist die hierarchische Beziehung zwischen den Konstituenten.

Ein weiterer wesentlicher Unterschied zwischen einem D-Graphen und einem K-Baum wie in Abb. 11 besteht darin, daß die unterste Zeile des K-Baums eine **Kette** von syntaktischen Wörtern darstellt, die den Satz ausmachen: In diesem Beispiel entspricht die Reihenfolge der syntaktischen Wörter im K-Baum der Reihenfolge der (morphologischen) Wörter in (47). In einem K-Baum ist nicht nur die Dominanzbeziehung, sondern auch die **links-rechts-Anordnung (lineare Beziehung)** zwischen den Knoten wichtig: Die Position jedes einzelnen Knoten ist durch diese beiden Informationen eindeutig festgelegt: V in Abb. 11 wird von VP unmittelbar dominiert und steht links von seinem „**Schwesterknoten**" NK. Wenn bei der K-Analyse behauptet wird, daß die Konstituente A aus den Konstituenten B und C besteht, dann wird im K-Baum eine **Kette** (entweder B+C oder C+B[27]) festgelegt, die die Konstituente A ausmacht. Es wird also in Abb. 11 nicht nur repräsentiert, daß *warme* und *Milch* eine Konstituente vom Typ NK bilden, sondern auch, daß dabei *warme* vor *Milch* steht. Wenn wie in Abb. 11 die Reihenfolge der syntaktischen Wörter genau und vollständig der sog. Wortstellung im zu analysierenden Satz (47) entspricht, dann kann man sagen, daß (neben den hierarchischen Beziehungen) auch die Reihenfolgebeziehungen im K-Baum zum Ausdruck gebracht werden. Von der Stufe an, an der in Abb. 11 die Knoten nicht mehr verzweigen, fallen die Linien **vertikal** herunter bis zu den betroffenen syntaktischen Wörtern, und sie stehen in der letzten Zeile der K-Struktur zueinander genau da, wo sie im gegebenen Satz wortstellungsmäßig auch wirklich stehen. Dies folgt aus der strengen Version der Methode der K-Analyse (Substitution unter Wahrung der Wortstellung) und wird Folgen für die K-Syntax haben. Wir werden auf dieses Problem – das in der Tesnièrschen Dependenzsyntax keine Entsprechung hat – zurückkommen. (➡ Übung 6).

2.4.3 Konstituentenstruktursyntax (K-Syntax)

Nun wollen wir nicht nur einzelne Sätze analysieren (und uns das dafür notwendige Begriffsinventar zurechtlegen), wir möchten Regeln

---

27 Das Plus-Zeichen (+) notiert hier nicht die Addition, sondern die Verkettung: Es verbindet zwei in einer festgelegten Reihenfolge unmittelbar aufeinander folgende Elemente. In den K-Regeln (s. 2.3.3) wird es meist nicht mitgeschrieben: VP → V NP könnte auch VP → V + NP geschrieben werden.

schreiben können, mit denen die Bildung möglichst vieler Sätze erfaßt werden können. Sicher gibt es viele Beispiele für $_{VP}$[V NK] (s. (49)), es gibt aber auch zahlreiche für $_{VP}$[V NP] (s. (50)):

(49)   *trinkt schwarzen Tee*
         hat großen Hunger
         spricht gutes Deutsch
(50)   *sieht einen spannenden Film*
         genießt die abendliche Sonne
         beobachtet die bunten Vögel

Statt in der Syntax zwei Regeln für VP zu formulieren (VP → V NP und VP → V NK), kann man einfach VP → V NP schreiben und die NK-Fälle als Spezialfälle von NP beschreiben (NP ohne Artikel):
NP → (Art) NK
NK → Adj N
Diese Lösung ist deswegen sinnvoll, weil die An- bzw. Abwesenheit des Artikels in einer Objekt-NP keine von dem sie dominierenden VP-Knoten abhängige Eigenschaft ist, sondern eine allgemeingültige, NP-interne Eigenschaft.
Wir werden aus Gründen der Verallgemeinerung auch nicht annehmen, daß eine VP unbedingt eine NP umfassen muß (vgl. *Peter schläft, Maria trinkt, ich rauche gern*) und daß eine NP unbedingt ein Adj enthalten muß (vgl. *trinkt Milch, liest ein Buch*). Daher werden wir NP in VP und Adj in NP als fakultative Konstituenten betrachten (und deswegen in runde Klammern setzen). D. h.: Wir werden die Syntaxregeln so formulieren, daß sie unserem Satz eine Struktur zuweisen, aber auch einer Vielfalt anderer Sätze. Unsere Beispielsyntax besteht nun aus den Regeln (R1)–(R8):

(R1)	S	→	NP VP	(R5)	Art	→	das
(R2)	NP	→	(Art) NK	(R6)	Adj	→	{kleine, warme}
(R3)	NK	→	(Adj) N	(R7)	N	→	{Kind, Milch}
(R4)	VP	→	V (NP)	(R8)	V	→	trinkt

Der Pfeil wird gelesen als „**wird ersetzt durch**". Solche Regeln können auf zweierlei Weisen gedeutet werden: (a) als Aussagen, Feststellungen: (R1) läßt sich dann lesen als „Ein S(atz) besteht aus einer NP und einer VP", (b) als Anweisungen, denen man folgen muß, um Sätze zu bilden: (R1) läßt sich dann lesen als „Willst du einen S(atz) bilden, dann schreib NP VP hin" oder „willst du einen S(atz) bilden, dann ersetze das Symbol S durch die beiden Symbole NP und VP (in dieser Reihenfolge)". Dies ist die übliche Art, wie man diese Regeln in der sog. Generativen Grammatik liest.

Die Regeln R1 bis R4, in denen rechts vom Pfeil ein oder mehrere
Kategorialsymbole stehen, sind geeignet, die K-Struktur in Abb. 11
abzuleiten. Die Regeln R5 bis R8, in denen rechts vom Pfeil deutsche
Wörter stehen, sind sogenannte **lexikalische** Regeln. Diese Regeln ter-
minieren die Struktur, die so als K-Struktur für die Beschreibung des
konkreten Ausdrucks dienen kann, genauer: für die syntaktische
Beschreibung der ihm entsprechenden Folge morphologischer Wörter
˻das˼, ˻kleine˼, ˻Kind˼, ˻trinkt˼, ˻warme˼, ˻Milch˼. Die geschweiften
Klammern notieren eine Menge von Alternativen. Und das bedeutet,
daß R6 und R7 jeweils eine Menge von Regeln ist, und zwar eine
Menge lexikalischer Regeln. Die Menge der Adjektive, die wir für unseren Beispielsatz (47) brauchen, enthält zwei Elemente, *warme* und
kleine. Die konstruierte Syntax erlaubt nicht nur die Ableitung von
Strukturen für die Beschreibung des Satzes (47), sie liefert auch für
(51) und (52) eine Struktur. D. h., sie führt zur Bildung von mehr Sätzen als ursprünglich intendiert.

> (51)   *Das warme Kind trinkt warme Milch*
> (52)   *Die kleine Milch trinkt warme Kind*

Daß (52) abweichend ist, liegt an dessen Bedeutung und an der fehler-
haften Morphologie (Artikelwahl, Kongruenz s. Kapitel 3 „Morphologie"); streng syntaktisch gibt es keinen Grund, ihn abzulehnen und die
Syntaxregeln umzuformulieren. (Deswegen haben wir (52) nicht mit
dem * versehen, der hier heißen würde „syntaktisch abweichend".)
Wollte man die Syntax dennoch abändern, um für (52) keine Struktur
bereitzuhalten, dann könnte man die Regeln R5 bis R8 durch sogenannte **kontextabhängige** Regeln ersetzen, etwa (R9):

> (R9)   N →   {   Kind/das_   }
>   Milch/die_

(Zu lesen als: „Ersetze N durch Kind, wenn davor das steht; durch
Milch, wenn davor die steht". Die geschweifte Klammer bedeutet hier
wieder, daß man es mit zwei alternativen Regeln zu tun hat).

Die Struktur, die durch die Syntax (R1)–(R8) dem Satz (47) zugewiesen wird (s. Abb. 12), ist nun nicht mehr ganz mit der in Abb. 8
identisch, denn durch (R2) wird NK als Konstituente von NP beschrieben. (➡ Übung 7).

Abb. 12

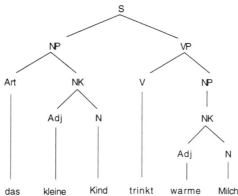

Es ist selbstverständlich, daß diese Mini-Syntax eine ganze Reihe von
deutschen Sätzen nicht zu beschreiben erlaubt. Sie müßte schrittweise
verfeinert und erweitert werden. Wir wollen hier einige Beispiele nennen, ohne zu versuchen, die verschiedenen Erweiterungen in einer umfassenderen Syntax zu berücksichtigen.

2.4.3.1 Rekursivität

Eine NP kann auch mehr als ein Adjektiv enthalten, und zwar so, daß
diese Adjektive nicht miteinander koordiniert sind, sondern zu N und
zueinander in einer hierarchischen Beziehung stehen, derart, daß das
letzte Adjektiv das N bestimmt, das vorletzte den folgenden Komplex
Adj+N, das vorvorletzte den folgenden Komplex Adj+Adj+N bestimmt usw.: (53) bedeutet etwa (53) (a), (54) etwa (54) (a).

(53)   *ein großes weißes Haus*
(53) (a)   *ein weißes Haus, das groß ist*
(54)   *wunderschöne duftende rote Rosen*
(54) (a)   *unter den roten Rosen die duftenden, und davon wiederum die wun-*
            derschönen

Solche komplexen NP mit mehreren Adjektiven (ohne Komma) sind
wie folgt zu analysieren:

(54) (b)   [wunderschöne [duftende [rote Rosen]]]

Um Strukturen für Nominalphrasen zu gewinnen, die mehr als ein attributives Adjektiv aufweisen, könnte man für jede Zahl n eine Regel

vorsehen, die n attributive Adjektive zu beschreiben erlaubt. Da man keine guten Gründe hat, die Zahl n festzulegen, etwa auf 5 oder auf 12 oder auf 25, d. h. auf irgendeine bestimmte Zahl, erhielte man eine Syntax mit unendlich vielen Regeln. Um dies zu vermeiden, bedient man sich **rekursiver Regeln**. Im vorliegenden Fall könnte man die rekursive Regel (R 10) formulieren:

(R 10)   NP → Adj NP

Regel (R 10) kann man beliebig oft anwenden. Wendet man sie n-mal an, so erhält man eine NP-Struktur mit n attributiven Adjektiven, freilich ohne Nomen. Um zu garantieren, daß jede Nominalphrase ein Nomen aufweist, benötigt man eine weitere Regel (R 11):

(R 11)   NP → N

(R 10) und (R 11) können nach der bereits eingeführten Konvention zu der komplexen Regel (R 12) zusammengefaßt werden:

(R 12) NP → { Adj NP / N }

Das Symbol NP, das rechts vom Pfeil in (R10) erscheint, erlaubt die Wiederholung der Regelanwendung. Will man kein Adjektiv mehr einführen, wählt man die zweite Zeile der Regel (R12) (d. h. (R11)). Wendet man die erste Regel dreimal an und die zweite einmal, erhält man die Struktur, die in Abb. 13 dargestellt ist:

Abb. 13

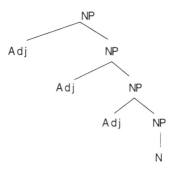

Es gibt viele Argumente dafür, in Syntaxen, mit denen man sprachliche Ausdrücke z. B. des Deutschen oder des Englischen beschreiben will, Rekursivität anzunehmen. Üblich ist die Rekursivität des Anfangssymbols S, die zur Beschreibung komplexer Sätze benötigt wird. So gibt es Verben, die als Objekt einen Satz zulassen (VP → V S). Der Objektsatz wird selbst durch die Regeln beschrieben, die zur Erzeugung des Hauptsatzes angewandt wurden[28]. Einige Beispiele:

(55)   *Harry sagte, daß Lore Russisch kann.*
(56)   *Harry sagt, daß Lore behauptet, daß sie drei Jahre Russisch betrie-*
         ben hat.
(57)   *Harry sagt, daß Lore behauptet, daß ihr Mann will, daß seine Kinder*
         Japanisch lernen.

Abb. 14

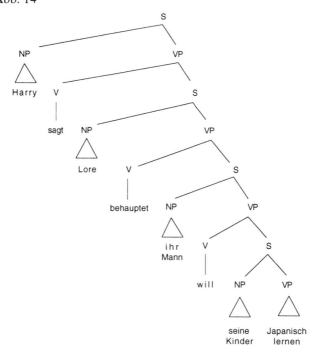

Auch zur Beschreibung von Relativsätzen wird oft das Anfangssymbol S verwendet (als fakultativer Bestandteil der NP): Die Regel, die NP beschreibt, lautet dann z. B. NP → Art N (S). Vgl. (58) und (59).

---

28 In Abb. 14 wird die Subordinationskonjunktion *daß* zur Vereinfachung außer acht gelassen. Die Dreiecke unter den nicht-terminalen Symbolen NP und VP deuten auch an, daß der KS-Baum vereinfacht ist.

(58)   *Der Chef, der kein Englisch kann, sucht eine Sekretärin, die seine*
          Briefe ins Englische übersetzt.

Abb. 15

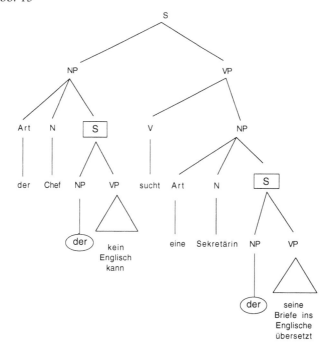

(64)   *(Der Chef sucht) eine Sekretärin, die die Briefe, die er schreibt, ins*
          Englische übersetzt.

In Abb. 16 entspricht die Reihenfolge der syntaktischen Wörter nicht
der Reihenfolge der morphologischen Wörter, die in dem zu beschreibenden Satz zu beobachten sind: Das untere (Relativ)pronomen *die*
steht nicht am Anfang des Relativsatzes, sondern an der Stelle, wo unter S (gemäß Regel (R 4)) die Objekt-NP steht, d. h. nach der Subjekt-
NP *er*.

[Auf die Position von V unter VP kommen wir später zurück: In
Abb. 16 liegt eine Regel (R 4') zugrunde:

(R4') VP → (NP) V

Abb. 16

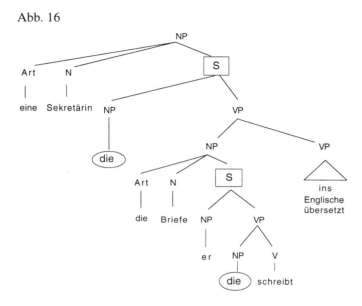

(R4) wird deshalb durch (R4') ersetzt, weil man nicht allein wegen Wortstellungsregelmäßigkeiten einen Relativsatz, dessen Relativpronomen als Subjekt fungiert (s. Abb. 15), grundsätzlich anders beschreiben möchte als einen Relativsatz, dessen Relativpronomen als Objekt fungiert. In beiden Fällen ist der Relativsatz ein S (vgl. Regel R1: S → NP VP usw.]

Das Relativpronomen steht im Deutschen, abgesehen von Präpositionen, immer am Anfang des Relativsatzes, und zwar unabhängig davon, welche grammatische Funktion es im Relativsatz ausübt; dies wird durch eine Transformationsregel, die das Relativpronomen umstellt (s. 2.6), gesondert beschrieben. Wir sehen an diesem Beispiel bereits, daß man, wollte man in ein und derselben Struktur sowohl hierarchische als auch wortstellungsbedingte Eigenschaften eines Satzes erfassen, manche Generalisierungen nicht beschreiben könnte. (➡ Übung 8).

2.4.3.2 Verschiedene VP-Typen

Es gibt Verben, die mehr als ein Objekt zulassen:

(60)   *Martina gibt den Kindern Milch.*
(61)   *Martina kauft ihrem Sohn ein Fahrrad.*
(62)   *Martina schickt ihren Sohn in die Schweiz.*
(63)   *Martina schreibt einen Brief an ihre Mutter.*
(64)   *Martina schickt den Brief ihrer Mutter.*

Die Regel, die VP expandiert, muß also auch zwei Nominalphrasen in Objektfunktion vorsehen, z. B.

$$(\text{R } 13) \quad \text{VP} \rightarrow \text{V (NP)} \left(\left\{ \begin{array}{c} \text{NP} \\ \text{PP} \end{array} \right\} \right)$$

(PP steht für Präpositionalphrase, also einen Ausdruck, dessen Kopf eine Präposition ist). Genau genommen ist (R 13) eine Zusammenfassung der Regeln i bis v:

(R 13) i.   VP → V
      ii.   VP → V NP
     iii.   VP → V NP NP
     iv.   VP → V NP PP
      v.   VP → V PP

Durch diese Regeln lassen sich Verbalphrasen der folgenden Form beschreiben (s. Duden-Grammatik: „Satzbaupläne").

      i.   VP mit einem sog. intransitiven Verb, z. B. *schläft;*
     ii.   z. B. *dankt ihrem Vater, gedenkt ihres Vaters;*
     iii.   VP mit einem sog. bitransitiven Verb, z. B. *gibt den Kindern Milch,* z. B. *lehrt die Kinder die deutsche Sprache, bezichtigt ihre Tochter der Lüge;*
     iv.   z. B. *schreibt einen Brief an ihre Mutter, schickt ihren Sohn an die See;*
      v.   z. B. *denkt an ihre Eltern, fährt in die Schweiz.*

Man beachte, daß (R 13) lediglich besagt, daß die VP NP und PP enthalten kann, aber weder die jeweilige Präposition noch den Kasus der NP benennt: Dies ist morphologisch, nicht syntaktisch von Belang.

2.4.3.3 Freie Angaben

Es sind ferner Regeln für die sog. „freien Angaben" (Adverbiale) vorzusehen, um Sätzen wie (64)–(68) eine Struktur zuzuweisen:

(65)   Leider *ist Maya umgezogen.*
(66)   *Maya mußte,* da ihr die Luft am Rhein nicht bekam, *in die Berge ziehen.*
(67)   *Maya fährt* gern im Winter *nach Davos.*
(68)   *Maya lernt,* seitdem sie in München wohnt, *bairisch.*

Solche „Angaben" sind grundsätzlich syntaktisch fakultativ und erscheinen im Deutschen in Form von Adverbien (*gern, fleißig...*), in Form von Präpositionalphrasen (PP=P + NP; *seit drei Jahren...*) oder in Form von sog. „adverbialen Nebensätzen" (*da* + S, *weil* + S, *seitdem* + S...). In den gängigen Schulgrammatiken werden sie meist nach semantischen Gesichtspunkten geordnet behandelt. Eine Syntax der „freien Angaben" sollte Regeln enthalten, die angeben, unter welchen syntaktischen Bedingungen sie vorkommen können und unter welchen sie ausgeschlossen sind.

2.4.3.4 Verbstellung

Da es im Deutschen Wortstellungsunterschiede zwischen Hauptsatz und Nebensatz gibt (im Nebensatz steht das Verb am Ende), kann nicht generell angenommen werden, daß das Verb als erste Konstituente der VP erscheint, wenn die VP-Regel sowohl für Hauptsatz als auch für Nebensatz gelten soll. Man könnte zwar Hauptsatz und Nebensatz durch unterschiedliche Kategorialsymbole beschreiben, etwa S für den Hauptsatz und S' für den Nebensatz:

(R1)	S →NP VP
(R1')	S'→NP VP'
(R4)	VP →V (NP...)
(R4')	VP'→(NP...) V

Man wird dies aber vermeiden wollen, weil es auf eine unnötige Verdoppelung vieler Regeln hinausliefe und weil es den Wortstellungsregelmäßigkeiten zu großes Gewicht in einer Struktur beimessen würde, in der die Dominanzbeziehungen primär sind. Näheres in 2.6.

2.5 Grammatische Funktionen

Die Kategorialsymbole, mit denen in einer K-Syntax operiert wird, bezeichnen Klassen gleichartiger Ausdrücke (wegen „Kategorialsymbol" spricht man auch von „Kategorien") und sind so gewählt, daß sie Auskunft über die Art dieser Ausdrücke geben: Eine NP heißt deswegen NP, weil sie mindestens aus einem N besteht (der „Kopf" einer NP ist ein N); eine VP besteht mindestens aus einem V; eine PP (Präpositionalphrase) enthält obligatorisch eine P(räposition). Es dürfte aufgefallen sein, daß die von der Schulgrammatik vertrauten Begriffe „Subjekt", „Objekt"... im K-Baum nicht erscheinen. Begriffe wie **Subjekt, Prädikat, Objekt, Attribut** und **adverbiale Bestimmung** (genauer: Subjekt-von, Objekt-von usw.) sind relationale Begriffe. Sie kennzeichnen nicht eine Konstituente für sich selbst und unabhängig von der Umgebung, sondern sie bezeichnen die **Funktion**, die die jeweilige Konstituente innerhalb einer größeren Einheit (im Satz) hat. Die Konstituenten werden in Beziehung zu bestimmten anderen Konstituenten gesetzt, und diese Beziehungen (oder Relationen) werden als Subjekt-Beziehung, Objekt-Beziehung usw. bezeichnet. Nominalphrasen, wie sie oben beschrieben worden sind, können verschiedene Funktionen ausführen, z. B. Subjekt, Objekt oder Komplement einer Präposition sein, ungeachtet ihrer internen Struktur. Man kann per Konvention festlegen, daß die NP, die vom Anfangssymbol S unmittelbar dominiert wird, die Subjekt-NP ist, die NP, die die NP unmittelbar dominiert ist, die Objekt-NP ist usw. So enthält der K-Baum die Informationen, die mithilfe der „grammatischen Funktionen" zum Ausdruck gebracht werden: Die Begriffe „Subjekt", „Objekt" usw. müssen nicht als Namen bestimmter Kanten (hier der Kanten, die die Knoten S und NP bzw. VP und NP verbinden) im Graph erscheinen.

Wir werden trotzdem kurz auf die von der Schulgrammatik her vertrauten grammatischen Funktionen eingehen, nicht zuletzt um deutlich zu machen, daß sie nicht so leicht zu definieren sind, wie es zunächst scheint, insbesondere wenn man sie nicht nur fürs Deutsche, sondern als universelle Begriffe definieren möchte (vgl. Hentschel/Weydt (1990).).

2.5.1 Das Subjekt

Zum Begriff „Subjekt" gibt es in der Tradition mindestens zwei verschiedene Auffassungen, die nicht immer klar voneinander unterschieden werden: Für die einen ist das Subjekt das, worüber im Satz etwas ausgesagt wird (Subjekt des Satzes)(bisweilen auch „Satzgegenstand" oder „Thema" genannt); für die anderen ist es das, dem ein Prädikat zugeordnet wird (Subjekt des Prädikats[29]). Zur Identifikation des Subjekts im zweiten Sinne kann man den Fragetest „ *Wer /was...?* " anwenden:

(69) (a) *Kinder trinken Milch.*
(69) (b) Wer *trinkt Milch?* Kinder.
(70) (a) *Du gehst ihm auf die Nerven.*
(70) (b) Wer *geht ihm auf die Nerven?* Du.
(71) (a) *Christians Wagen wurde abgeschleppt.*
(71) (b) Was *wurde abgeschleppt?* Christians Wagen.

---

29 Der Terminus „Prädikat" wird nicht einheitlich verwendet. Manche verwenden „Prädikat" als Synonym zu „Verb" und bezeichnen damit also ein syntaktisches Wort (so z. B. in der Duden-Grammatik). Andere meinen mit „Prädikat" alles, was im Satz zum Subjekt gesagt wird, im Rahmen der K-Syntax die VP. Wir schließen uns letzterem Gebrauch an, um den Unterschied zur Wortart „Verb" deutlich zu machen.

Dieser Fragetest erlaubt es automatisch, als Subjekt die Nominativ-NP zu identifizieren, vorausgesetzt, man gibt sich nicht mit der Nennung des Kopfes allein zufrieden, wie es oft in den (von der Dependenzgrammatik beeinflußten) Schulbüchern geschieht. Das Subjekt in (71) ist nicht einfach *Wagen*, sondern *Christians Wagen*. Ebenso ist nicht allein *Übergabe*, sondern *die Übergabe des Förderpreises der Gesellschaft der Freunde der Bergischen Universität* Subjekt in (72):

(72) (a)   *Die Übergabe des Förderpreises der Gesellschaft der Freunde der Bergischen Universität findet am 7. November im großen Hörsaal statt.*

(72) (b)   *Was findet am 7. November im großen Hörsaal statt? Die Übergabe des Förderpreises der Gesellschaft der Freunde der Bergischen Universität.*

Freilich spricht man auch von Subjekten in Fällen, in denen ein nominativisches Nomen nicht vorliegt: *ob er Russisch kann* in (73), *daß er Russisch kann* in (74):

(73)   *Ob er Russisch kann, ist mir unbekannt.*
(74)   *Daß er Russisch kann, war uns sehr nützlich.*

Mit den verschiedenen Konzeptionen des Begriffs „Subjekt" ist eine Reihe von Problemen verbunden, von denen zwei hier erwähnt werden sollen: (i) Immer wieder diskutiert wird in der Literatur die Frage, ob *es* in *es schneit* Subjekt ist. Immerhin kann man kaum fragen *Wer* oder *was schneit?* und darauf die Antwort erwarten *Es*. (ii) Diskutiert wird auch, was Subjekt in dem Satz *Mich friert* ist – und überhaupt was von subjektlosen Sätzen zu halten ist.

2.5.2 Objekte

Der Begriff „Objekt" hat nur Sinn, wenn man „Subjekt" definiert hat: In der Dependenzgrammatik gibt es keinen grundlegenden Unterschied zwischen Subjekten und Objekten: Alle sind vom Verb abhängige Aktanten. In der K-Syntax ist die Objekt-NP Konstituente von VP, während die Subjekt-NP „Schwester" von VP, also mit VP unmittelbare Konstituente von S ist. Im Deutschen werden die NPs, die als Objekt in einer VP fungieren, je nach Verb als Akkusativ-, Dativ-, Genitiv-NP oder als Präpositionalphrase realisiert (vgl. 2.3.3.2). Ob ein bestimmtes Verb ein oder mehrere Objekte verlangt oder zuläßt und welcher Art diese Objekte sind, gehört zu den spezifischen Eigenschaften der jeweiligen lexikalischen Einheit (des jeweiligen Verbs). Man kann die Kategorie V (oder VP) danach „subkategorisieren" (d. h. in verschiedene Kategorien aufteilen), wieviele und was für Objekte nötig oder möglich sind. Wenn eine PP zwar vom Verb (möglicherweise seman-

tisch) abhängig zu sein scheint, aber fakultativ ist, ist es schwierig zu
entscheiden, ob sie als sog. Präpositionalobjekt (vom Verb regiert)
oder als Adverbialbestimmung (freie Angabe, nicht vom Verb regiert)
zu deuten ist:

(75)   *sich* auf etwas *freuen*
(76)   auf etwas *warten*
(77)   *sich* bei jemandem für etwas *bedanken*
(78)   *jemanden* mit etwas *verletzen*

Statt „Objekt" werden manchmal die Termini **Ergänzung** oder **Komplement** verwendet. Gemeint ist auf alle Fälle, daß es eine syntaktische
Abhängigkeitsbeziehung[30] gibt zwischen dem Kopf des Prädikats (hier
dem Verb) und seinen Komplementen: Das Verb regiert seine Komplemente.

2.5.3 Das Prädikat

Der Terminus „Prädikat" wird oft als Bezeichnung eines bestimmten
Ausdrucks in einem Satz benutzt, eigentlich bezeichnet er– ebenso wie
„Subjekt (von)" „Objekt (von)" – eine grammatische Funktion: Eine
Beziehung zwischen einem Ausdruck und dem Subjekt des Satzes
(Prädikat zum Subjekt) oder eine Beziehung zwischen einem Ausdruck
und dem Satz (Prädikat vom Satz). In der Literatur existieren beide
Konzeptionen, ohne daß immer klar ist, welche gemeint ist. (Daher
auch die Redeweise „Subjekt des Satzes" neben „Subjekt des Verbs
bzw. des Prädikats").
	Eine Unklarheit in der Literatur betrifft den Typ von Ausdrücken,
die als Prädikat fungieren können. Die von der D-Grammatik beeinflußten Grammatiker fassen, auch wenn sie selber keine D-Strukturen
verwenden, nur das Verb als Prädikat auf (unter Außerachtlassung der
Objekte), für andere ist das Prädikat die Konstituente, deren Kopf ein
Verb ist (VP) und die zusammen mit dem Subjekt einen Satz ausmacht. Es ist nicht üblich, die freien Angaben als Bestandteil des Prädikats aufzufassen, obwohl es in manchen Fällen naheliegen könnte
(vgl. (79) (e)):

(79) (a)   *Simone macht Musik in ihrer Freizeit.*
(79) (b)   Was tut *Simone in ihrer Freizeit?*
(79) (c)   *(Sie)* macht Musik.
(79) (d)   Was tut *Simone?*
(79) (e)   ?*(Sie)* studiert in Wuppertal.

---

30 Wir verwenden das Wort „Abhängigkeit" im nicht-technischen Sinne (im Unterschied
	zu „Dependenz"). Auch der Terminus „regieren" ist hier (außerhalb des D-Rahmens)
	im klassischen Sinne zu verstehen. Anders als in der D-Syntax wird in der K-Syntax
	das Subjekt nicht als vom Verb regiert beschrieben.

Beispiele wie (79) zeigen, daß ein Satz vielleicht notwendigerweise
(mindestens) aus einem Subjekt und einem Prädikat (S → NP VP) besteht, aber auch möglicherwiese aus freien Angaben, die nicht als Bestandteil von VP betrachtet werden, wie *in ihrer Freizeit* oder *in Wuppertal.* (S → NP VP (PP)) vgl. 2.4. (➡ Übung 9).

2.5.4 Weitere grammatische Funktionen

Als weitere Namen für Beziehungen zwischen Ausdrücken sind vor allem die **Attribut-von-Beziehung** und **Adverbial(-von)-Beziehung** zu nennen. In beiden Fällen geht es grundsätzlich um freie (d. h. nicht von
dem Ausdruck, den sie bestimmen, regierte), daher fakultative Angaben[31]. Es ist aber nicht immer der Fall, daß Ausdrücke, die als Attribute in einer NP fungieren, vom N nicht regiert sind: Attribut-von bezeichnet eine Relation zwischen einzelnen Bestandteilen der NP und
einem N, mit Ausnahme von Artikel und sonstigen Determinanten des
Nomens. Die in den Beispielen (81)–(84) recte gedruckten Ausdrücke
werden klassischerweise als Attribute zum jeweiligen N bezeichnet,
obwohl sie vielleicht in (83) und (84), sicher nicht in (81) und (82)
vom jeweiligen N regiert werden:

(81)   *das Haus* meines Vaters
(82)   *das große Haus* am Marktplatz
(83)   *der Kampf* ums Überleben
(84)   *ein Mittel* gegen Migräne

Man könnte unterscheiden wollen zwischen „freier Angabe" und
„Ergänzung" oder „N-Komplement" innerhalb der NP, was aber nicht
gängig ist (vgl. jedoch Sommerfeldt/Schreiber (1977)).
    Als „adverbiale Bestimmungen" fungieren solche Ausdrücke, die
(auf jeden Fall fakultativ) in einer sehr lockeren Beziehung zum Satz
oder zur VP stehen (z. B. Zeit- und Raumangaben, Angaben der Art
und Weise, Kausalangaben, Modalangaben...). Ob sie als von S oder
von VP in der Syntax unmittelbar dominierte Konstituenten beschrieben werden, lassen wir hier offen (vgl. 2.4.3).

(85)   Damals *trainierte Frank* jeden Mittwoch.
(86)   In München *lernte Frank Russisch* an der Volkshochschule.
(87)   *Frank lernt* mit Begeisterung *Russisch.*
(88)   Wegen der Trockenheit *sind die Bauern auf Subventionen angewie-*
        sen.
(89)   Vielleicht *regnet es* bald.

---

31 Manche Grammatiker nennen sie **Adjunkte**, von englisch *adjunct* (Hinzugefügtes);
   „freie Angabe" und „Adverbialbstimmung" werden meist als Synonyme verwendet.

Der Terminus „adverbiale Bestimmung" (manchmal auch „Adverbial")
darf nicht mit „Adverb" verwechselt werden: „Adverb" ist der Name
einer Wortart (vgl. Kap. 1), „Adverbial" bzw. „adverbiale Bestimmung" der Name einer grammatischen Funktion (bezieht sich auf VP,
ohne vom Verb regiert zu sein). Adverbiale, die sich nicht nur auf VP,
sondern auf den ganzen Satz beziehen, werden manchmal „Satzadverbiale" genannt (*leider, vermutlich, vielleicht...*). Man könnte versucht
sein, auch manche Temporal- oder Lokalangaben als „Satzadverbiale"
aufzufassen (z. B. *damals* und *in München* in (85) bzw. (86), *in ihrer
Freizeit* in (79)).
   Es dürfte ein Vorteil der K-Syntax sein, auch für Beziehungen, für
die es keine traditionelle Benennung gibt, durch die Position der betroffenen Knoten in der Hierarchie des K-Baums weitere grammatische
Funktionen zu definieren (*vielleicht* bezieht sich auf *es regnet bald*
(Knoten 2 in Abb. 17), bald auf *es regnet* (Knoten S in Abb. 17), aber
nicht auf *es regnet vielleicht*). (➡ Übung 10–12).

Abb. 17

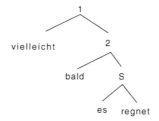

2.6 Wortstellung

Unter „Wortstellung" wird generell die lineare Anordnung der morphologischen Wörter zueinander im Satz verstanden. Sofern die Wortstellungsregeln auf syntaktische Wörter bzw. auf die gesamte syntaktische
Struktur eines Satzes Bezug nehmen, enthalten sie auch syntaktische
Begriffe, die vom jeweils gewählten syntaktischen Rahmen geliefert
werden. Baut man auf eine K-Syntax auf, kann man zur Erfassung
mancher Wortstellungsregelmäßigkeiten auch von Konstituenten ausgehen. Einige informelle, vereinfachte Beispiele:
– In der deutschen NP stehen die flektierten, adjektivischen Attribute
   rechts vom Artikel und links vom Nomen, die Attribute in Form
   von Präpositionalphrasen rechts vom Nomen.

- Im deutschen Aussagesatz steht der Ausdruck einer Konstituente
  (oft, aber nicht notwendigerweise der Ausdruck, der der Subjekt-
  Konstituente entspricht) vor dem finiten Verb. (Es wird bisweilen
  von „Verb-Zweitstellung" gesprochen).
- Das Dativobjekt (Dativ-NP) steht in der Regel vor dem Akkusativ-
  objekt (Akkusativ-NP), es sei denn, das Akkusativobjekt ist ein Per-
  sonalpronomen (*Sie gab den Kindern Ostereier. Sie gab sie den
  Kindern*).
- In artikellosen NP kann ein Genitivattribut links von N (evtl. von
  Adj.) stehen (*meines Vaters (alte) Pfeifen*).
- In sog. „Nebensätzen", die durch subordinierende Konjunktionen
  eingeleitet werden, steht das finite Verb am Ende[32].

Die deutsche Sprache gilt als Sprache mit relativ freier Wortstellung,
was eng mit der Morphologie des Deutschen zusammenhängt: Da man
in der Regel die grammatische Funktion einer NP an ihrem Kasus erkennen kann, muß die Wortstellung nicht die Aufgabe übernehmen, die
grammatische Funktion anzuzeigen, wie sie es z. B. im Französischen
oder Englischen tut. Es gibt jedoch feste, verbindliche Wortstellungsre-
geln im Deutschen, einige werden wir gleich kurz besprechen (vgl.
auch Hentschel/Weydt (1990)). In 2.6. kommen wir dann zu der Frage
zurück, welche Folgen die zahlreichen Wortstellungsalternativen im
deutschen Satz für eine K-Syntax haben. (➡ Übung 13).

Ein Charakteristikum des deutschen Satzes ist die Einklammerung
von Satzteilen durch verbale Ausdrücke[33]. Bei komplexen Verbformen
(z. B. gesehen werden, schlafen wollte, gewonnen hat, gesehen worden
ist) wird nur ein Teil konjugiert (das sog. **finite** Verb), während die
restlichen in einer **infiniten** Form (Partizip oder Infinitiv) stehen.
Während letztere (zum Leidwesen mancher Simultandolmetscher) bei-
sammen am Satzende bleiben, kann sich das finite Verb von ihnen
trennen und an der ersten (im Fragesatz, im Befehlssatz) oder (im Aussagesatz) an der zweiten Position im Satz stehen. Diese Eigenschaften
der deutschen Wortstellung führten zu der Idee, das Verb als „Meilen-
stein" für die **Topologie** des Satzes zu betrachten: Die (getrennten)
Positionen der finiten und der infiniten Teile des morphologisch komplexen Verbs werden als **Klammer** gesehen, die den Satz in drei
Stellungsfelder einteilt.

Die **Satzklammer** (auch Verbalklammer genannt) gliedert den Satz
in die Stellungsfelder **Vorfeld** (der Platz vor dem finiten Verb im

---

32 Beachten Sie aber Abweichungen im heutigen Sprachgebrauch wie *Sag's doch, weil
   ich kenne die Geschichte nicht, wo* sich *weil* offenbar wie *denn* verhält.
33 Da wir uns hier um die konkrete Form (und nicht um die syntaktische Struktur) deutscher Sätze kümmern, geht es um die Anordnung „morphologischer Wörter".

Aussagesatz), **Mittelfeld** (der Abschnitt innerhalb der Satzklammer, d. h. zwischen dem finiten Verb und den infiniten Verbteilen) und **Nachfeld** (der Platz nach dem klammerschließenden Element). Die Satzklammer wird z. B. durch trennbare Verben gebildet (*Kaspar las die Federn auf*) oder durch finites Hilfsverb und infinites Vollverb (*Sandra wird am Dienstag heiraten*) usw. Bei sog. „Nebensätzen" steht die Konjunktion (z. B. *daß*) an der Stelle der ersten Klammern, das finite Verb an der Stelle der zweiten Klammer.

Mit Hilfe der Stellungsfelder lassen sich bestimmte Regularitäten im Deutschen beschreiben, z. B. welche Stellungsfelder von welchen Ausdrücken müssen besetzt werden können, wenn das finite Verb nach dem Mittelfeld steht. Die unmarkierte, neutrale Wort- und Satzgliedstellung in einem Aussagesatz wird als Grundwortstellung betrachtet. Einige Regularitäten seien – vereinfacht formuliert – erwähnt:

a) im Vorfeld darf nur eine Konstituente stehen, während im Mittelfeld mehrere stehen können;

b) das finite Hauptverb eines Satzes darf nur an der Stelle der linken (z. B. Frage- oder Aussagesatz) oder der rechten (im Nebensatz) Satzklammer stehen;

c) in der linken Satzklammer darf nur das finite Verb oder eine satzeinleitende Konjunktion stehen.

Vorfeld	Klammer auf (finites Verb o. subordinierende Konjunktion)	Mittelfeld	Klammer zu (infinite Verb-Teile)	Nachfeld
Kaspar	las	die Federn	auf	
Sandra	wird	am Dienstag	heiraten	
Morgen	wird	Marco	heiraten	
Heiraten	will	Petra	morgen	
Peter	will	seine Mutter in der Klinik	besuchen	wenn es ihr besser geht
Wer	hat	Angst vor dem Wolf		
Ø	Hat	Peter das Spiel	gewonnen ?	
Peter	hat	immer	behauptet	daß er unschuldig ist
Es	freut	mich		daß du gekommen bist
Ich	habe	mich	gefreut	über den Brief
	daß	sie keine Kürbissuppe	mag	

Die deutschen Sätze können nach der Position des finiten Verbs klassifiziert werden: Steht das finite Verb in der rechten Satzklammer, hat der Satz eine **Verb-Endstellung**, dabei ist es irrelevant, ob das Nachfeld besetzt ist oder nicht:

(90)   *Wer das Fenster geschlossen* hat? (Fragesatz als Nachfrage)
(91)   *Was für ein wunderschöner Sonnenuntergang das* ist! (Ausrufesatz)
(92)   [*Ich nehme an,*] *daß er die Krankheit nur vorgeschoben* hatte, *um sich vor der Klausur zu drücken.*

Wird die linke Satzklammer vom finiten Verb besetzt und bleibt das Vorfeld unbesetzt, hat der Satz eine **Verb-Erststellung**:

(93)   Hätte *ich doch mal sechs Richtige im Lotto!* (Ausrufesatz)
(94)   Scheint *heute die Sonne?* (Entscheidungsfragesatz)
(95)   Stell' *den Fernseher bitte leiser!* (Imperativsatz)
(96)   Hätte *ich das gewußt* (sog. konjunktionsloser Bedingungssatz)

Ist das Vorfeld besetzt und steht das finite Verb in der linken Satzklammer, liegt **Verb-Zweitstellung** vor:

(97)   *Wer* schmeißt *jetzt 'ne Runde?* (Ergänzungsfragesatz)
(98)   *Tanja* feiert *heute ihren Geburtstag.* (Deklarativsatz)
(99)   *Er sagte, er* habe *Tanja nicht gesehen.* (Indirekte Rede)

Es gibt keine Eins-zu-eins-Entsprechung zwischen dem Verbstellungstyp und dem kommunikativen Wert (Aussage, Frage, Befehl...) des betroffenen Satzes. Die Verbstellung ist aber insofern **nicht frei** (rein stilistisch bedingt), als durch sie – wenn auch nicht eindeutig – Satztypen bzw. Äußerungsarten (Sprechakte) identifiziert werden können. (➜ Übung 14–15).

Satz					
syntaktisch unabhängig (sog. Hauptsatz)			syntaktisch abhängig (sog. Nebensatz)		
Vb-Erst.	Vb-Zweit.	Vb-End.	Vb-Erst.	Vb-Zweit.	Vb-End.
Entschei-dungs-Frage (94), Wunsch (93), Befehl (95)	Aussage (98), w-Frage (97)	Ausruf (91), Frage (90)	uneingelei-tet. Kondit.-Satz (96)	uneingelei-tet. Indirek-te Rede (99),	von Subor-dinations-konjunktion eingeleitet (92)

Es läßt sich im heutigen Deutsch eine zunehmende Tendenz zur **Ausklammerung** feststellen: Ausdrücke, die normalerweise im Mittelfeld stehen müßten, werden in das Nachfeld verlagert, weil eine Anhäufung von Ausdrücken im Mittelfeld eine zu schwerfällige Klammerkonstruktion ergeben würde und weil zusammengehörige Teile zu weit voneinander entfernt wären, was das Verstehen erschweren würde:

(100)   *Also zunächst einmal muß man* unterscheiden *bei der Reformpolitik zwischen solchen Reformen, die Geld kosten, und solchen, die kein Geld kosten.*

(100) (a)   *Also zunächst einmal muß man bei der Reformpolitik zwischen solchen Reformen, die Geld kosten, und solchen, die kein Geld kosten, unterscheiden.*

Eine Sonderform der Ausklammerung bzw. die Normalbelegung des Nachfelds stellt die **Extraposition** dar. Infinitivkonstruktionen und eingeleitete Nebensätze werden an das Ende des gesamten Satzes verschoben („extraponiert"). Oft besetzt dann ein *es* die ursprüngliche Stelle: Vgl. z. B. (101) (a):

(101)   *Daß Gerd gestern einen Unfall gehabt hat, macht mich ganz fertig.*
(101) (a) *Es macht mich ganz fertig, daß Gerd einen Unfall gehabt hat.*

Das *es* in (101) (a) ist nur ein Platzhalter, es dient dazu, die Vorfeldposition zu besetzen, damit nicht Verb-Erststellung vorliegt.

Von der Extraposition zu unterscheiden ist der **Nachtrag**. Von Nachtrag wird im allgemeinen gesprochen, wenn man die Ausdrücke, die außerhalb der Satzklammer am Ende des Satzes auftreten, als Überbleibsel von Weglassungen (**Ellipse**) auffassen kann:

(102)   *Wir haben eine Torte gebacken, und zwar eine riesige [Torte haben wir gebacken].*

Viele Autoren betrachten die Vorfeldposition des Subjektausdrucks als die unmarkierte (**Grundwortstellung**) und beschreiben als **Topikalisierung** die Strategie, die darin besteht, einen anderen Ausdruck ins Vorfeld zu plazieren. Der im Vorfeld stehende Ausdruck erhält auf diese Weise eine besondere Gewichtung, vgl.:

(103) (a) *Alle klatschten dem Komponisten Beifall. (Grundwortstellung)*
(103) (b) *Dem Komponisten (dem und keinem anderen) klatschten alle Beifall.*

Im sog. „Satzglied-Fragesatz" (bisweilen auch „w-Fragesatz" genannt, weil das Fragewort im Deutschen ein mit w anlautendes Wort ist, z. B. *wer, wen, wann, wo, mit welcher Absicht, warum, wessen...*) tritt das w-Wort bzw. die Konstituente, die ein *w*-Wort enthält, also die erfragte Konstituente, normalerweise im Vorfeld auf. Ebenso das Relativpronomen eines Relativsatzes, d. h. die Konstituente, die „relativiert" ist:

(104) (a) *?Du hast wen gesehen?*[34]
(104) (b) *Wen hast du gesehen?*
(105) (a) *?Du bist wann nach München gezogen?*
(105) (b) *Wann bist du nach München gezogen?*
(106) (a) *?Du bist mit wessen Auto nach München gefahren?*
(106) (b) *Mit wessen Auto bist du nach München gefahren?*

---

34 Das Fragezeichen von den (a)-Beispielen in (104)–(106) besagt, daß diese Wortstellung nur unter besonderen Bedingungen (insbesondere Intonation) zulässig ist.

(107) (a)   *Der Mann, Maria den/ihn geheiratet hat.
(107) (b)   Der Mann, den Maria geheiratet hat.
(108) (a)   *Der Mann, der Tankwart dessen/sein Auto gewaschen hat.
(108) (b)   Der Mann, dessen Auto der Tankwart gewaschen hat.

Mit dem sog. **topologischen Modell** verfügt man über ein deskriptives Vokabular, mit dem Wortstellungsstrukturen beschrieben werden können. In vielen neueren Grammatiken wird deshalb dieses Modell zugrunde gelegt. Die Begriffe „Vor-", „Mittel-" und „Nachfeld" sowie „Satzklammer" können sowohl in Kombination mit Dependenz- als auch mit Konstituentensyntax verwendet werden. Freilich ist Vorsicht geboten, weil oft nicht konsequent zwischen positionellen Einheiten (Stellungsgliedern) und syntaktischen Einheiten (Konstituenten) unterschieden wird.

2.7 Tiefen- vs. Oberflächenstruktur

Wir haben oben erwähnt, daß die K-Analyse in ihrer strengen Form von der Wortstellung im jeweils zu analysierenden Ausdruck abhängt, daß es also – wenn man die von uns bevorzugte „liberalisierte" Substitutionsprobe nicht zuläßt – nicht möglich ist, sogenannte diskontinuierliche Konstituenten in einer K-Struktur bzw. einem K-Baum als **eine** Konstituente zu erfassen. Z. B. können die in dem Aussagesatz (109) (a) voneinander getrennten Teile der Satzklammer nicht zusammengefügt werden, obwohl die Beziehungen zu den restlichen Satzkonstituenten dieselben sein dürften wie im Nebensatz (109) (b):

(109) (a)   Peter hat Petra vor drei Wochen kennengelernt .
(109) (b)   (daß) Peter Petra vor drei Wochen kennengelernt hat.

Eine Möglichkeit, aus dieser unbefriedigenden Situation herauszukommen, besteht darin, eine den beiden Sätzen gemeinsame hierarchische Struktur (K-Struktur) zugrunde zu legen, und dann, sozusagen in einem anderen Kapitel der Grammatik, in dem die Wortstellung im Vordergrund steht, zu beschreiben, wie man von der gemeinsamen, also beiden Sätzen zugrundeliegenden (abstrakten) Struktur zu den einzelnen Sätzen kommt (übrigens in unserem Beispiel auch zur Verb-Erststellung in (109) (c)).

(109) (c)   Hat Peter Petra vor drei Wochen kennengelernt?

Da die Verb-Endstellung diejenige ist, die es problemlos erlaubt, den Verbkomplex *kennengelernt hat* als **eine** Konstituente zu betrachten, liegt es nahe, anzunehmen, daß gerade (109) (b) die zugrundeliegende Struktur der drei Sätze (109) wiederspiegelt, daß also sie der allen drei

Sätzen (109) (a), (b) und (c) gemeinsamen **Tiefenstruktur** entspricht, von der aus man die anderen beiden durch zusätzliche Bewegungsoperationen (sogenannte „**Transformationsregeln**", abgekürzt TR) wird am einfachsten ableiten können. Eine solche Argumentation liegt dem insbesondere in der Generativen Transformationsgrammatik (s.2.3) – aber nicht nur da – gemachten Postulat nach zwei unterschiedlichen Strukturbeschreibungsebenen zugrunde: Jedem Satz werden eine sog. „**Tiefenstruktur**" (abgekürzt TS) und eine „**Oberflächenstruktur**" (abgekürzt OS) zugeordnet. Die TS hält die für die Bedeutung des Satzes einschlägigen hierarchischen Beziehungen zwischen den Konstituenten fest, und die OS entspricht der Reihenfolge der morphologischen Wörter im konkreten Satz. Die OS ist nicht mit dem (TS-)K-Baum identisch, weswegen TR notwendig sind, um den Übergang von der TS zu den möglichen daraus ableitbaren OS zu beschreiben. Sofern der Übergang von der TS zur OS mehr als eine Regel erfordert, erhält man soviele K-Strukturen, wie Regeln angewendet werden. In unserem Beispiel müßten zwei Transformationsregeln formuliert werden: Die eine würde eine Verb-End-Struktur in eine Verb-Erst-Struktur und die andere die Verb-End-Struktur in eine Verb-Zweit-Struktur umwandeln. Oder aber man formuliert zunächst eine TR, die von der Verb-End-Struktur in die Verb-Erst-Struktur führt (der Nebensatz wird zum Fragesatz), und dann eine, die eine Konstituente aus der Mitte vor das finite Verb setzt, so daß eine Verb-Zweit-Struktur entsteht. Schematisch dargestellt heißt dies folgendes:

Abb. 18

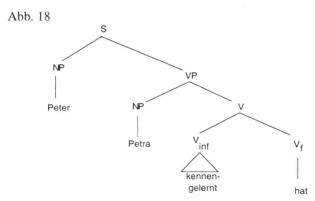

Abb. 18 repräsentiert die vereinfachte TS von (109) (a)–(c) und entspricht der OS von (109) (b). Ohne es diskutieren zu wollen, behandeln wir hier das morphologische Wort *hat* als syntaktisches Wort V_f und

die Kette von morphologischen Wörtern *kennengelernt* als syntaktisches Wort V_{inf}.

(TR 1): V_f wird an den Satzanfang transportiert

Durch Anwendung von (TR 1) erhält man die in Abb. 19 gezeichnete
K-Struktur, die der OS von (109) (c) entspricht.

Abb. 19

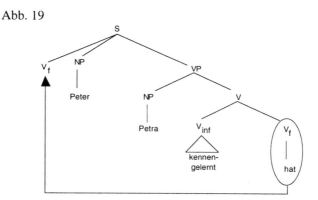

(TR 2): V_f wird an die zweite Stelle, nach der Subjekt-NP transportiert.

Wendet man auf Abb. 18 nicht (TR 1), sondern (TR 2) an, dann erhält
man die in Abb. 20 gezeichnete Konstituentenstruktur, die der OS von
(109) (a) entspricht.

Abb. 20

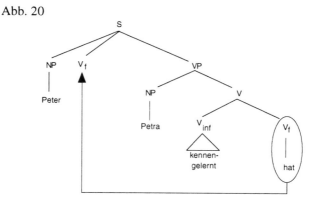

Alternativ zu (TR 2): Man geht von der in Abb. 19 gezeichneten Struktur aus und transportiert diesmal eine NP (die Subjekt-NP (1 in Abb. 21) oder die Objekt-NP (2 in Abb. 21)) an die erste Stelle. Diese TR entspricht der Topikalisierung, die ja nur im Falle von Verb-Zweitstellung anwendbar ist. Für (109) (a) ist dann die Struktur Abb. 19 nur eine „Hilfsstruktur" auf dem Weg von der Tiefenstruktur in Abb. 18 zur OS in Abb. 21.

Abb. 21

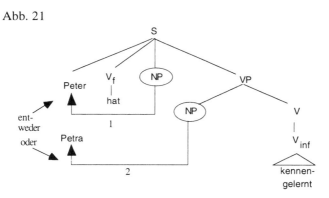

Für welchen Lösungsweg man sich entscheidet, muß im gesamten Syntaxzusammenhang gründlich erwogen werden, weshalb wir diese Frage hier nicht weiter diskutieren wollen. Wichtiger sind die Argumente, die für die Wahl der Verb-Endstellung in der TS sprechen, denn es mag auf den ersten Blick überraschen, daß ausgerechnet die Nebensatzstruktur als die zugrundeliegende angenommen wird. Wir erwähnten bereits das von der K-Analyse abhängige Argument, daß nur im Nebensatz das komplexe V nicht diskontinuierlich erscheint, also auch nach „strenger" K-Analyse leicht als Konstituente erkannt werden kann. Ein weiteres Argument ist, daß Kleinkinder Verb-Endstrukturen (*Peter Milch geben*) vor Verb-Zweitstrukturen beherrschen. Ferner ist die Verb-Endstruktur nicht nur die Struktur aller infiniten Konstruktionen, sondern auch die, in der die Deutschsprecher spontan Verben mit ihren Objekten nennen:

(112) (a)   *Die* auf den Bus wartenden *Kinder sind unruhig.*
(112) (b)   *Der* am Kopf verletzte *Löwe lief noch etwa 10 m.*
(112) (c)   *Der Löwe*, am Kopf verletzt, *lief noch etwa 10 m.*
(112) (d)   *Er hat die Gewohnheit*, nach dem Essen eine Pfeife zu rauchen.
             *Er hat die Gewohnheit, zu rauchen eine Pfeife nach dem Essen.
(112) (e)   *jdm. danken* nicht **danken jdm.*
(112) (f)   *jdm. etwas geben* nicht **geben etwas jdm/jdm. etwas*

(112) (g)   *jdn. einer Sache (Gen.) verdächtigen* nicht **verdächtigen jdn. einer Sache*

Das Wichtigste an einer solchen Arbeitsweise ist, daß einem gegebenen Satz nicht nur eine Struktur zugewiesen wird, sondern mehrere, und zwar Strukturen verschiedener Abstraktheitsgrade. Die Regeln, die die abstrakteste Struktur erzeugen, sind die K-Regeln (manchmal auch Basisregeln genannt). Die Regeln, die den Übergang von der TS zur OS beschreiben (die TR) sind stärker einzelsprach-spezifisch als die Basisregeln.

An diesem Beispiel sollte deutlich werden, daß es nützlich ist, Wortstellungsregelmäßigkeiten und Konstituentenhierarchie in der Beschreibung zu trennen. In der Dependenzgrammatik geht es explizit nicht um Wortstellungsregelmäßigkeiten, in der K-Grammatik werden hierarchische und Linearisierungsbeziehungen im Namen der Beschreibungsökonomie z. T. unter einen Hut gebracht, was aber zu Problemen führt, die durch die Transformationskomponente aufgefangen werden müssen. Es scheint, daß die Frage der Beziehung zwischen K-Struktur und Wortstellung eine zentrale Frage in der jetzigen Linguistikdiskussion und ein noch nicht zufriedenstellend gelöstes Problem ist.

Es kann als ein gravierender Fehler der generativen Grammatik betrachtet werden, daß in ihr versucht wird, Wortstellungsregelmäßigkeiten (d. h. die oberflächliche Anordnung der morphologischen Wörter im Satz) und hierarchische Beziehungen in ein und derselben Strukturmenge zu erfassen. Nicht nur, daß dadurch die Argumente, mit denen die syntaktischen Strukturen gerechtfertigt werden, heterogen sind. Verkannt wird die Tatsache, daß die Wortstellung ähnlich wie die Morphologie die Realisierungsform der syntaktischen Struktur darstellt, aber nicht selbst zur syntaktischen Struktur gehört.

Jede K-Struktur ist zwar über die Beziehungen „Dominanz" und „Präzedenz" (vor/nach) definiert, aber es ist etwas anderes zu sagen, „in der K-Struktur steht NP vor VP", als zu behaupten, daß im deutschen Satz die Subjekt-NP vor dem Prädikat steht (vgl.: *Den Kuchen hat Maria gebacken.*)

Wenn man schon wegen der verschiedenen Wortstellungsregelmäßigkeiten eine neue Sorte von Regeln (TR) annimmt, also den Syntaxformalismus um einen Regeltyp erweitert, dann kann man durch TR auch andere Erscheinungen zu beschreiben versuchen. Es gibt in der Literatur eine Vielfalt von Erscheinungen, die transformationell beschrieben wurden oder noch werden, z. B.
– der Übergang von einem Aktivsatz zu einem Passivsatz:

(111) (a)   *Peter hat den Gulasch gekocht.*
(111) (b)   *Der Gulasch wurde von Peter gekocht.*

Der Vergleich zum Aktivsatz, dem die (111) (a) und (b) gemeinsame TS etwa entspricht, zeigt, daß aus dem tiefenstrukturellen Subjekt eine PP (*von Peter*) und aus dem tiefenstrukturellen Objekt eine Subjekt-NP geworden ist, während dem Verb das Passivhilfsverb *werden* hinzugefügt wird.

– der Übergang von einem finiten Satz zu einem Infinitivsatz (unter Verlust des Subjekts):

(112) (a)   *Peter behauptete, er sei krank gewesen.*
(112) (b)   *Peter behauptete, krank gewesen zu sein.*

Der Infinitivsatz wird als Reduktion des finiten Satzes (vgl. (a)) beschrieben: Das Subjekt des Objektsatzes *er* (mit *Peter* identifizierbar) wird getilgt; da nun kein Subjekt vorhanden ist, wird auch das finite Verb getilgt, das Verb erscheint als Infinitiv.

– die Tilgung identischer Ausdrücke in koordinierten Konstruktionen:

(113) (a)   *Peter wählte eine Mousse und Maria wählte ein Eis.*
(113) (b)   *Peter wählte eine Mousse und Maria --- ein Eis.*

Das zweite Verb wird in (b) getilgt, weil es mit dem ersten identisch war.

(114) (a)   *Peter sah das Vogelnest und Peter fotografierte das Vogelnest.*
(114) (b)   *Peter sah --- und --- fotografierte das Vogelnest.*

Die identischen NP *Peter* und *das Vogelnest* werden je einmal getilgt. [NB: Auch die Ersetzung einer NP durch ein Personalpronomen, wie die Tilgung an die Bedingung der Referenzidentität beider gebunden, wurde bisweilen als Transformation beschrieben (Pronominalisierung):

(114) (c)   *Peter sah das Vogelnest und er fotografierte es.*
(114) (d)   *Peter sah das Vogelnest und --- fotografierte es.*

Diese Beispiele zeigen, daß durch die TR regelmäßige Beziehungen zwischen Sätzen erfaßt werden. D. h.: Eine Syntax mit TR ordnet nicht nur jedem Satz eine TS und eine OS zu, sie setzt bestimmte Satztypen systematisch in Beziehung zueinander, und zwar durch die TR. Sie ist daher interessanter als eine Syntax, die nur aus K-Regeln bestünde, nämlich aus einer großen Menge von alternativen Regeln (etwa Syntaxregeln für den Hauptsatz, Syntaxregeln für die Infinitivkonstruktionen, Syntaxregeln für Passivsätze usw.). (➥ Übung 16).

2.8 Der komplexe Satz: Hauptsatz vs. Nebensatz

In diesem Abschnitt wollen wir die klassischen Begriffe „Hauptsatz" und „Nebensatz" (vgl. Hentschel/Weydt (1990)) erläutern und kritisieren sowie dafür plädieren, daß man auf sie verzichtet und statt dessen Sätze in „Matrixsatz" und „Konstituentensatz" einteilt.
Der Terminus „Hauptsatz" bezeichnet im Deutschen einen einfachen, unabhängigen Satz (vgl. (115)–(117)):

> (115)   *Es donnerte.*
> (116)   *Peter lief schnell nach Hause.*
> (117)   *Wann fing das Gewitter an?*

Der Terminus „Hauptsatz" bezeichnet im Deutschen aber auch einen Teilsatz, dem ein anderer Teilsatz untergeordnet ist (vgl. (118)–(120)):

> (118)   *[Es donnerte], als Peter nach Hause kam.*
> (119)   *[Er fragte], wann das Gewitter anfing.*
> (120)   *[Er sagte], daß er nach Dresden ziehen wollte.*

Der Terminus „Nebensatz" bezeichnet jeden dem Hauptsatz untergeordneten, abhängigen Teilsatz (vgl. die nicht eingeklammerten Ausdrücke in (118)–(120)).
Der Gegensatz Haupt-/Nebensatz suggeriert, daß der Hauptsatz das Hauptsächliche im Satz, der Nebensatz das Nebensächliche ausdrückt, was oft falsch ist: Wenn auf die Frage *Wann donnerte es?* (118) als Antwort zu hören ist, dann ist sicher nicht der Hauptsatz, sondern der Nebensatz der kommunikativ wichtigere. Das Wort „Nebensatz" erinnert außerdem an den Terminus „Nebenordnung", der genau das Gegenstück zu „Unterordnung" bezeichnet: Nebenordnung (auch **Koordination**) bezeichnet eine Relation zwischen gleichrangigen und voneinander unabhängigen Ausdrücken im Unterschied zur Unterordnung (**Subordination**), die gerade den Nebensatz charakterisieren soll.
Einander nebengeordnete (**koordinierte**) Sätze werden durch sog. „Koordinationskonjunktionen" (*und, oder, denn, aber, (weder) noch*) verknüpft oder durch nichts bzw. ein Komma.
Untergeordnete (**subordinierte**) Sätze werden durch sog. „**Subordinationskonjunktionen**" (*daß, ob, wie, weil, als, wenn, seitdem, damit, obwohl*...) eingeleitet und weisen in der Regel Verb-Endstellung auf. In einigen Fällen treten untergeordnete Sätze ohne Subordinationskonjunktion, dafür aber mit Verb-Erststellung auf:

> (121)   *Könnte ich ihm vertrauen, fiele mir ein großer Stein vom Herzen.*
>   (Konditionalsatz)
> (122)   *War Kai früher der beste Reiter, hat er sich heute dem Wassersport*
>   *verschrieben.* (Adversativsatz)

(123)   *Hat es auch prima geklappt, freut sich doch kein Mensch darüber.*
          (Konzessivsatz)

Abgesehen von der unglücklichen Wortwahl, ist die in den Schulgrammatiken häufige Praxis, jeden komplexen Satz zunächst in Haupt- und Nebensatz bzw. Nebensätze zu zerlegen, bevor man sich der Analyse der einzelnen Teilsätze widmet, zu überdenken: Wer den Satz (124) in Hauptsatz (124) (a) und Nebensatz (124) (b) zerlegt, hat eigentlich keinen wohlgeformten Hauptsatz bestimmt, denn (124) (a) ist kein selbständiger, wohlgeformter Satz, weil *meinen* ein Objekt verlangt. (124) (a) ist etwas Unvollständiges, etwas, dem das Objekt fehlt. Und das Objekt ist genau der Nebensatz (124) (b) (vgl. *Was meint Jutta?*).

(124)   *Jutta meint, daß sie zuviel arbeitet.*
(124) (a) *Jutta meint*
(124) (b) *daß sie zuviel arbeitet*

M. a. W: Der sog. „Nebensatz" darf nicht zu früh vom Hauptsatz „weggedacht" werden. Richtig ist, daß er Bestandteil des (Haupt)-Satzes ist, des Gesamtsatzes also: Der Nebensatz ist Teil des Prädikats (der VP) *meint, daß sie zuviel arbeitet* zum Subjekt *Jutta*.
    Ein weiteres Problem tritt auf bei Sätzen mit mehr als einem Nebensatz: z. B.

(125)   *Jutta meint, daß sie zuviel arbeitet, weil ihr die Augen immer brennen.*
(126)   *Jutta meint, daß sie zuviel arbeitet, seitdem sie sich einen Computer angeschafft hat.*
(125) (a) *Jutta meint,*
(125) (b) *daß sie zuviel arbeitet,*
(125) (c) *weil ihr die Augen immer brennen,*
(126) (c) *seitdem sie sich einen Computer angeschafft hat.*

Wer (125) und (126) zunächst in Hauptsatz (a) und dem ersten Nebensatz (b) und dem zweiten Nebensatz (125) bzw. (126) (c) zerlegt, kann übersehen, daß sich (125) (c) auf *Jutta meint, daß sie zuviel arbeitet* bezieht, während sich (126) (c) nur auf (b) bezieht. Der Nebensatz (c) ist in (125) Adverbialbestimmung zu *Jutta meint, daß sie zuviel arbeitet*, der Nebensatz (c) in (126) Adverbialbestimmung zu *sie zuviel arbeitet*. Der Nebensatz (126) (c) ist somit nicht dem Hauptsatz, sondern dem ersten Nebensatz (b) untergeordnet.
    Diese Schwierigkeiten ließen sich beheben, wenn man zur Analyse solcher komplexer Sätze die Begriffe „**Matrixsatz**" und „**eingebetteter Satz**" (bzw. „**Konstituentensatz**") benutzen würde: Der Matrixsatz ist der Satz, in den der Konstituentensatz unmittelbar eingebettet wird. Der Matrixsatz kann also ein sog. „Hauptsatz" oder aber ein „Nebensatz" im klassischen Sinne sein. Als Matrixsatz für (c) in (125) ist *Jutta meint, daß sie zuviel arbeitet* anzunehmen, als Matrixsatz für (c)

in (126) hingegen *sie zu viel arbeitet*, also ein Ausdruck, der selbst
Konstituentensatz in *Jutta meint, daß sie zuviel arbeitet* ist. Den Unterschied zwischen (125) und (126) zeigen die Abbildungen 22 und 23: In
Abb. 22 wird der AB-Knoten (Adverbialbestimmung) von S_1, in Abb.
23 wird er von S_2 (unmittelbar) dominiert. [Die Indizierungen S_1, S_2,
S_3 dienen hier nur dem Verweis im Text].

Abb. 22

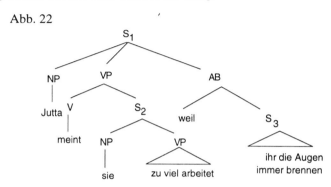

Abb. 23

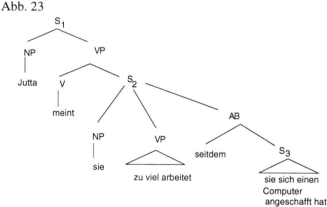

S_1, S_2 und S_3 sind Sätze. In Abb. 22 ist S_3 in S_1 aber nicht in S_2 eingebettet; in Abb. 23 ist S_3 in S_2 und daher (mittelbar) in S_1 eingebettet.
Dieser hierarchische Unterschied zwischen den beiden Sätzen ergibt
sich aus den grammatischen Funktionen der Sätze im Gesamtsatz; er ist
unabhängig von der Verbstellung und von den einleitenden Konjunktionen.

Ein weiteres Beispiel: Auch der Relativsatz wird klassischerweise als Nebensatz bezeichnet.

(127)   *Er hat die Pizza bestellt, die er am liebsten mag.*
(127) (a) *er hat die Pizza bestellt*
(127) (b) *die er am liebsten mag*

Wer verfrüht den Satz (127) in (a) (Hauptsatz) und (b) (Nebensatz) zerlegt, verbaut sich die Erkenntnis, daß der Relativsatz eigentlich Bestandteil der komplexen Objekt-NP *die Pizza, die er am liebsten mag* ist. Problemlos hingegen ist es, mit Hilfe der (liberalen) K-Analyse-Methode zu erkennen, daß *die Pizza, die er am liebsten mag* einer NP-Konstituente entspricht, die einen eingebetteten Satz enthält. Abb. 24 ist die (vereinfachte) Struktur von (127).

Abb. 24

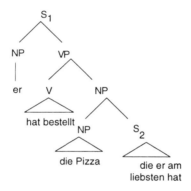

Von zentraler Wichtigkeit bei der Analyse komplexer Sätze ist die Frage, welcher Satz Teil von welchem anderen ist.

(128)   *Tobias fährt mit dem Wagen zur Arbeit, wenn es regnet, damit er nicht naß wird.*

(129)   *Tobias fährt mit dem Wagen zur Arbeit, wenn er seine Tochter von der Schule abholen muß, weil seine Frau Spätschicht hat.*

In (128) ist *damit er nicht naß wird* nicht Teil von dem durch *wenn* eingeleiteten Nebensatz, in (129) hingegen ist *weil seine Frau Spätschicht hat* Bestandteil des durch *wenn* eingeleiteten Nebensatzes.

M.a.W.: Die Bedeutung des komplexen Satzes hängt wesentlich von den hierarchischen („Teil-von" im Sinne der K-Analyse) Beziehungen zwischen den Teilsätzen ab, also von der Frage, was in welchen Matrixsatz eingebettet ist, nicht aber von der Frage, was im traditionellen Sinne Hauptsatz und was Nebensatz ist.

Auch die Analyse von Sätzen mit sog. „Subjekt-" und „Objektsätzen"
((130) bzw. (131)) ist nur dann kohärent, wenn man sie nicht in
Hauptsatz/Nebensatz zerlegt, bevor man sich der syntaktischen Analyse dieser angeblichen „Sätze" widmet: Weder *ist eine Illusion* noch
Marlene behauptet sind mögliche „Sätze" des Deutschen, daher wäre
es absurd, sie als „Hauptsätze" zu deklarieren.

(130)   *Daß Primarstufenlehrer keine Linguistikausbildung brauchen, ist*
         eine Illusion.
(131)   *Marlene behauptet, sie sei krank.*

Zwar ist in (130) *Daß Primarstufenlehrer keine Linguistikausbildung*
brauchen ein Nebensatz, aber doch wesentlicher Teil des „Hauptsatzes" und daher von ihm nicht zu trennen.

In (131) ist *sie sei krank* traditionell ein Hauptsatz; wichtig ist aber
zu erkennen, daß dieser angebliche Hauptsatz abhängig ist von *Mar-*
lene behauptet: man hat es also mit Satzeinbettung zu tun. Ein Konstituentensatz kann also – freilich nur in besonderen Fällen – als „Hauptsatz" realisiert werden (ohne Subordinationskonjunktion und mit Verb-
Zweitstellung).

Alle diese Beispiele zeigen, daß ein Satz sowohl als Subjekt als
auch Objekt oder Adverbialbestimmung sowie Ergänzung zu einem
Nomen (Attribut, z. B. Relativsatz) fungieren kann, und daß die Festlegung der grammatischen Funktion eines (eingebetteten) Satzes für die
syntaktische, hierarchische Analyse des komplexen Satzes wichtiger ist
als die traditionelle Unterscheidung zwischen „Hauptsatz" und „Nebensatz". (➡ Übung 17–18).

Bisweilen werden auch Infinitivkonstruktionen als Nebensätze aufgefaßt. Die Grammatiken verfahren unterschiedlich. Im Rahmen des
hier vertretenen Beschreibungsansatzes ist es unproblematisch, jeden
Infinitivsatz wie einen eingebetteten Satz zu beschreiben, dessen grammatische Funktion bald Subjekt, bald Objekt, bald Adverbialbestimmung sein kann.

         Infinitivsatz als Subjekt:
(132)   *[Obst essen und dazu kaltes Wasser trinken] ist ungesund.*
         Infinitivsatz als Objekt:
(133)   *Er behauptet, [seine Oma gehaßt zu haben].*
         Infinitivsatz als Adverbialbestimmung:
(134) (a) *Er zog nach München, [um möglichst weit von seinem Freundeskreis*
           zu leben].
(134) (b) *Er verletzte sie, [ohne es gewollt zu haben].*
(134) (c) *Er verließ seine Frau,[anstatt auf Alkohol zu verzichten].*

Die Beziehung zwischen dem Konstituentensatz und seinem Matrixsatz entspricht dem, was traditionell „Subordination" („Unterordnung")
genannt wird. Bei der sog. **„koordinativen" Satzverknüpfung** hingegen

ist keiner der beiden Sätze dem anderen untergeordnet. Das macht sich dadurch bemerkbar, daß die Koordination (auch wenn sie durch eine koordinierende Konjunktion[35] zum Ausdruck kommt) die Wortstellung des zweiten Satzes nicht beeinflußt: Handelt es sich um einen „Hauptsatz" wie (135), dann behält er die reguläre Verb-Zweitstellung: Die Konjunktion *und* wird nicht als Bestandteil des zweiten Satzes mitgezählt, im Vorfeld steht *Olga*. Handelt es sich um einen „Nebensatz" (136), behält der Nebensatz die reguläre Verb-Endstellung. Koordination kann sowohl zwischen „Hauptsätzen" als auch zwischen „Nebensätzen" vorliegen, allerdings müssen die beiden miteinander koordinierten Sätze („Konjunkte") vom selben Typ sein (vgl. (137)).

(135)   *Patrick las die Zeitung, und Olga sah fern.*
(136)   *als er in München wohnte und seinen Großvater regelmäßig besuchte*
(137)   **weil er naß geworden war und er hatte sich erkältet.*

Daß die koordinierende Konjunktion nicht zum zweiten Konjunkt gehört, sondern zwischen den beiden Konjunkten steht, kann man z. B. durch eine Struktur der Form Abb. 25 ausdrücken.

Abb. 25

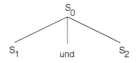

Auch hier dient die Indizierung der S-Symbole im Baum lediglich dem Verweis im Text. In Abb. 25 sind zwar S_1 und S_2 in S_0 eingebettet, aber S_2 ist nicht in S_1 eingebettet. Die erste Syntaxregel müßte dann z. B. heißen:

$$S \rightarrow \left\{ \begin{array}{l} S \; ((und) \; S) \\ NP \; VP \end{array} \right\}$$

Ein Satz wird nicht nur durch Subordination, sondern auch durch Koordination komplex. Genauso, wie man bei der Analyse eines komplexen Satzes mit Einbettungen angeben muß, in welchem Matrixsatz welcher Konstituentensatz eingebettet ist, muß man bei der Analyse eines koordinativen Satzes angeben, was genau womit koordiniert ist. Enthält ein komplexer Satz zwei Koordinationskonjunktionen, dann können im Prinzip zwei Analysen zutreffen:

[[...und...] aber...] (z. B. (138)) oder [...und[...aber...]] (z. B. (139))

---

35 Als Koordinationskonjunktionen werden im Deutschen in der Regel *und, oder, aber, denn* und *sondern* betrachtet.

(138)   [[*Wir waren müde und Peter war sogar verletzt*], *aber wir konnten uns keine Pause leisten*].
(139)   [*Es war noch früh und* [*der Himmel war klar, aber es war noch sehr kühl*]].

Manchmal wird die Struktur solcher Sätze durch besondere sprachliche Mittel verdeutlicht, z. B. durch Hinzufügung von *zwar* im ersten Konjunkt der *aber*-Verknüpfung, von *entweder* im ersten Konjunkt einer *oder*-Verknüpfung oder durch Ausdrücke wie *zum einen...zum anderen, erstens...zweitens...* bei und-Verknüpfungen:

(138) (a)   *Wir waren zwar müde und Peter war sogar verletzt, aber...*   .
(139) (a)   *Der Himmel war* zwar *klar, aber es war noch sehr kühl.*

Koordinativ miteinander verknüpft können auch Konstituenten sein, die kleiner sind als ein Satz (z. B. NP, VP, PP oder gar V, Adj, Präpositionen...). Auch in diesen Fällen gilt, daß die beiden Konjunkte grundsätzlich vom selben Typ sein müssen.

(140)   *Die alten, reichlich illustrierten, aber sehr teuren Bücher.*
(141)   *Vor und nach jedem Essen wurde gebetet.*
(142)   *Er kauft und verkauft Häuser.*
(143)   *Er lebt vom Kauf und Verkauf von Häusern.*

Als Beispiel eines durch Koordination verknüpften, besonders komplexen Satzes analysieren wir (skizzenhaft) den Werbespruch (144): Vgl. Abb. 26!

(144)   *Wer* [*Erdbeeren* [*nachmacht oder verfälscht*]] *oder* [[*nachgemachte oder verfälschte*] *sich verschafft*], *muß einen Canon-Farbkopierer haben.*

Abb. 26

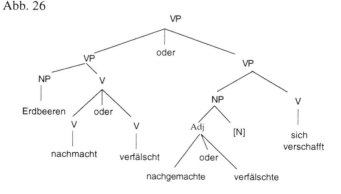

Das erste oder verknüpft zwei Verben, das zweite zwei VPs und das dritte zwei Adjektive. (➡ Übung 19).

Zum Schluß geben wir drei Beispiele von komplexen Sätzen, in denen sowohl Subordination als auch Koordination vorliegt, und deren grobe syntaktische Analyse durch eckige Klammern. (➡ Übung 20).

(145)   [[Peter [ißt und trinkt] gern] aber [er treibt auch viel Sport, [weil er noch mit 60 den Frauen gefallen will]].

(146)   [Ich tue alles [um mich nicht in ihn zu verlieben]] denn [[ich weiß [daß er untreu ist]und [ich spüre [daß er mich auf Dauer nicht glücklich machen würde]].

(147)   [[Als [die Kundin mich später immer wieder vertröstete [sie werde das Rezept in den nächsten Tagen wiederbringen]] und [dann doch nicht kam]] konnte ich kaum mehr schlafen].

2.9 Exkurs über die Generative Grammatik

Generative (Transformations)Grammatik heißt ein Grammatikmodell, das Ende der 50er/Anfang der 60er Jahre von dem amerikanischen Linguisten Noam Chomsky entworfen wurde. Eine wesentliche Charakteristik dieses Modells bestand darin, daß zwischen der **TS** (durch Konstituentenstruktur-Regeln erzeugt) und der **OS** (durch Transformationsregeln aus der TS abgeleitet) unterschieden wurde. Die K-Struktur-Regeln basierten auf der Konstituentenanalyse, wie unter 2.3.1 angedeutet, und die Transformationsregeln auf Argumentationen, wie wir sie unter 2.3.3 vorgeführt haben.

Es wurde ursprünglich davon ausgegangen, daß die TS alles enthält, was für die semantische Interpretation des Satzes relevant ist, während die morphophonologische Realisierung des konkreten Satzes durch Regeln zu beschreiben war, die erst auf der OS operieren.

Der Terminus „**generativ**" bedeutet eigentlich „aufzählend", nicht „bildend" im Unterschied zu „analysierend". Gemeint ist, daß die Regeln der Grammatik so beschaffen sind, daß sie es erlauben, nur allen wohlgeformten Sätzen der Sprache (z. B. des Deutschen) eine Struktur zuzuweisen. Zwar lesen sich die K-Struktur-Regeln als Anweisungen (z. B. S → NP VP : „ersetze das Symbol S durch die Symbolkette NP + VP"), aber diese Regeln sollen grundsätzlich sowohl der Konstruktion als auch der Rekonstruktion der syntaktischen Struktur dienen. Wichtig ist der Anspruch, daß die Syntax vollständig formalisierbar sein soll, also nur aus Regeln der definierten Typen (Konstituentenstruktur- und Transformationsregeln) bestehen sollte. Die Formulierung solcher Regeln zwingt zu einer Arbeitsdisziplin, die keine Ungenauigkeiten zuläßt, aber auch gleichzeitig von allen Faktoren abstrahiert, die in der natürlichen Sprache zu Ungenauigkeiten, Schwankungen usw. führen. Mit der Generativen Grammatik verknüpft war der

Anspruch der Linguistik, eine exakte Wissenschaft zu werden, sehr zur Empörung derjenigen, die in der Sprache vorrangig etwas Lebendiges, Geisteswissenschaftliches, Menschliches und daher nicht mit Gesetzen Vergleichbares sahen (Schwankungen im Gebrauch, individuelle und soziale Varietät, historischer Wandel...). Wie die Sprecher mit ihrer Sprachkenntnis umgehen, welche sprachlichen Ausdrücke sie produzieren und welche sie wie verarbeiten, ist genau so wenig ein Gegenstand der Generativen Grammatik wie sozial oder regional bedingte oder geschichtliche Variation.

Die Grammatik ist mit den Spielregeln des Monopoly, der Montageanleitung eines Transistors oder den Studienordnungen vergleichbar: Sie beschreibt, was im Idealfall gilt, nicht ob, wann, warum man manchmal verliert, der Transistor nicht funktioniert oder das Studium erfolglos bleibt, weil sie den Einfluß der sonstigen Interessen, der Konzentrationsfähigkeit, Erfahrenheit oder Ungeduld der Spieler, Monteure, Studierenden... (Sprecher/Hörer) auf ihre Leistung nicht berücksichtigt. Diese Unterscheidung wird in der Literatur unter dem Begriffspaar „**Kompetenz/Performanz**" erläutert: Ziel der Generativen Grammatik ist die Beschreibung der „Kompetenz", nicht der „Performanz", also der abstrakten Sprachkenntnis und -fähigkeit, nicht der tatsächlichen sprachlichen Leistung. Im einzelnen bedeutet „Kompetenz":

– daß der Sprecher/Hörer imstande ist, eine beliebig große Anzahl von Sätzen und Ausdrücken seiner Sprache zu bilden und zu verstehen, auch solche, die er bisher nicht gehört hat;

– daß der Sprecher/Hörer imstande ist zu erkennen, ob ein Ausdruck ein wohlgeformter Ausdruck seiner Sprache ist oder ob er (und inwiefern) abweichend ist;

– daß der Sprecher/Hörer imstande ist, phonetisch-phonologische, semantische und/oder strukturelle (syntaktische) Ähnlichkeiten oder Unterschiede zwischen Ausdrücken zu erkennen und zu bewerten (z. B. ob zwei phonetisch unterschiedliche Laute phonologisch äquivalent sind, ob zwei Sätze in Paraphrasebeziehung zueinander stehen, ob zwei oberflächlich ähnlich aussehende Sätze auf dieselbe Struktur zurückzuführen sind oder nicht), sowie etwaige Mehrdeutigkeiten aufzudecken.

Daß es trotzdem Versprecher, Mißverständnisse und Uneinigkeiten geben kann, hat vielerlei Gründe: Zum einen ist keine Sprachgemeinschaft ganz homogen (es gibt innerhalb jeder „Sprache" eine Vielzahl von Variationsmöglichkeiten und Freiräumen), zum anderen ist die individuelle sprachliche Leistung von der jeweiligen Kommunikationssituation, von der Tagesform wie von den allgemeinen intellektuellen Fähigkeiten abhängig usw. Dies muß besonders bedacht werden, wenn man die sprachliche Produktion von Sprechern einer Sprache („Korpus", „Belege") und die Urteile, die einzelne Sprecher über ihnen vorgelegte Ausdrücke fällen („Informantenbefragung") als Ausgangspunkte der linguistischen Arbeit benutzt: derselbe Ausdruck kann von verschiedenen Informanten (oder gar vom selben Informanten in unterschiedlichen Situationen zu verschiedenen Zeitpunkten) unterschiedlich wahrgenommen, verstanden oder bewertet werden. Nicht jeder gebildete oder gar gedruckte deutsche Satz entspricht den Regeln der Grammatik, nicht jede Intuition eines „normalen" (d. h. nicht linguistisch geschulten) Sprechers trifft zu. Was wir beobachten und als sprachliche „Rohdaten" zur Verfügung haben, ist immer Performanzprodukt, weil es keinen sprachlich aktiven „kompetenten Sprecher" gibt. Die Arbeit des Linguisten ist es, aus den Performanzprodukten die abstrakte Kompetenz zu rekonstruieren. Daher ist der **Reduktionismus**, d. h. die systematische Außerachtlassung aller performanziellen Faktoren, der den Vertretern der Generativen Grammatik vorgeworfen wurde, nicht nur theoretisch fundiert, sondern methodologisch notwendig.

Daß man von vielem absieht, macht die Arbeit nicht leichter. Der Anspruch auf Vollständigkeit und Widerspruchsfreiheit macht es notwendig, auch das in Regeln zu fassen, was so selbstverständlich und allgemein vertraut ist, daß es keinem Sprecher bewußt ist – und in der Regel in den traditionellen Grammatiken für den Verbraucher (z. B. Schulgrammatiken) nicht explizit steht. Der Computer kann hier eine Hilfe sein: Denn da die Maschine „dumm" ist, muß ihr alles eingegeben werden, was nötig ist, wenn sie Sätze einer Sprache bilden oder verarbeiten soll. Wenn man eine Syntax eingegeben hat und die Maschine mit dieser Syntax Sätze bildet, die keine wohlgeformten Sätze des Deutschen sind, oder wohlgeformte Sätze des Deutschen nicht analysieren kann, dann ist diese Syntax nicht empirisch adäquat und muß verbessert werden.

In der frühen Phase der Generativen Transformationsgrammatik (im Folgenden „GTG") waren die Regeln (K-Struktur- und Transformationsregeln) im Mittelpunkt der Forschung. Im Laufe der Zeit erlaubten die Erkenntnisse (über viele verschiedene Sprachen) eine nächste Stufe der Abstraktion: Das Formulieren von **allgemeinen Prinzipien**, denen die Regeln oder deren Anwendung unterliegen. Diese Entwicklung ist seit einigen Jahren so deutlich geworden, daß die jetzige Form der GTG von Chomsky selbst als „Prinzipien- und Parameter-Theorie" (PPT) bezeichnet wird: Die Konstituentenstruktur-Regeln sind in ihrer Form nicht mehr so beliebig wie damals, sie sollen den Prinzipien entsprechen, die unter dem Namen „X-bar-Syntax" bekannt sind. Der einzige übriggebliebene Transformationsregel-Typ ist der einer streng geregelten Bewegung „streng geregelt" bedeutet, daß ein Element nicht beliebig weit von seiner ursprünlichen Position weg-

transportiert werden kann). Und als weitere einschränkenden Bedingungen werden sog. „Prinzipien" formuliert, die z. B. regeln, wie welche Merkmale von welchen lexikalischen Konstituenten auf welche
komplexe Konstituenten wirken können. Wir können hier auf diese
Prinzipien im einzelnen nicht eingehen und verweisen auf Kap. 4 aus
Grewendorf/Hamm/Sternefeld (1987).

Die Beziehung zwischen Syntax und **Semantik** wurde im Laufe der
Entwicklung der Generativen Grammatik unterschiedlich gesehen. In
den 60er Jahren sollte alles semantisch Relevante in der TS enthalten
sein: Der Output der K-Struktur-Regeln war Ausgangspunkt (Input)
der semantischen Interpretation. Nach gescheiterten Versuchen einiger
Linguisten, die syntaktische TS durch eine semantische zu ersetzen,
wurde zugelassen, daß Transformationsregeln auch Einfluß auf die Semantik haben. In der PPT ist das Ergebnis der Zusammenwirkung aller
syntaktischen Prinzipien der Ausgangspunkt der Rekonstruktion der semantischen Struktur.

Auch die Rolle des **Lexikons** als Teil der Grammatik hat an
Wichtigkeit gewonnen: Lexikale Minimaleinheiten bedingen in PPT
durch ihre Eigenschaften (z. B. transitiv oder intransitiv) von vornher-
ein die Form der syntaktischen Struktur, während sie früher nach der
Vorgabe der Konstituentenstruktur gewählt und eingesetzt wurden.
Somit ist das Lexikon stärker in die Syntax integriert als es in den 60er
Jahren war.

Die Geschichte der Generativen Grammatik ist keineswegs zu Ende. Es ist mit weiteren Entwicklungen zu rechnen, auch unter dem Einfluß anderer Ansätze, auf die wir hier nicht eingehen wollen (Syntaxen
ohne Transformationsregeln wie Bresnans „Lexical Functional Grammar" oder die „Head Driven Phase Structure Grammar" von Pollard &
Sag).[36]

Auf Chomskys Auffassung der Grammatik als einer gesonderten
kognitiven Komponente (angeborenes sprachliches Wissen) gehen wir
in Kap. 7 ein.

Zugabe: Syntaktische Analyse von Werbesprüchen

(1)   *Wissen, was zählt, ist Wissen, das zählt.* [Statistisches
         Bundesamt]

Die zwei Teile, die durch die Kopula *ist* verbunden sind, unterscheiden
sich hörbar und sichtbar nur in *was* vs. *das*, sind also formal, äußerlich

---

36 Vgl.: Bechert et al: (1980); Grewendorf/Hamm/Sternefeld (1987); Radford (1981);
   Sells (1985).

sehr ähnlich. Diese äußerliche Ähnlichkeit kontrastiert aber mit grundlegenden Unterschieden in der syntaktischen Struktur. Im ersten Teil ist *Wissen* der Infinitv des Verbs, und *was zählt* dessen Objekt in Form eines indirekten Fragesatzes; im zweiten Teil ist *Wissen* ein substantivierter Infinitiv, also ein Nomen (*das Wissen*), und *das zählt* ist ein Relativsatz, der Attribut zu diesem Nomen ist. *Was* ist ein Fragewort (ein *W*-Wort), *das* ein Relativpronomen (vgl. *Zu wissen, was zählt, ist ein Wissen, das zählt*).

> (2)   *Wer mit Gefahrgut umgeht, muß mit Gefahr gut umgehen.* [Rhenus. Neue Wege (um gefährliche Produkte aus der Gefahrenzone zu bringen)]

Auch dieser Spruch fällt durch den Parallelismus seines Aufbaus auf: die beiden Teile lauten fast gleich, lediglich das Spatium zwischen *Gefahr* und *gut* in dem zweiten Teil macht die syntaktische Struktur desselben anders als die der ersten. Vgl. *Wer mit Gefahrgut umgeht, muß mit Gefahrgut umgehen. (Wer trinkt, muß trinken). Gefahrgut* ist ein Kompositum, bestehend aus dem Nomen Gefahr und dem Nomen *Gut* (oder ist *Gut* vielleicht schon ein Pseudosuffix?). Objekt von *umgeht* ist *mit Gefahrgut*. In dem zweiten Teil ist nur *mit Gefahr* Objekt von *umgehen, gut* ist Adverb. Dieser Spruch erinnert an den folgenden:

> (3)   *Wer nicht mit der Zeit geht, geht mit der Zeit.*

Hier ist in dem ersten Teil mit der Zeit eine Art von Ergänzung zu *geht*, genauer: *mit der Zeit gehen* ist eine idiomatische Redewendung, die etwa bedeutet „sich dem Modernen anpassen". In dem zweiten Teil ist *mit der Zeit* eine (freie) Temporalangabe (vgl. *irgendwann, bald, früh oder spät...*), und *geht* behält seine ursprüngliche Bedeutung (hier etwa „geht fort"). M.a.W.: die syntaktische Beziehung zwischen *mit der Zeit* und *geht* ist in den beiden Teilen des Spruchs unterschiedlich, was mit einem so wesentlichen Bedeutungsunterschied korreliert, daß das *nicht* in dem ersten Teil zu keinem Widerspruch führt, (vgl. **Wer nicht mit Gefahrgut umgeht, geht mit Gefahrgut um*).

> (4)   *Jederzeit ist Bilderzeit* (Fuji-Film)

Auch hier sieht es so aus, als würde die Kopula *ist* zwei Ausdrücke gleichen Typs verbinden, ein Subjekt-Nomen und ein prädikatives Nomen (nach dem Muster „Sport ist Mord"). Auch die äußerliche Ähnlichkeit von *jederzeit* und *Bilderzeit* verstärkt diese Erwartung einer symmetrischen Struktur. Aber der Schein trügt: *Jederzeit* ist kein Nomen wie *Bilderzeit*, sondern ein Adverb und kommt daher als Subjekt nicht in Frage. Subjekt ist *Bilderzeit, jederzeit* ist temporale Angabe, so wie in *Es ist jederzeit Bilderzeit; Es ist zu jeder Zeit Bilderzeit*; (vgl. *Bilderzeit ist immer.*).

(5) (a)   *So fühlt man sich, wenn man Langstrecken fliegt* [Bild: immer welker werdende Blätter]

(5) (b)   *Und so, wenn man sich langstreckt und fliegt* [Bild: ein großes frisches Blatt, das dem Logo von Air Canada ähnelt] [Air Canada. A Breath of Fresh Air.]

In beiden Sprüchen wird mit beinahe demselben lexikalischen Material gearbeitet: *fliegen* und *Langstrecke* (als N) bzw. *sich langstrecken* (als V). Im ersten Spruch wird *fliegen* als transitives Verb benutzt (*eine bestimmte Strecke fliegen*), *Langstrecken* ist Objekt. Im zweiten Spruch wird *fliegen* absolut verwendet und mit *sich langstrecken* koordiniert. Dieses Spiel ist nur möglich, weil *fliegen* transitiv oder intransitiv verwendet werden kann. Die unterschiedliche Struktur der beiden Sprüche betont den (nicht unbedingt erwarteten) Bedeutungsunterschied zwischen den verwandten Wörtern *Langstrecke* und *langstrek-ken*.

Übungen zu Kapitel 2

Übung 1: Wie würden Sie (intuitiv) den syntaktischen Unterschied zwischen (1) und (2). beschreiben?
    (1)   *zweite verbesserte Auflage*
    (2)   *zweite, verbesserte Auflage*
Übung 2: Geben Sie Beispiele für Substantive, die vielleicht (wie *Sehnsucht nach* oder *Mittel zu/für/gegen*) einen Aktanten verlangen (vgl. Sommerfeldt/Schreiber (1977)). Sofern diese Substantive vom selben Stamm wie Verben sind, vergleichen Sie ihre Valenzschemata mit dem des entsprechenden Verbs.
Übung 3: Suchen Sie (evtl. mit Hilfe der Duden-Grammatik, Kap. Satzbaupläne) nach Beispielen für folgende Valenzschemata:
    (1)   V + Nom + Akk + Dat
    (2)   V + Nom + Akk + Gen
    (3)   V + Nom + Akk + Präpositionalgruppe
    (4)   V + Nom + Akk + Adjektiv
    (5)   V + Nom + Akk + Akk
    (6)   V + Adverb + Präpositionalgruppe
    (7)   V + Nom + Gen
    (8)   Adj + Nom + Dat
    (9)   Adj + Nom + Gen
    (10)   Adj + Nom + Akk
Übung 4: Zeichnen Sie D-Graphen für die folgenden Sätze:
    (1)   *Die Kinder suchen Pilze im Wald.*
    (2)   *Die Mutter bringt ihr jüngstes Kind zum Kindergarten.*
    (3)   *Das Kind verbringt den ganzen Tag draußen.*
    (4)   *Das Kind möchte ein Eis.*
    (5)   *Das Kind möchte ein Eis essen.*

(6)	*Das Buch über Rom hat mir Petra besorgt.*
(7)	*Der Begriff der Freiheit.*
(8)	*Im Knast habe ich viel über die Freiheit nachgedacht.*
(9)	*Petra brachte mir eine Vase aus China.*
(10)	*Das berühmte Bild mit der Pfeife stammt von Magritte.*

Übung 5: 1. Suchen Sie nach semantisch mehrdeutigen Sätzen, denen zwei (eindeutige) syntaktische Strukturen zugewiesen werden können, so daß man die semantische Mehrdeutigkeit auf syntaktische Mehrdeutigkeit zurückführen kann.
2. Die folgenden Sätze sind semantisch mehrdeutig. Sind sie auch syntaktisch mehrdeutig?

(1)	*Der V-Mann stand neben der Bank.*
(2)	*Peter hat ein altes Schloß gekauft.*
(3)	*Ich habe in Moskau liebe genossen.* [In gemäßigter Kleinschreibung geschrieben]
(4)	*Der gefangene floh.* [In gemäßigter Kleinschreibung geschrieben]
(5)	*Die Prüfung besteht aus einer Hausarbeit oder einer Klausur und einem Kolloquium.*
(6)	*Man nehme Öl oder Butter und Eigelb.*
(7)	*Helft den hungernden vögeln* [in gemäßigter Kleinschreibung]

Übung 6: Einem Konstituentenbaum wie Abb. 9 liegen nur zwei Beziehungen zwischen den Knoten zugrunde: Die Dominanzbeziehung und die lineare Beziehung. Zeichnen Sie den abstrakten Baum, der folgendermaßen definiert ist:
A dominiert unmittelbar B und C
B steht vor (d. h. links von) C
B dominiert unmittelbar D und E
D steht vor E
C dominiert unmittelbar F und G
E dominiert unmittelbar H und I
H steht vor I
F steht vor G
F dominiert unmittelbar T und K
T steht vor K.

Übung 7: a) Prüfen Sie, ob durch (R1)–(R4) und den Beispielen angepaßte lexikalische Regeln die folgenden Sätze erzeugbar sind (Sehen Sie von Genus- und Kasusmarkierungen ab):

(1)	*Das große Haus gehört dem Bürgermeister.*
(2)	*Die Studentin besucht eine literaturwissenschaftliche Vorlesung.*
(3)	*Der grausame Film zeigt brutale Kämpfe.*
(4)	*Liebe erzeugt Glück.*
(5)	*Großer Liebeskummer verursacht Krankheit.*

b) Gegeben seien folgende Ausdrücke:

(1)	*das kleine Kind*
(2)	*das kleine Kind auf der Schaukel.*
(3)	*die Vase aus Kristall*
(4)	*die Vase auf dem Kamin*
(5)	*das Kind meiner Schwester*
(6)	*die Vase auf dem Kamin der Bibliothek*
(7)	*der Vortrag des Vorsitzenden der deutschen Gesellschaft für Sprachwissenschaft*

Schreiben Sie eine kleine Syntax der NP, die es erlaubt, jedem dieser Ausdrücke eine K-Struktur zuzuweisen und zeichnen Sie die entsprechenden Konstituentenbäume.
Übung 8: Versuchen Sie, die Struktur der folgenden Sätze in Form eines K-Baums zu skizzieren, indem Sie davon ausgehen, daß in einem S durchaus mehrere S eingeschachtelt sein können:

| (1) | *Peter wünschte, er hätte Flügel.* |

(2)   *Daß sie Linkshänderin ist, ist vorteilhaft.*
(3)   *Maria spielt Tennis, seit sie entdeckt hat, daß sie Linkshänderin ist.*

Übung 9: Suchen Sie in Ihrer Schulgrammatik nach Definitionen und Erklärungen des Terminus „Prädikat". Heißt es dort etwa (a) oder (b)?

(a) *Simone*	*macht*	*Musik*	*in ihrer Freizeit.*
Subjekt	Verb	Objekt	Zeitangabe.

(b) *Simone*	*macht*	*Musik*	*in ihrer Freizeit.*
Subjekt	Verb	Objekt	

Prädikat

Übung 10: a) Angenommen, die Koordination durch *und* oder *oder* wird durch rekursive Regeln wie etwa

$$S \longrightarrow \left(S \left\{ \begin{array}{c} \text{und} \\ \text{oder} \end{array} \right\} S \right)$$

$$NP \longrightarrow NP \left\{ \begin{array}{c} \text{und} \\ \text{oder} \end{array} \right\} NP$$

$$VP \longrightarrow VP \left\{ \begin{array}{c} \text{und} \\ \text{oder} \end{array} \right\} VP$$

beschrieben. Zeichnen Sie für den zweideutigen Satz *Man nehme Öl oder Butter und Sahne* zwei Konstituentenbäume so, daß deutlich wird, daß es sich um eine syntaktische Mehrdeutigkeit handelt.
b) Was ist Objekt von *behauptete* im Satz *Peter behauptete, er habe Maria nie geliebt.*? Welche Regeln würden Sie annehmen, um auch diesem Satz eine K-Struktur zuordnen zu können? Skizzieren Sie den entsprechenden Konstituentenbaum.

Übung 11: Bestimmen Sie die grammatische Funktion der eingeklammerten Ausdrücke in den folgenden Sätzen:

(1)   *[Simones] Auftritt [gestern] war ein toller Erfolg.*
(2)   *Peter verglich [unsere Universität] [mit einem Schloß].*
(3)   *Peter besichtigte [unsere Universität] [mit seinem amerikanischen Freund].*
(4)   *[Leider] hat Klaus [auf der Schule] [kein Latein gemacht].*
(5)   *[Natürlich] werde ich Ihnen helfen.*
(6)   *[Obwohl sie noch nicht lange schauspielert], bewegt sie sich [ganz natürlich] auf der Bühne.*
(7)   *[Rauchen] schadet der Gesundheit.*
(8)   *[Ein Haustier zu halten] hält ältere, einsame Leute in Form.*

Übung 12: a) Übersetzen Sie in Baumform den folgenden Klammerausdruck und versuchen Sie, die Knoten mit passenden Kategorialsymbolen zu etikettieren.
[Ihren [[[vor [14 Tagen]] begonnenen]Hungerstreik [gegen[das UNO-Embargo]]]].

b) Übersetzen Sie in einen Klammerausdruck den folgenden Strukturbaum (AB=Adverbialbestimmung)!

Abb. 27

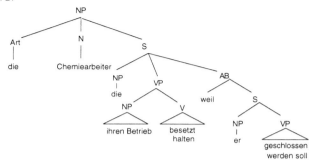

Die Chemiearbeiter, die ihren Betrieb besetzt halten, weil er geschlossen werden soll.

c) Zeigen Sie mit Hilfe von Konstituentenbäumen die Mehrdeutigkeit der folgenden Sätze:

(1)	*Der Vater fährt mit dem Zug nach Hamburg.*
(2)	*Wir möchten Ihren Beitrag in der Sowjetunion publizieren.*
(3)	*Wir feiern am Montag nach der Prüfung.*
(4)	*Wer mit uns geht, hat Qualität mit Sicherheit auf seiner Seite.* [Werbespruch von Compaq-Computern mit Vorsprung].
(5)	*Paul erzählte die Geschichte seiner Freundin.*
(6)	*Peter hat das Bild mit den Füßen gemalt.*

d) Inwiefern sind folgende Sätze mehrdeutig:

(1)	*Ende November vergangenen Jahres durfte die jüdische Volksgruppe in Moskau nach vielen Jahren wieder jiddisches Theater spielen.*
(2)	*Die Wuppertaler Notrufgruppe führte am 20.11.1987 eine Informationsveranstaltung zu sexuellem Kindesmißbrauch in einem Cronenberger Kindergarten durch.*

Zeigen Sie, daß diese Mehrdeutigkeiten syntaktisch bedingt sind, indem Sie je zwei an entscheidender Stelle unterschiedliche Konstituentenanalysen andeuten.

Übung 13: a) Geben Sie Paare von Beispielsätzen, die sich nur wortstellungsmäßig voneinander unterscheiden, ohne daß dieser Unterschied zu einem deutlichen Bedeutungswechsel führt, z. B.

(1)	*Wir fahren jeden Sonntag in die Alpen.*
(2)	*Jeden Sonntag fahren wir in die Alpen.*

b) Geben Sie Paare von Beispielsätzen, die sich nur wortstellungsmäßig voneinander unterscheiden, aber deutlich unterschiedliche Bedeutungen haben, z. B.:

(1)	*Die Katze verfolgt die Maus.*
(2)	*Die Maus verfolgt die Katze.*

Übung 14: a) Geben Sie mindestens je einen Satz für die in der Tabelle aufgeführten Satztypen. Finden Sie auch weitere, in der Tabelle nicht ausdrücklich genannte Satz-/Wortstellungstypen.

b) Sammeln Sie in Ihrem Alltag Beispiele, bei denen die Intonation für die Identifizierung des Satz- bzw. Äußerungstyps einschlägig ist (z. B. *Dú hast die Karten besorgt?*).

Übung 15: Sammeln Sie oder bilden Sie Beispiele von akzeptablen deutschen Sätzen, die den im Kap. 2.5 angesprochenen Regeln nicht voll entsprechen oder vielleicht gar nicht entsprechen.

Übung 16: Die Sätze 1 und 2 einerseits und 3 und 4 andererseits sehen so aus, als wären sie gleich gebaut. Zeigen Sie, inwiefern der Schein trügt, indem Sie jedem Satz eine eigene TS zuordnen:

(1)	*Peter läßt sein Auto stehen.*

(2)   *Peter läßt sein Auto waschen.*
(3)   *Peter verspricht seiner Freundin, Französisch zu lernen.*
(4)   *Peter empfiehlt seiner Freundin, Französisch zu lernen.*
(Hinweis: Führen Sie jeden Infinitivsatz auf das Anfangssymbol S zurück).

Übung 17: a) Bestimmen Sie in den folgenden Sätzen je das Subjekt des fett gedruckten Verbs. Wenn Ihnen die Entscheidung schwer fällt, notieren Sie kurz, warum:

(1)   *Daß Glück kürzlich in einer Veröffentlichung über die Beleibtheit von Politikern nicht erwähnt wurde, obwohl er im Spitzenfeld bei der von der Staatskanzlei in Auftrag gegebenen Umfrage lag, **scheint** freilich nicht, wie vom FDP-Abgeordneten Freiherr D. von Gumppenberg vermutet, politische Absicht gewesen zu sein.*

(2)   *Im Grunde **war** es also egal, welcher Baukünstler sich zur zeitgemäßen Verschönerung des Residenztheaters berufen fühlte.*

(3)   *Im übrigen **gilt** für Stoiber der Grundsatz, daß öffentliche Straßen dazu bestimmt seien, für den Verkehr zur Verfügung zu stehen.*

(4)   *Denn Beweise für eine persönliche Schuld Schiwkows etwa an den in ihrer Brutalität kaum übertroffenen Straflagern oder an der Assimilierungskampagne gegen die türkische Minderheit **sind** kaum zu beschaffen.*

(5)   *Nach Ansicht der von LDP-Politikern **ist** damit fraglich, ob das Gesetz überhaupt noch weiter beraten wird.*

(6)   *In Indien **leben** etwa 110.000 Tibeter, die 1950 aus ihrer Heimat geflohen waren, nachdem diese von chinesischen Truppen besetzt worden war.*

(7)   *Die Furcht **ist** groß in Bulgarien, daß jetzt Vergeltung für die Morde von 1944 geübt werden könnte.*

(8)   *Doch **wird** daran gezweifelt, daß Moskau noch Ende 1981 ein derartiges Abenteuer gewagt hätte.*

(9)   *Dem Film **liegen** die Recherchen des Schriftstellers zugrunde, der sich Mitte der achtziger Jahre als Türke verkleidet hatte, um in deutschen Betrieben den Alltag eines Gastarbeiters zu recherchieren.*

(10)   *Die zuletzt sehr in Mode gekommene Sitte, junge Brautpaare beim Verlassen des Standesamtes mit Reiskörnern zu bewerfen, weil dies angeblich Glück und Kindersegen bringen soll, **wird** es in der schwäbischen Behörde nicht länger **geben**.*

b) Bestimmen Sie in den folgenden Sätzen je das oder die Objekte des fettgedruckten Verbs. Wenn Ihnen die Entscheidung schwer fällt, notieren Sie kurz, warum.

(1)   *Die Grünen **hatten** Oberbürgermeister Schönlein schon im November **gedroht**, falls er sich an den Hafenwald wage, **werde** es keine Neuaufnahme des rot-grünen Bündnisses im Rathaus geben.*

(2)   *Mit großem Unverständnis **verfolgt** man daher in Sofia, wie in der Bundesrepublik „mit wenig Fingerspitzengefühl, aber mit deutscher Gründlichkeit" das Stasi-Erbe aufgearbeitet wird.*

(3)   *Präsident Suharto **hat betont**, seine Regierung werde auf ausländische Hilfe verzichten, wenn damit wie im Fall von Ost-Timor eine Einmischung in die inneren Angelegenheiten Indonesiens verbunden werde.*

(4)   *Vor Jahren **haben** sie in „Wir steh'n uns noch bevor" kühn **durchgespielt**, wie das wäre, wenn in Leipzig der Sozialismus vom Kommunismus abgelöst würde.*

Übung 18: Bestimmen Sie in den folgenden Sätzen
(a) die Konstituenten, die als freie Angaben fungieren und **(b)** die Konstituenten, die vom fettgedruckten Verb abhängig (regiert) sind, also Subjekt, direktes Objekt, (NP) und Präpositionalobjekt (PP). Versuchen Sie, die K-Struktur der Objekte in Baumform grob zu skizzieren:

(1) *Naturschutzverbände* **fordern** *wegen der mit der Stromgewinnung verbundenen Umweltbelastung seit längerem Tarife, die nicht zum sorglosen Umgang mit der elektrischen Energie verführen.*

(2) *Die Deutsche Silke Hottmann* **hat** *ihren vor 14 Tagen begonnenen Hungerstreik in Bagdad gegen das UNO-Embargo auf Wunsch des irakischen Präsidenten Hussein* **beendet**.

(3) *Auf einer Couch im Flur des US-Außenministeriums* **diskutierten** *der israelische Delegationschef Eliakim Rubinstein, der Palästinenser Haidar Abdel Schafi und der Jordanier Abdel Salam Madschali über die strittige Frage, in welcher Form die offiziellen Verhandlungen jetzt stattfinden sollten.*

(4) *Hinter den Kulissen* **suchten** *Palästinenser, Israelis und Jordanier am Donnerstag nach Wegen, um die Verhandlungen wieder in Gang zu bringen.*

(5) *Mit voller Wucht* **prallte** *der Personenwagen eines 20jährigen kaufmännischen Auszubildenden gestern um 0.30 Uhr in der Putzbrunner Straße gegen einen Alleebaum.*

Übung 19: a) Wenn zwei Sätze durch eine Subordinationskonjunktion verknüpft werden, ist es meist möglich, deren Reihenfolge zu ändern – vorausgesetzt, die Subordinationskonjunktion bleibt an der Spitze des eingebetteten Satzes: z. B.

(1) *Peter ging oft in die Pinakothek, als er in München wohnte.*

(2) *Als er in München wohnte, ging Peter oft in die Pinakothek.*

Suchen Sie nach Beispielen, bei denen eine solche Permutation der beiden Teilsätze nicht möglich ist.

b) Oft lassen sich die Konjunkte einer Koordinationskonjunktion austauschen (vorausgesetzt, die Koordinationskonjunktion bleibt zwischen ihnen beiden), ohne daß es zu einer Bedeutungsveränderung führt, z. B.:

(1) *Peter besuchte die Picasso-Ausstellung, und Klaus ging ins Kino.*

(2) *Klaus ging ins Kino, und Peter besuchte die Picassoausstellung.*

Suchen Sie nach Beispielen, bei denen ein solcher Wortstellungswechsel zu einer Bedeutungsveränderung führen würde.

Übung 20: Analysieren Sie nach diesem Muster (d.h. indem Sie die hierarchischen Beziehungen im komplexen Satz durch Klammerung notieren) die Sätze (1), (6), (9) und (10) der Übung 17 a) und Sätze (1), (3) und (4) der Übung 17 b).

3 Morphologie

Einleitung

Obwohl wir schon in Kap. 1 einige morphologische Phänomene ange-sprochen haben, ist es nach dem Syntaxkapitel angebracht, der Mor-phologie als eigener Komponente der Grammatik ein kurzes Kapitel zu widmen – und bei dieser Gelegenheit einige Fakten aus der Morpholo-gie des Deutschen in Erinnerung zu bringen (vgl. Bergenholz/Mugdan (1979)).

Wir haben zu Beginn des Syntaxkapitels den Begriff „morphologi-sches Wort" eingeführt und vom „syntaktischen Wort" unterschieden (vgl. ⌐in⌐ + ⌐dem⌐ für ⌐im⌐, ⌐um zu⌐ für ⌐um⌐ + ⌐zu⌐): Die Syntax ord-net einem Satz eine Struktur zu, deren kleinste Bestandteile trivialer-weise „syntaktische Wörter" sind. Nun geht es bei der Morphologie darum, wie diese Struktur in eine Folge von morphologischen Wörtern „übersetzt" wird, d. h., wie aus ⌐in⌐ und ⌐bestimmter Artikel⌐ in der morphologischen Umgebung „Maskulin Singular" ⌐im⌐ wird, aber auch, wie aus ⌐aufsteh⌐ in bestimmten Fällen ⌐aufstand⌐, in anderen ⌐stand⌐ ⌐auf⌐ wird[37]. M. a. W.: Die Morphologie beschreibt nicht nur die Wort-formen, sondern auch die Reihenfolge der morphologischen Wörter im Satz.[38]

---

[37] Ein morhologisches Wort muß nicht morphologisch atomar sein, wie ⌐kommst⌐ und ⌐im⌐ oder auch ⌐Kinder⌐ und ⌐Kindheit⌐ zeigen; wir werden aber sehen, daß es als Einheit in den sog. „Wortstellungsregeln" des Deutschen fungiert.

[38] Die Behauptung, daß die Wortstellung zur Morphologie gehört, dürfte überraschen oder gar als Provokation empfunden werden, denn diese Auffassung wird heute nicht von allen Linguisten geteilt. In den gängigen Grammatiken wird Wortstellung als ein Kapitel der Syntax behandelt und der Formenlehre (der Morphologie im klassischen Sinn) wird ein gesondertes Kapitel gewidmet. Es besteht bestenfalls Konsens darüber, daß es enge Beziehungen zwischen Morphologie und Wortstellung gibt; so wird z. B. meist angenommen, daß bei Sprachen ohne Deklination bestimmte Wortstellungsre-geln dafür sorgen, daß die Subjekt-NP von der Objekt-NP unterschieden wird.

3.1 Formenlehre

Die Formenlehre im weiten Sinne umfaßt zwei Hauptbereiche:
1. **Wortbildung**: Fügt man einem Wort bzw. Wortstamm[39] ein
(freies oder gebundenes) Morphem hinzu, so daß das Ergebnis ein
neues Wort (im Sinne einer Bereicherung des Wortschatzes) ist, dann
hat man es mit einem Wortbildungsprozeß zu tun. Wir haben die Wortbildung in Kap. 1 behandelt und werden daher nicht mehr systematisch
darauf eingehen.
2. **Flexionslehre**: Hier werden die verschiedenen Formen beschrieben, die ein und dasselbe Wort erhalten kann. Es vermehren sich nicht
die Wörter, sondern die **Wortformen**. Es muß das Inventar der möglichen Formen eines Wortes beschrieben werden; es muß aber auch beschrieben werden, welche Wortform in welchem Kontext möglich ist.
Das ist oft letztlich von der Syntax abhängig (Rektion, Kongruenz,
Anapherbeziehung).
Obwohl die Unterscheidung zwischen 1 und 2 Tradition hat, ist die
Entscheidung, einen Prozeß als Wortbildungsprozeß (Derivation) oder
als flexionsmorphologischen Prozeß zu betrachten, in einigen Grenz-
fällen nicht unproblematisch: Ist die Infinitivendung -en Flexionsmor-
phem oder Suffix zur Markierung eines Wortartenwechsels vom Verb
zum Nomen? Ist nicht die Partizipialmarkierung (-end oder ge-t/ge-en)
vielleicht auch ein wortartverändernder Prozeß (vom Verb zum Adjektiv)?

3.1.1 Die Veränderlichkeit der Wörter und wovon sie abhängt

Nicht alle Wörter im Deutschen können in der Form variieren: Partikeln wie *auch, eben, freilich...*, Adverbien wie *leider, vielleicht, bald,
immer, dort, hier...*, Konjunktionen wie *und, aber, denn, weil, als, obwohl...* sind unveränderlich. Die systematisch veränderlichen Wörter
gehören den Wortarten Verb, Nomen, Adjektiv, Artikel und sog. „Pronomina" an. Die Präpositionen werden als nicht-flektierbar betrachtet,
obwohl einige unter ihnen in Abhängigkeit der auf sie folgenden Morpheme ihre Form verändern können (*in + dem → im*). Die Veränderlichkeit hängt von verschiedenen Faktoren ab, die selbst charakteristisch sind für die betroffene Wortart (die Klassifikation der Wörter in
sog. „Wortarten" basiert meist auch auf diesen morphologischen Ei-

---

39 Der Terminus „Wortstamm" wird in der Literatur uneinheitlich verwendet. Wir verwenden ihn hier zur Bezeichnung derjenigen Einheiten, an die Affixe (sowohl Wort-
bildungsaffixe wie *-lich* in *empfindlich* als auch Flexionsaffixe wie *-er* in *Kinder* und
-en in *singen* oder auch *sangen*) angefügt werden.
  Den in der Literatur ebenfalls uneinheitlich verwendeten Terminus „Wurzel"
verwenden wir nur im Zusammenhang mit historischen Phänomenen (z. B. dt. *Herz*
läßt sich auf die indogermanische Wurzel *krd* zurückführen).

genschaften; vgl. Kap. 1.7). Die Veränderlichkeit hängt auch ab von der morphologischen Klassenzugehörigkeit des jeweiligen Lexems (vgl. Hentschel/Weydt (1990)).

Charakteristisch für die Wortart ⟨Verb⟩ im Deutschen sind die morphologischen Kategorien:

- Tempus (Präteritum, Präsens, Futur, Perfekt, Plusquamperfekt und Futur II (zum Ausdruck von Vergangenheit/Gegenwart/Zukunft))
- Genus (verbi) (Aktiv/Passiv)
- Modus (Indikativ/Konjunktiv/Konditional (auch Konjunktiv II genannt))
- Numerus (Singular/Plural)
- Person (1./2./3. Person)

Berücksichtigt man auch die sog. „infiniten" Verbformen, dann ist hinzuzufügen:

- die Unterscheidung zwischen **Infinitiv** und **Partizip**
- bei Partizip die Unterscheidung zwischen **Partizip I** (*liebend*) und **Partizip II** (*geliebt*) (bisweilen auch **Partizip Präsens** bzw. **Partizip Perfekt** genannt)
- sofern die Partizipien als Attribute in einer NP fungieren, werden sie wie attributive Adjektive flektiert.

Um jedoch die richtige Verbform nach den gewählten Optionen aus den eben genannten morphologischen Kategorien zu bilden, muß man außerdem wissen, welcher morphologischen Klasse das betreffende Verb angehört: Man unterscheidet im Deutschen drei große Klassen:

- die **schwachen Verben** (regelmäßig und einheitlich)
- die **starken Verben** (nach den sog. Ablautreihen weiter subklassifizierbar)
- die **unregelmäßigen Verben** (z. B. schwache Verben mit Stammvokalwechsel wie *kennen, kannte, gekannt*, schwache Verben mit Stammvokal- und Konsonantenwechsel wie *denken, dachte, gedacht*, sog. „Präteritopräsentia" (Modalverben: *können, kann, konnte, gekonnt*: Die Präsensformen sehen wie Präteritumformen von starken Verben aus), Verben mit Mischformen wie *backen, backte, gebacken* oder teilweise noch *buk* und schließlich die Hilfsverben *sein, haben* und *werden*.

Jedes deutsche Verb ist also stark, schwach oder unregelmäßig, und jede (finite) Verbform hat ein Tempus, ein Genus verbi, einen Numerus und eine Person, jede nicht-finite Verbform ist Infinitiv oder Partizip I oder II und flektiert oder nicht flektiert. (➔ Übung 1–4).

Für die Wortart ⟨Nomen⟩ sind folgende morphologischen Kategorien charakteristisch:

- **Numerus** (Singular/Plural; abgesehen von Kollektiva wie *die Studentenschaft, das Publikum...* unmittelbar abhängig von der intendierten Bedeutung)
- **Kasus** (Nominativ/Akkusativ/Dativ/Genitiv)
- **Genus** (maskulinum/femininum/neutrum)

Da es verschiedene Regeln für die Bildung des Plurals gibt und sie nicht eindeutig vom Genus abhängen, kann die Pluralform des Nomens als „einzelnomenabhängig" betrachtet werden: Deswegen werden beim Lernen des Deutschen als Fremdsprache die Singular- und Pluralformen eines Nomens mitsamt seinem Genus beim Vokabellernen mitgelernt. (➡ Übung 5–8).

Charakteristisch für die Wortart ⸢Adjektiv⸥ ist die morphologische Kategorie

- Grad (positiv/komparativ/superlativ: *groß, größer, größt-*)

Die Form eines Adjektivs hängt ferner davon ab, ob es prädikativ oder attributiv gebraucht wird. In prädikativer Funktion ist das Adjektiv unflektierbar, in attributiver Funktion hängt seine Form von seiner Position in der NP ab: Wenn es dem Nomen nachgestellt ist, bleibt es unflektiert (*Die Kinder, erschöpft, aber glücklich, kamen um 8 Uhr zurück*); wenn das Adjektiv zwischen dem Artikel und dem Nomen steht, variiert seine Form je nach Kasus und Numerus der NP, nach dem Genus des Nomens, und je nach dem davor stehenden Artikel (*Die erschöpften, aber glücklichen Kinder kamen um 8 Uhr zurück; erschöpfte, aber glückliche Kinder kamen um 8 Uhr zurück*). (➡ Übung 9–11).

Auch bei manchen ⸢Adverbien⸥ ist die Kategorie Grad charakteristisch (gern/lieber/liebst-). Aber nicht alle Adverbien sind graduierbar. Dies führt dazu, daß die Opposition „veränderlich/nicht-veränderlich" zur Unterscheidung der Wortarten Adjektiv und Adverb im Deutschen nicht voll greift. Deswegen ordnen manche Autoren die (unveränderlichen) Adverbien der Wortart „Partikel" zu. (➡ Übung 12–13).

Für die Wortart ⸢Artikel⸥ ist charakteristisch, daß sie ihre Form in Abhängigkeit der NP, die sie einleitet, variiert: Nach Numerus, Kasus und Genus des Nomens. D. h.: Morpheme wie *d-, ein-, dies-, jen-, sein-...* haben kein inhärentes Genus, sie übernehmen das Genus des durch sie bestimmten Nomens. Der Kasus des Artikels hängt von der grammatischen Funktion der NP ab, die er einleitet. (➡ Übung 14–16).

Das Wissen um die wortartspezifischen Kategorien sowie das Wissen um die morphologische Klassenzugehörigkeit des einzelnen Wortes kann als „morphologisches Wissen" betrachtet werden. Die Frage aber, worauf sich ein Artikel bezieht oder was Subjekt eine Verbs ist (relevant für die Opposition Singular/Plural bei der finiten Verbform), kann nur gelöst werden, wenn man den Satz syntaktisch analysiert hat. Ebenso hängt der Kasus von der grammatischen Funktion der betroffenen NP im Satz ab. Die Wahl zwischen Singular und Plural hängt hingegen von der Bedeutung ab (Einzahl vs. Mehrzahl), ebenso wie die Wahl zwischen Präsens und Präteritum (Gegenwart vs. Vergangenheit).

Generell hängt also die Form eines Wortes von dreierlei Faktoren ab:

1. **Von lexikalisch feststehenden Merkmalen des betroffenen Wortes**, (wie Genus, Deklinationsklasse und Pluraltyp beim Nomen, Verbklasse (schwach/stark/gemischt; Ablautreihe bei den starken Verben)) **bzw. des regierenden Wortes** (Kasusrektion vom Verb oder von der Präposition, Genus des Bezugsnomens bei Kongruenz innerhalb der NP) [40].

2. **Von der intendierten Bedeutung**, z. B.: Singular, wenn Einzahl, Plural, wenn Mehrzahl ausgedrückt werden soll; Konditional, wenn ein nicht-realer Sachverhalt bezeichnet werden soll, Konjunktiv, wenn ein Wunsch oder einfach die Unsicherheit des Sprechers dem Gesagten gegenüber signalisiert werden soll; Präsens, wenn das Ausgedrückte in der Gegenwart des Sprechaktes, Präteritum, wenn es in der Vergangenheit liegt, usw.

3. **Von der grammatischen Funktion, die das Wort im Satz ausübt** (z. B. hat die Subjekt-NP im Nominativ zu erscheinen, die NP, die als Apposition zu einer anderen steht, in der Regel im selben Kasus wie letztere) **oder von seiner Umgebung in einem Komplex** (z. B. flektiert das Adjektiv stark, wenn es auf einen unbestimmten Artikel folgt, schwach, wenn es auf einen bestimmten Artikel folgt). Der Kasus einer Objekt-NP hängt von dem sie regierenden Verb ab: daß etwa *lehren* zwei Akkusativ-Objekte, *gedenken* ein Genitiv-Objekt und *ähneln* ein Dativ-Objekt „regieren", ist eine Eigenschaft des jeweiligen Verbs, die genauso „gelernt" werden muß wie das Genus jedes einelnen Nomens.

Wie man sieht, sind die Wortformen zum einen von der Wortart und gegebenenfalls innerhalb einer Wortart von der morphologischen Subklasse des betroffenen Wortes (willkürlich, d. h. je mitsamt dem Wort zu lernen), von dem syntaktischen Status dieses Wortes im Satz (Syntax) – sowie manchmal von seiner Position im Satzausdruck – und von der intendierten Bedeutung (Semantik) abhängig. Deswegen kann man nicht die Formenlehre als von den anderen, insbesondere von der Syntax und der Semantik unabhängige Komponente betrachten: Es

---

40 Diese Merkmale sind in dem Sinne fest und verbindlich, daß jeder Sprecher an ihnen gebunden ist: Das Wissen um die jeweiligen Wörter enthält das Wissen um diese Merkmale. Da man aufgrund dieser Merkmale Klassen bilden kann, spricht man bisweilen von „morphologischen Subklassen" (z. B. zerfällt die Klasse der Verben in drei Subklassen: schwache/starke/gemischte Verben).

geht wirklich auch darum, durch die gewählte Form Hinweise auf die Syntax und auf die Semantik des Satzes zu liefern bzw. abzuleiten. Man beachte aber, daß die Form des Wortes nur Hinweise liefert, denn es läßt sich weder die gesamte Bedeutung noch die gesamte syntaktische Struktur eines Satzes aus den gewählten Wortformen allein ableiten.

3.1.2 Morphologische Analyse: Wie komplex ist das System der deutschen Morphologie

Wir haben bisher aufgelistet, von welchen Faktoren die Form eines morphologischen Wortes im Satz abhängen kann. Wir wollen uns jetzt der Frage widmen, **welcher Art die Formveränderungen sein können.** Gehen wir dazu von einem Wortstamm wie *lieb-* aus: Will man die erste Person Singular Präsens Indikativ Aktiv bilden, dann muß man diesem Stamm *-e* hinzufügen. Das Morph *-e* scheint somit gleichzeitig auszudrücken, daß es sich um eine erste Person, um Singular, um Präsens, um Indikativ und um Aktiv handelt. Vergleicht man aber *liebe* mit *liebte*, dann kann man das Morph *-e* anders deuten: Hier ist es Ausdruck der 1. Person Singular im Indikativ Aktiv, aber nicht Präsens. Das Morph *-t-* drückt im Unterschied zu Ø (Fehlen des *t*) in *liebe* die Vergangenheit aus, also ist *-e* in *liebe* vielleicht nicht Ausdruck der Gegenwart. Vergleicht man ferner *liebe* mit *werde geliebt*, dann möchte man sagen, daß das Genus „Passiv" durch werd- + Partizip II ausgedrückt wird, infolgedessen in *liebe* das Genus „Aktiv" nicht durch *-e*, sondern durch die Abwesenheit von werd- + Partizip II ausgedrückt wird. Wenn *-e* in *werde geliebt* die 1. Person Singular Präsens ausdrückt, dann spricht nichts dagegen, anzunehmen, daß *-e* in *liebe* ebenfalls nur die 1. Person Singular Präsens ausdrückt. D. h.: Aktiv ist *liebe* nur deswegen, weil es *werd* + Partizip II nicht enthält, Präsens ist es nur deswegen, weil kein *-t-* vorliegt, so daß man *-e* als Markierung von 1. Person Singular – und nicht mehr – deuten kann.

Wie läßt sich nun das *-t-* in *liebte* analysieren? Vergleicht man *er liebte* mit *er liebt*, dann könnte man zu der Hypothese kommen, daß nicht *-t*, sondern *-e* in *liebte* die Vergangenheit ausdrückt.[41] Aber liebte kann auch mit liebe verglichen werden (ich liebe/ich liebte): In diesem Fall liegt die Hypothese nahe, daß *-t-* in liebte die Vergangenheit ausdrückt. Und es gibt gute Gründe für die Annahme, daß die zweite Hypothese zutrifft: In allen Personen, im Singular wie im Plural, steht bei schwachen Verben im Präteritum ein *-t-*. Die Personalendungen sind im Präsens und im Präteritum identisch, außer in der 3. Person Singular, wo im Präsens *-t* aber im Präteritum *-e* erscheint. Re-

---

41 Zur Vereinfachung der Argumentation lassen wir hier außer acht, daß *liebte* auch eine Konjunktivform ist.

gelmäßig wäre die Konjugation der schwachen Verben dann, wenn die dritte Person Singular im Präteritum *er liebtet* lauten würde.

Dieses Beispiel zeigt, daß *-t-* im Deutschen mehrdeutig ist: Im Falle von Präteritum ist es Ausdruck eben der Vergangenheit, im Präsens hingegen ist es Ausdruck der 3. Person (von der 2. Person Plural abgesehen). Auch *-e* kann verschiedenes ausdrücken: Im Präsens ist es Zeichen der 1. Person Singular, im Präteritum kann es ebenfalls die 1. Person Singular, aber auch die 3. Person Singular markieren. Es ist klar, daß insbesondere Ausländern solche Mehrdeutigkeiten das Erlernen der deutschen Morphologie erschweren.

Es gibt im Deutschen sehr viele Beispiele von Mehrdeutigkeiten dieser Art: Es gibt eine insgesamt auffällig geringe Menge von Endungen (z. B. *e, en, er*) für eine Vielzahl von Informationen (Numerus, Kasus, Person, Tempus, Modus...), und es ist aus heutiger Sicht als reiner Zufall zu bewerten, daß z. B. *-e* beim Nomen [Plural] und beim Verb [1. Person] realisiert. Wenn man sich unter einer einfachen Morphologie eine möglichst gute Eins-zu-eins-Übereinstimmung zwischen Form und Inhalt vorstellt, dann tragen diese zahlreichen Mehrdeutigkeiten zur Komplexität der deutschen Morphologie bei.

Der Vergleich von Präsens und Präteritum beim schwachen Verb *lieben* zeigt, daß man in einem morphologisch komplexen Wort aneinandergereihte Segmente mit je einer Funktion (einem semantischen Wert) isolieren kann: *-t* für die Bedeutung [Vergangenheit] bzw. [Präteritum], *-e, -(e)st* usw. für die Identifikation der Person. Bezieht man die Paare liebe/lieben und *liebte/liebten* mit ein, dann könnte man *-n* als Ausdruck der Mehrzahl ([Plural]) identifiziernen, so daß eine Form wie (*wir*) *liebten* zu analysieren wäre:

lieb-	t	e	n
Verbstamm	[Vergangenheit]	[1. Person]	[Plural]

So einfach ist es aber nicht immer: Eine entsprechende Analyse für *liebe* wäre sehr künstlich.

lieb-	Ø	e	Ø
Verbstamm	[Gegenwart]	[1. Person]	[Singular]

Und wie ließe sich *liebtest/liebtet* beschreiben, genauer: Was drückt hier [Singular] und was [Plural] aus? Man kann wahrlich nicht *-e-* als [2. Person], *-st* als [Singular] und *-t* als [Plural] werten! Man kann in diesem Fall nicht mehr sagen, als daß *-est* als formal nicht weiter zerlegbare Einheit sowohl [2. Person] als auch [Singular] ausdrückt. M. a. W.: In -est sind zwei Informationen „verschmolzen" (man sagt bisweilen „amalgamiert"), [2. Person] und [Singular]. Von der Ausdrucksseite her ist *-est* nicht weiter zerlegbar, obwohl es semantisch (von der Inhaltsseite her) komplex ist. Und wenn es schon solche Fälle gibt, dann kann man auch die Endung -e in *liebe* als die Verschmelzung von den drei Informationen [Präsens], [Singular] und [1. Person] beschreiben. Wie man sich in jedem Einzelfall entscheidet, hängt davon ab, welche Beschreibung sich in eine kohärente Beschreibung der gesamten Verbflexion besser integrieren läßt. Dieses Beispiel zeigt, daß nicht jedem identifizierbaren semantischen Moment ein und nur ein formal identifizierbarer Ausdruck entspricht – eine Erscheinung, die zur Komplexität der deutschen Morphologie beiträgt.

Im Kapitel „Wortschatz" haben wir komplexe Wörter (wie z. B. *Kindheit* oder *Bleistift*) so zerlegt, daß wir die Bestandteile *Kind, heit, Blei* und *stift* **Morpheme** (kleinste, nicht weiter zerlegbare bedeutungstragende Einheiten) genannt haben: Genau genommen handelt es sich um **Morphe**. Da es für die Bedeutung [KIND], [HEIT], [BLEI] und [STIFT] keine andere Realisierungsform (kein anderes „Morph") gibt, kann man hier „Morph" und „Morphem" nicht unterscheiden. Es gibt aber Inhalte, denen – alternativ – verschiedene Formen („Morphe") entsprechen: Im Namen von deren semantischer Identität kann man diese „Morphe" als äquivalent, d. h. als Elemente einer Klasse beschreiben, anders gesagt als Realisierungen einunddesselben Morphems. Ein Beispiel ist die Bildung des Plurals bei Substantiven: Die Mehrzahl kann – je nach Substantiv – auch durch -er (*Kinder*), -s (*Autos*), -n (*Pannen*), -en (*Zeitungen*), -e (*Stifte*), sowie durch Ø (*Koffer*) oder als Umlaut + Ø (*Vögel*), Umlaut + e (*Gäste*), Umlaut + er (*Dörfer*) realisiert werden [auf die vier letztgenannten Formen kommen wir später zurück]. M. a. W.: Die Morphe *er, -s, -n, -en, -e* usw. haben dieselbe Funktion: Sie drücken alle die Mehrzahl aus. Wegen dieser gemeinsamen Bedeutung kann man sie als Elemente einer Klasse betrachten, und man kann diese Klasse [PLURAL] nennen: **Das Morphem [PLURAL] ist eine Menge von gleichbedeutenden Morphen.** Diese Morphe sind Varianten des selben Morphems (es sind dessen Allomorphe). Da die Wahl des jeweils passenden Morphs vom jeweiligen Nomen abhängt, sind es keine freien, sondern **kontextabhängige (kontextgebundene) Varianten.** Es ist Aufgabe der Morphologie, **das Inventar der Allomorphe eines Morphems aufzustellen und ferner anzugeben, in welchen Kontexten welche Allomorphe passend sind.** Natürlich wäre die deutsche Morphologie einfacher, wenn es für das Morphem [PLURAL] weniger Allomorphe gäbe; am einfachsten wäre sie, wenn es nur eine Realisationsform von [PLURAL] gäbe, z. B. -en oder -s. (➜ Übung 17).

Eine vierte Quelle von Komplexität ist folgende Erscheinung: Vergleicht man *Apfel* mit *Äpfel*, dann möchte man sagen können, daß die Mehrzahl bei *Äpfel* dadurch zum Ausdruck gebracht wird, daß der Stammvokal von *Apfel* /a/ zu /ɛ/ geworden ist. Dieser Vokalwechsel (**Umlaut**) ist kein Extrasegment, sondern ein Prozeß: Wie wir im Kapitel „Lautstruktur" sehen werden, ist [ɛ] im Vergleich zu [a] geschlossen und weiter vorne artikuliert (diesen Prozeß nennt man in der Phonetik „**Palatalisierung**"). Man kann natürlich sagen, daß eine der Realisierungsmöglichkeiten des Morphems [PLURAL] die Palatalisierung des Stammvokals oder die Umlautbildung ist, aber man muß sich darüber im klaren sein, daß es sich hier um einen Prozeß und nicht um ein isolierbares Segment handelt: Somit wird die Entität [PLURAL] noch abstrakter, ebenso das Morphem [APFEL]: Denn je nachdem, ob [APFEL] mit [SINGULAR] oder mit [PLURAL] kombiniert wird, wird es als /apfəl/ oder /ɛpfəl/ realisiert, so daß man auch sagen kann: /apfəl/ ist das Allomorph von [APFEL], das im Kontext [SINGULAR] passend ist, während /ɛpfəl/ das Allomorph von [APFEL] ist, das im Kontext [PLURAL] passend ist. Beide Perspektiven haben Sinn, beide finden sich in der Literatur wieder. Dies zeigt zumindest, daß der Morphembegriff (als Klasse von Morphen, d. h. von bedeutungstragenden Minimaleinheiten) komplexer, vielleicht problematischer ist, als es beim ersten Hinschauen erscheint. Die o. g. Beispiele *Gäste* und *Dörfer*, wo dem Inhalt [PLURAL] sowohl der Umlaut als auch ein Suffix entspricht, sind noch komplexer, weil in ihnen ein Prozeß und ein Segment (Morph im klassischen Sinn) beteiligt sind.

Es sei hier noch ein weiteres Beispiel für einen Prozeß genannt, das in der deutschen Verbmorphologie eine große Rolle spielt, nämlich der sog. **Ablaut** bei starken Verben. Vergleicht man *fahre* mit *fuhr*, dann stellt man leicht fest, daß beim Übergang vom Präsens ins Präteritum der Stammvokal gewechselt hat: Man kann diesen Vokalwechsel als Prozeß zur Markierung von [PRÄTERITUM] betrachten. Nur hat man es hier phonetisch nicht mit einer Palatalisierung zu tun (wie sie etwa beim Personenwechsel *fahre/fährst/fährt* vorliegt). Es ist aber gerade für die starken Verben charakteristisch, daß beim Stammvokal im Präteritum, oft auch im Partizip II von dem im Präsens abweicht. Zur Erinnerung seien hier die verschiedenen Klassen[42] aufgelistet, die bei den deutschen starken Verben belegt sind.

In der ersten Klasse unterscheidet sich der Stammvokal jeweils im Präsens, Präteritum und im 2. Partizip:

Präsens	Präteritum	2. Partizip	Beispiel
i	a	o	schwimmen
i	a	u	finden
i	a:[43]	e:	bitten
i:	a:	e:	liegen
e:	a:	o:	stehlen

---

42 Die starken Verben werden in den verschiedenen Grammatiken des Deutschen nach unterschiedlichen Gesichtspunkten geordnet, meist nach historischen (sog. Ablautreihen); die folgende, rein synchron motivierte Klassifikation ist nur eine der möglichen.
43 Doppelpunkt nach einem Vokal markiert Vokallänge (s. Kap. 5).

Bei der zweiten Klasse bleibt der Stammvokal im Präsens und im 2. Partizip gleich, weicht jedoch im Präteritum ab:

Präsens	Präteritum	2. Partizip	Beispiel
a:	u:	a:	schlagen
a	i	a	fangen
a:	i:	a:	braten
e:	a:	e:	geben
o	a:	o	kommen
o:	i:	o:	stoßen
u:	i:	u:	rufen
au	i:	au	laufen
ei	i:	ei	heißen

Die dritte Klasse weist sich dadurch aus, daß der Stammvokal im Präteritum und im 2. Partizip gleich bleibt, während der Stammvokal im Präsens abweicht. (➡ Übung 18).

Präsens	Präteritum	2. Partizip	Beispiel
e:	o:	o:	heben
i	u	u	schinden
i	o	o	glimmen
i:	o:	o:	biegen
ä	o:	o:	gären
ö	o:	o:	schwören
ü	o:	o:	lügen
au	o	o	saufen
ei	i:	i:	reiben
ei	i	i	schneiden

Zum Schluß sei noch ein Fall erwähnt, der in der Linguistik zu sehr kontroversen Diskussionen geführt hat: Es handelt sich um den Fall, der oben durch das Beispiel *Koffer* illustriert wurde. In diesem Fall gibt es zur Markierung von [PLURAL] weder ein Segment, noch einen Prozeß wie Um- oder Ablaut. Daher haben wir oben Ø (null! nichts!) als Allomorph des Morphems [PLURAL] genannt. So wird auch bisweilen verfahren, aber es ist nicht unproblematisch, weil eben nichts beobachtbar ist. Wenn man anfängt, das Fehlen jedwelcher Ausdrucksmittel einem Morphem zuzuordnen, muß man sich sorgfältig absichern, denn Ø dürfte ein sehr mehrdeutiges Morph sein! Allein die Bedeutungsanalyse im jeweiligen Paarvergleich erlaubt die Identifikation der fehlenden Markierung, d. h., die Annahme eines Ø-Morphs ist nur dann möglich, wenn in demselben morphologischen System nicht-leere Morphe zur Verfügung stehen, die die Annahme eines Morphems rechtfertigen: In einer Sprache, in der die Opposition Singular/Plural in der Nomenmorphologie nicht zum Ausdruck kommt (in der es keine Numerus-charakteristische, sichtbare Morphe gibt), wäre die Annahme eines Morphems [PLURAL] gegenüber der Annahme eines Morphems [SINGULAR] nicht zu rechtfertigen.

Völlig unregelmäßig sind sog. „suppletive" Paradigmata wie das von sein (*bin/bist/ist/sind/seid/war/sei/gewesen*), wo mehrere Stämme im Spiel sind. Solche Unregelmäßigkeiten sind rein historisch zu erklären. In diesem Fall dürfte die Gebrauchsfrequenz dafür verantwortlich sein, daß keine Vereinheitlichung eintritt. In vielen Fällen läßt sich beobachten, daß das **Analogieprinzip** zur Vereinfachung der Flexionsmorphologie führt: Wird heute ein Verb aus der englischen Sprache importiert, dann flektiert es nicht stark, sondern regelmäßig schwach (*geleast, gescannt, ich layoute gern, ich oute mich*), in Analogie zu den meisten, regelmäßigen deutschen Verben. (➡ Übung 19–21).

Zusammengefaßt: **Die deutsche Morphologie ist relativ komplex, insbesondere deswegen, weil**

a) viele Morphe mehrdeutig sind (vgl. *-er* in *guter Rat ist Teuer, Peter ist kleiner als Paul, Kinder* (vom Wortbildungssuffix in *Lehrer* ganz zu schweigen!) oder *-en* in *den Stift, den Stiften, die Studenten, sie schlafen, des alten Brauchs, die großen Stifte, schlafen*).

b) **manchmal ein Flexionselement gleichzeitig Ausdruck mehrerer Funktionen ist**: in *-en* z. B. fallen manchmal Dativ und Plural zusammen, in *-er* können mal Genitiv und Plural (*der großen Häuser*), mal Nominativ und Singular (*der Baum*), mal Dativ und Singular und Femininum (*er dankte der alten Frau*) zusammenfallen. In diesen Fällen ist es nicht möglich, zu sagen, was an der *-er*-Endung den Kasus, was den Numerus und was das Genus ausdrückt (**Amalgam**).

c) **zum Ausdruck ein und derselben Funktion je nach Kontext viele unterschiedliche Mittel (alternativ) eingesetzt werden** (kontextsensitive Varianten): Das Pluralmorphem z. B. hat zahlreiche Varianten, je nachdem, um welches Nomen es sich handelt. Daher müssen zahlreiche morphologische Subklassen (Paradigmata) unterschieden werden; jedes Nomen wird (weitgehend in Abhängigkeit von seinem Genus, d. h. von einer anderen, ebenfalls morphologischen Eigenschaft) einer Pluralformklasse zugeordnet, und diese Klassenzugehörigkeit ist für das Nomen ebenso verbindlich wie sein Genus auch. Ähnlich geht es bei den verschiedenen Verbklassen: Um das Verb *singen* korrekt konjugieren zu können, muß man wissen, daß es (nach Duden-Grammatik, § 208) zur zweiten Ablautreihe (wie *binden* und *finden*) gehört.

d) **oft mehrere Mittel (Morphe bzw. Prozesse) zusammen zum Ausdruck ein und derselben Funktion dienen** (z. B. Umlaut + *-er* zur Pluralbildung (*Häuser, Männer*) oder zur Komparativbildung (*groß/größer*, *lang/länger*), Stammwechsel + *-er* zur Komparativbildung (*gut/besser*), *ge-* + Ablaut +*-en* zur Bildung von Partizip II bei starken Verben (*gesung-en*).

Aus Untersuchungen zum kindlichen Spracherwerb kann man einige Hypothesen darüber aufstellen, was zur Einfachheit eines morphologischen Systems beiträgt: Leichter erlernbar sind offenbar regelmäßige Paradigmata, d. h. solche, die ein geringes Inventar von je eindeutig interpretierbaren Formen aufweisen. So ist die schwache Konjugation im Deutschen einfacher als die starke, weil nahezu alle schwachen Verben dieselben Prä- und Suffixe annehmen, wenn sie konjugiert werden. Die starken Verben hingegen müssen zunächst in verschiedene Klassen (Ablautreihen) subklassifiziert werden, anders gesagt: es gibt für dieselben Informationen (Tempus, Numerus, Person...) verschiedene Paradigmata. Das erste, was das Kind erkennt, ist die Bedeutung einer Wortform. Es analysiert dann diese Wortform und bildet analog zu den schon vertrauten regulär neue Wortformen. So können *geschreibt* und *gekommt* in Analogie zu *gespielt* und *gekämmt* natürlicherweise in der Kindersprache auftreten. Wenn unterschiedliche Morphe auftreten, werden sie vom Kind (hypothetisch) als Zeichen unterschiedlicher Bedeutung gedeutet: Instinktiv geht das Kind nicht von Homonymie oder Synonymie aus, vielleicht auch nicht von Amalgam. M. a. W.: Viele „Fehler" (Abweichungen von der Zielsprache, hier von der Erwachsenensprache) in der Kindersprache sind eigentlich Ergebnis von regelhaften Hypothesen: Das Kind hat von der Sprache, insbesonders von der Morphologie, eine „systematische", „regelhafte" Vorstellung, und ist daher in seinem Sprachverhalten auch dann konsequent, wenn es sich fehlerhaft ausdrückt; erst im Laufe der Zeit lernt es, „sein" Regelsystem zu verfeinern, zu differenzieren, dem Wahrgenommenen anzupassen.[44]

3.1.3 Wie ökonomisch ist das deutsche morphologische System?

Wir haben bisher die morphologischen Phänomene im Deutschen unter dem Gesichtspunkt der Komplexität vorgestellt. Ein weiterer, nicht unwichtiger Gesichtspunkt bei der Bewertung eines morphologischen Systems ist der der Ökonomie: Ein isoliert mehrdeutiges Morph muß nicht, in einem bestimmten Kontext, die Gesamtkomplexität der Analyse beeinträchtigen, nämlich genau dann nicht, wenn dessen Kontext die Vielzahl der Deutungen auf eine reduziert, d. h. disambiguiert: *-er* im Kontext *Kind-* kann nur als [PLURAL] gedeutet werden, im Kontext von *Lehr-* kann es nur als [NOMEN AGENTIS] gedeutet werden, im Kontext von *schön-* kann es als [GRAD] oder z. B. auch als Amalgam von [NOMINATIV], [SINGULAR] und [MASKULINUM] ge-

---

44 Die Tatsache, daß die kleinen Kinder einen Sinn fürs Regelhafte haben, kann sprachdidaktisch ausgenutzt werden: So könnte in der Grundstufe der systematische Charakter der Sprache vielleicht stärker als bisher die Basis des Unterrichts/der Progression sein.

deutet werden. Im Falle von *schöner Mann* ist aber nur letztere Deutung möglich, im Falle von *das ist schöner* nur [GRAD]. M. a. W.: Die Mehrdeutigkeit der Morphe ist nur im isolierten Fall (d. h. ohne Berücksichtigung des Kontextes) evtl. eine Quelle von Verständniserschwernis, in vielen Fällen jedoch grenzt der Kontext, d. h. die syntaktische Analyse desselben, die Anzahl der in Frage kommenden Lesarten ein. Wie dies geschieht, sei am Paradigma der Adjektivflektionen illustriert.

Das attributive Adjektiv kongruiert in Genus, Numerus und Kasus mit dem Nomen, auf das es sich bezieht. Seine Form hängt aber außerdem von dem davor stehenden (oder fehlenden) Artikel (dem Determinanten) ab: Nach dem bestimmten Artikel gilt die sog. „schwache" Deklination (die Informationen über Genus, Kasus und Numerus der NP werden im wesentlichen vom Artikel geliefert, der Beitrag des Adjektivs ist eher „schwach"). Fehlt der Artikel, dann übernimmt das Adjektiv die Aufgabe, Genus, Numerus und Kasus deutlich zu machen: Man nennt dieses Flexionsparadigma die „starke" Deklination. Nach dem unbestimmten Artikel oder Possessivpronomen (*mein, dein, sein...*) gilt die sogenannte „gemischte" Deklination. Hier der Formenbestand bei einem maskulinen Nomen:

Starke Deklination:

	Singular	Plural
Nom	trock(e)ner Wein	trock(e)ne Weine
Akk	trock(e)nen Wein	trock(e)ne Weine
Gen	trock(e)nen Wein(e)s	trock(e)ner Weine
Dat	trock(e)nem Wein	trock(e)nen Weinen

Schwache Deklination:

	Singular	Plural
Nom	der trock(e)ne Wein	die trock(e)nen Weine
Akk	den trock(e)nen Wein	die trock(e)nen Weine
Gen	des trock(e)nen Wein(e)s	der trock(e)nen Weine
Dat	dem trock(e)nen Wein	den trock(e)nen Weinen

Gemischte Deklination:

	Singular	Plural
Nom	sein trock(e)ner Wein	seine trock(e)nen Weine
Akk	seinen trock(e)nen Wein	seine trock(e)nen Weine
Gen	seines trock(e)nen Wein(e)s	seiner trock(e)nen Weine
Dat	seinem trock(e)nen Wein	seinen trock(e)nen Weinen

[Betrachtet man die NP beim Fehlen des Artikels im Plural als unbestimmte NP, dann kann man sagen, daß für eine unbestimmte NP im Singular die gemischte und im Plural die starke Deklination gilt.] Die gemischte Deklination ist im Plural identisch mit der schwachen und im Singular (bis auf den Dativ) identisch mit der starken.

Betrachtet man die Kette Art + Adj + N, dann wird deutlich, daß bestimmte Endungen in bezug auf die Identifikation des Kasus besonders
„aussagekräftig" sind:

	Singular/ Maskulinum	Plural
Nom	-er	-e
Akk	-en	-e
Gen	-(e)s	-er
Dat	-em	-en

Offenbar reicht es zur Identifikation des Kasus einer NP, wenn diese
Endungen einmal vorkommen. Ist kein Artikel vorhanden oder ein
endungsloser Artikel (ein im Nominativ Singular), dann wird das Adjektiv zum Träger dieser Endungen. Da die Genitivendung -(e)s von
dem N getragen wird, tritt sie beim Adjektiv nicht auf. Allerdings tritt
sie bei allen Artikeln auf (des, eines, seines), so daß man sagen kann,
daß im Falle des Maskulinums die Genitiv-NP (im Singular) redundant
markiert ist. Wird die aussagekräftige, „informative" Endung vom Artikel getragen, genügt für das Adjektiv -e (Nominativ) bzw. -en (sonst).
M. a. W.: Die Flexion der deutschen NP ist deswegen komplex (z. B.
für Ausländer), weil nicht ein und dasselbe Morph beim Artikel, beim
Adjektiv und beim Nomen wiederholt auftritt; dafür ist sie aber weitgehend ökonomisch (nicht redundant) in dem Sinne, daß ein aussage-
kräftiges Morph in der NP (wenn nicht am N, dann am Artikel; wenn
nicht am Artikel, dann am Adjektiv) auftritt, mit dem Effekt, daß die
Zugehörigkeit der restlichen Teile (N oder Adj) zu der betroffenen NP
durch eine weniger aussagekräftige Endung zum Ausdruck gebracht
wird. (Die aussagekäftigen Endungen sind in der folgenden Tabelle
fettgedruckt; wenn zwei Endungen in derselben Zeile fettgedruckt sind,
liegt Redundanz vor.) Die Flexion der Ketten, die aus Artikel+Ad-
jektiv+Nomen bestehen, zeigt, daß die Syntax die Domäne festlegt, in
der von Ökonomie oder Redundanz gesprochen werden kann. Der ein-
geklammerte Ausdruck in *die kleinen Kinder bekommen Milch*, [*die
großen Saft*] ist nicht als eine NP zu analysieren (entsprechend ist *ie-
en*-N$_{sing}$ keine morphologisch wohlgeformte Folge).

Singular			Plural		
d-	Adj.	N	Art.	Adj.	N
-er	-e	-	**-ie**	-en	-
-en	-en	-	**-ie**	-en	-
-es	-en	-(e)s	**-er**	-en	-
-em	-en	-(e)	**-en**	-en	**-n**
kein					
-	**-er**	-	**-e**	-en	-
-en	-en	-	**-e**	-en	-
-es	-en	-	**-er**	-en	-
-em	-en	-(e)	**-en**	-en	**-n**
Ø					
Ø	**-er**	-	Ø	**-e**	-
Ø	**-en**	-	Ø	**-e**	-
Ø	-en	-(e)s	Ø	**-er**	-
Ø	**-em**	-(e)	Ø	**-en**	**-n**

Beispiele von Redundanz in der Morphologie gibt es noch mehr, wenn man nicht von der isolierten Wortform ausgeht, sondern von syntaktischen Komplexen. *Liebst* als Verbform ist eindeutig 2. Pers Sg, so daß die Hinzufügung des Personalpronoms *du* (ebenfalls eindeutig) Redundanz erzeugt. In *alle drei Kinder spielten im Garten* wird die Information, daß es sich um eine Mehrzahl von Kindern handelt, durch vier Faktoren zum Ausdruck gebracht: Einmal durch das Zahlwort *drei* (lexikalische Bedeutung), einmal durch die Endung -*er* von *Kinder*, die eindeutig ein Morph des Morphems [PLURAL] ist, einmal durch die – ebenfalls in bezug auf Numerus eindeutige – Verbendung -*en* in *spielten* und schließlich durch die Endung -*e* in *alle*, die zwar auch Singular markieren könnte, aber nur vor einem femininen Nomen, vor *Kind* also nur als Pluralmorph gedeutet werden kann. Das oben behandelte Beispiel der Adjektivflektion zeigt, daß in einem syntaktischen Komplex verschiedene Morphe, die isoliert mehrdeutig sind, durch die Kenntnis der Kongruenz eindeutig gewertet werden – so daß der der Eindruck entstehen kann, einige dieser Morphe seien – für sich betrachtet – im betroffenen Kontext redundant: so z. B. die Artikelendung -*es* in *des großen Hauses* oder *eines großen Hauses*: Da *Hauses* nur Genitiv sein kann, ist der Kasus der Nominalphrase durch die Nomenendung -*es* allein eindeutig identifizierbar. Man sollte aber nicht voreilig denken, daß solche Redundanzen systematisch wegreformiert werden sollten – abgesehen von der Frage, ob ein Sprachsystem überhaupt künstlich reformiert werden kann. Denn es gibt Nominalphrasen, deren Hauptnomen keine Genitivendung übernehmen, bei denen also gerade die Artikelendung den Kasus zu identifizieren erlaubt (z. B. *des späten Goethe, des jungen Werther...*): Wollte man die Redundanz der Artikelendung bei *des großen Hauses* beseitigen, müßte man für den Genitiv zwei Artikelendungen vorsehen: -*es* im Falle eines Eigennamens, sonst eine andere, z. B. -en . Man hätte eine Redundanz weniger, aber ein Allomorph mehr, also insgesamt kein einfacheres System. Das heutige System des Deutschen ist ein historisch gewachsenes System, aber es hat ein Gleichgewicht, und jede Veränderung (etwa durch Streben nach mehr Einfachheit oder weniger Redundanz motiviert) führt naturgemäß – wie beim Mikadospiel – zu weiteren Veränderungen an anderen Stellen – die vielleicht nicht insgesamt zu einer Vereinfachung führen. (➡ Übung 22–25).

Es ist nicht abwegig, sich zu fragen, durch welche Eigenschaften ein optimales System charakterisiert ist, und ob der Sprachwandel zur Optimierung des Systems beiträgt. Solchen Fragen liegt die Vorstellung zugrunde, daß ein System eine Art Gleichgewicht darstellt, das einen gewissen Grad an Ökonomie aufweist, und daß es bessere und schlechtere Ökonomien gibt. Nur: Die Antwort ist nicht leicht. Man könnte z. B. denken, Kasusmarkierungen seien überflüssig: Es gibt ja Sprachen ohne Deklination. Aber: Wie könnte dann im Deutschen die grammatische Funktion der einzelnen Nominalphrasen im Satz erkennbar gemacht werden? Die romanischen Sprachen beispielsweise weisen durch feste Wortstellungsregeln und durch Präpositionen den NPs grammatische Funktionen zu. Man könnte sich die deutsche Sprache so vorstellen, daß durch Präposition eingeleitete Nominalphrasen nicht dekliniert werden, daß die grammatische Funktion einer NP entweder durch eine Kasusmarkierung oder durch eine Präposition zum Ausdruck gebracht wird. Als Kasus könnten für die Verbalphrase Subjektkasus (Nominativ) und Objektkasus (Akkusativ) reichen (vgl. *lehren*), für die Nominalphrase Genitiv als Attribut-Kasus. Nach Präposition käme Kasuslosigkeit (wie auch immer realisiert) oder Nominativ (als Nennkasus verstanden) in Frage. Ein solches System ist nicht nur vorstellbar, es wäre auch funktionsfähig insofern, als auch komplexe, syntaktische Konstruktionen wie (1) und (2) analysierbar und verständlich wären (wir empfinden (1) und (2) als vom Standarddeutschen abweichend, aber verständlich). Wer kann aber behaupten, dieses System wäre „ökonomischer" oder „einfacher" oder „natürlicher" oder „leichter zu lernen" als das jetzt gültige?

(1)   *mit des Kaisers weiß(er) Bart*
(2)   *er dankt die ihn unterstützenden Fans*

Man sollte außerdem die Redundanz nicht nur als Übel betrachten, sie hat auch ihre Vorteile. Man darf nicht vergessen, daß in der natürlichen sprachlichen Kommunikation oft Störungen auftreten: Der Sprecher artikuliert undeutlich oder verspricht sich, der Hörer hört unvollkommen (z. B. wegen eines Rauschens in der Telefonleitung) oder ist zu wenig aufmerksam usw. Kurz: Ein Teil der bedeutungsrelevanten Ausdrücke wird nicht optimal rezipiert, aber der Rest, dank der Redundanz, reicht trotzdem für eine erfolgreiche Kommunikation aus. Zu einem funkti-

onsfähigen System gehört also ein gewisses Ausmaß an Redundanz.
(➡ Übung 26).

Kehren wir zurück zur Frage der Beziehung zwischen Morphologie
und Syntax: Vergleicht man etwa (3) mit (4), dann kann man sagen,
daß die morphologische Opposition *spielt/spielte* Reflex einer semantischen Opposition Gegenwart/Vergangenheit ist, ohne daß man annehmen
muß, daß sich die beiden Sätze syntaktisch unterscheiden:

(3)   *das Kind spielt mit dem Hund*
(4)   *das Kind spielte mit dem Hund*

Die Morphologie gibt Auskunft über einen Bedeutungsunterschied
zwischen den Sätzen, die syntaktisch gleich sind. Vergleicht man hingegen etwa (5) mit (6), dann erkennt man an zweierlei Faktoren, daß in
(5) das Kind, in (6) der Hund klein ist:

(5)   *das kleine Kind streichelt den Hund*
(6)   *das Kind streichelt den kleinen Hund*

Zum einen steht die Form *kleine* in Opposition zu *kleinen*, zum ande-
ren steht *kleine* zwischen *das* und *Kind*, *kleinen* zwischen *den* und
Hund: d. h. sowohl die Wortform von *klein* als auch die Stellung des
Adjektivs geben darüber Auskunft, worauf sich *klein* bezieht, ob es
Attribut zu *Kind* oder Attribut zu *Hund* ist. M. a. W.: Sowohl die
Morphologie im engen Sinne (Formenlehre), als auch die Wortstellung
geben über die syntaktische Struktur des Satzes Auskunft.

Es gibt im Deutschen Fälle, in denen die Formenlehre allein über
die syntaktische Struktur Auskunft gibt, und Fälle, wo die Wortstellung
allein dies leistet. Vergleiche (7) und (8):

(7) (a)   *Der Lehrer tadelt den Schüler.*
(7) (b)   *Den Lehrer tadelt der Schüler.*
(8) (a)   *Die Lehrer tadeln die Schüler.*
(8) (b)   *Die Schüler tadeln die Lehrer.*

In (7) (a)–(b) machen die Formen *der/den* deutlich, welche NP als Subjekt fungiert (d. h. den Tadelnden bezeichnet) und welche als Objekt
fungiert (d. h. den Getadelten bezeichnet). In (8) (a)–(b) ist es einzig
und allein die Wortstellung, die – evtl. zusätzlich zur Intonation –
Auskunft darüber gibt, ob die Lehrer oder die Schüler die Tadelnden
sind, d. h. welche NP als Subjekt und welche als Objekt fungiert: Die
Morphologie (Formenlehre und/oder Wortstellung) hat somit die
Funktion, Auskunft über die syntaktische Struktur zu geben (was ist
Attribut zu was/Konstituente wovon, was ist Subjekt/Objekt des Satzes). Natürlich ist die syntaktische Struktur für die Bedeutung des Satzes relevant, aber auch wenn man nicht weiß, was etwa (9) bedeutet,

kann man die Hypothese aufstellen, daß *Badilien* Subjekt, *Kaniolen* Objekt und *haben gefankt* Verb sind.

(9)   *Badilien haben Kaniolen gefankt.*

Genauso würde man (10), ohne die Wörter zu verstehen, so analysieren, daß *die Badilie* als Subjekt (vgl. Singularendung beim vermeintlichen Verb fankt) und *dem Badiolen* als Objekt analysieren (vgl. (11)). Die Beispiele (5)–(11) sollen zeigen, daß die Morphologie auch Ausdruck der syntaktischen Struktur ist.

(10)   *Die Badilie fankt dem Badiolen.*
(11)   *Die Frau dankt dem Kellner.*

3.2 Wortstellung

Wir haben im Kapitel 2. („Syntax") an mehreren Stellen auf Probleme hingewiesen, die dann entstehen, wenn man die Worstellungsbeziehungen als syntaktische Beziehungen betrachtet: Weder Dependenzbeziehungen noch Konstituenzbeziehungen korrelieren eindeutig und systematisch mit Wortstellungseigenschaften. Da die D-Graphen keinerlei Informationen über die lineare Anordnung der Wörter im Satz enthalten, sind in der Dependenzgrammatik gesonderte Linearisierungsregeln vorgesehen, die etwa besagen, daß im deutschen Aussagesatz eines der vom Verb regierten Nomina vor dem finiten Verb stehen soll, daß ein vom Nomen abhängiges Adjektiv (Attribut) – wenn es flektiert ist – vor dem Nomen stehen muß, daß ein Artikel vor dem Nomen bzw. dem attributiven Adjektiv steht usw. Tesnière sagt ausdrücklich, daß die Linearisierungsregeln keine Rolle beim Konstruieren der syntaktischen Struktur spielen. Vielmehr regeln sie den Übergang von der D-Struktur zum konkreten Satz (zur „Rede"), ebenso wie die Regeln, die den syntaktischen Wörtern ihre morphologische Form verleihen.

In der Konstituentengrammatik wird eine so klare Trennung nicht immer vorgenommen: Wenn die Wortstellungsverhältnisse den Konstituentenbeziehungen nicht entsprechen, werden Sondermaßnahmen ergriffen (z. B. Transformationsregeln), damit eine syntaktische Struktur mit guter Entsprechung zur Linearisierung entsteht. Grundsätzlich wird von der K-Struktur erwartet, daß sie, gegebenenfalls zusammen mit den postulierten Transformationen, auch über die Linearisierung im Satz Auskunft gibt. Es ist in den seltensten Fällen im Deutschen so, daß die K-Struktur allein, ohne TR, der linearen Anordnung der Wörter im Satz entspricht: Jeder Satz, der nicht mit der Subjekt-NP beginnt, erfordert eine Sonderbehandlung; ebenso jeder Satz, dessen nicht-fini-

tes Verb nicht an letzter Stelle steht, jeder extraponierter Relativsatz
usw.

Im Abschnitt „Wortstellung" (Kap. 2.5) haben wir ein Wortstel-
lungsmodell vorgestellt, das keinen Bezug auf K-Struktur voraussetzt,
sehr wohl aber einen zu morphologischen Wörtern: Es ist für die Wortstellung nicht unwichtig, ob das Verb aus einem oder aus mehreren
morphologischen Wörtern besteht (*kam* vs. *ist gekommen*). Es lassen
sich weitere Beispiele für eine unmittelbare Beziehung zwischen Wortstellung und morphologischer Realisierung der syntaktischen Wörter
finden:

Wird ein nominales Attribut als Genitiv-NP realisiert, dann kann es
nach, aber unter bestimmten Bedingungen auch vor dem Kopf der NP-
Konstituente, auf den es sich bezieht, stehen. Als *von* + NP (oder generell als PP) realisierte Attribute können nur nach besagtem Kopf stehen. (➡ Übung 27).

(12) (a)	*Das Haus meines Vaters*	
(12) (b)	*Meines Vaters Haus*	
(13) (a)	*Ein Beweis des Steuerbetrugs*	
(13) (b)	*??Des Steuerbetrugs Beweis*	
(14) (a)	*Das Haus von meinem Vater*	
(14) (b)	**Von meinem Vater Haus*	
(14) (c)	*?Von meinem Vater das Haus* (umgangssprachlich)	

Werden zwei Objekte in einer Verbalphrase als volle NP realisiert,
steht im Normalfall (d. h. ohne besondere, kontextbedingte Hervorhebung) die Dativ-NP vor der Akkusativ-NP. Wir lassen hier außer acht,
daß die Wahl der Artikel die Reihenfolge der NPs beeinflussen kann.
(Vgl. *Die Frau schenkte einen Saft den Kindern ein.*). Werden sie
beide als Pronomina realisiert, ist es umgekehrt. Vergleiche (15) und
(16):

(15) (a)	*Die Mutter schenkt den Kindern Saft ein.*
(15) (b)	*?Die Mutter schenkt Saft den Kindern ein.*
(16) (a)	*Die Mutter schenkt ihnen Saft ein.*
(16) (b)	*??Die Mutter schenkt den Kindern ihn ein.*
(16) (c)	**Die Mutter schenkt ihnen ihn ein.*
(16) (d)	*Die Mutter schenkt ihn ihnen ein.*

Ein vergleichbares Phänomen findet sich im Französischen, wo volle
Objekte nur nach dem Verb, pronominale Objekt aber vor dem Verb
stehen müssen:

(17) (a)	*La mère sert du jus de fruits aux enfants.*
(17) (b)	*La mère sert aux enfants du jus de fruits.*
(17) (c)	*La mère le sert aux enfants.*
(17) (d)	*La mère leur sert du jus de fruits.*
(17) (e)	*La mère le leur sert.*
(17) (d)	**La mère leur le sert.*

Ein weiteres Beispiel aus dem Französischen: Nur wenn das Objekt
vor dem Verb steht, kongruiert das Partizip mit dem Objekt in Numerus und Genus, sonst nicht:

(18) (a)	*Il a appris sa leçon.*
(18) (b)	**Il a apprise sa leçon.*
(18) (c)	**Il l' a appris.*
(18) (d)	*Il l' a apprise.*
(18) (e)	**La leçon qu' il a appris.*
(18) (f)	*La leçon qu' il a apprise.*

Solche Fakten zeigen die gegenseitige Beeinflussung von Formenlehre
und Wortstellung: Ob ein Attribut als Genitiv-NP oder als von-PP realisiert wird, ob ein Objekt als volle NP oder als Pronomen realisiert
wird, ob ein Verb ein einfaches oder ein Verb mit sog. „trennbarer Partikel" ist (*beginnen /anfangen : er beginnt mit der Suppe* vs. *er fängt
mit der Suppe an*) usw., dürfte keine konstituentensyntaktische Frage
sein, muß jedenfalls nicht als solche behandelt werden. Vielmehr gibt
es für je eine syntaktische Beziehung verschiedene Realisierungsmöglichkeiten – ähnlich wie es für manche Morpheme verschiedene Allomorphe gibt. Auch die relativ freie Stellung der Konstituenten im
Deutschen, wie z. B. in (19), muß nicht auf unterschiedliche K-Strukturen zurückgeführt werden: Die Wortstellung ist hier vielmehr weitgehend unabhängig von der Konstituentenstruktur.

(19) (a)	*Es hat leider gestern ein Gewitter gegeben.*
(19) (b)	*Gestern hat es leider ein Gewitter gegeben.*
(19) (c)	*Ein Gewitter hat es leider gestern gegeben.*
(19) (d)	*Leider hat es gestern ein Gewitter gegeben.*
(19) (e)	*Es hat gestern leider ein Gewitter gegeben.*

Natürlich gibt sowohl die Form der Wörter als auch deren Stellung im
Satzausdruck Auskunft über die syntaktischen Beziehungen zwischen
ihnen. Und nicht jede beliebige Wortform und jede beliebige Position
ist – für eine gegebene syntaktische Struktur – nicht im Satz möglich,
auch nicht bei Sprachen wie der deutschen mit sogenannter „freier
Wortstellung", aber es ist sinnvoll, Wortformen und Wortstellung als
Mittel der Versprachlichung der abstrakten syntaktischen Strukturen zu
sehen: Sie hängen zum Teil von der syntaktischen Struktur ab, sind
aber nicht mit ihr identisch. Und da die möglichen Positionen eines
Ausdrucks im Satz von dessen Form abhängen (oder umgekehrt), ist es
sinnvoll, die morphologische Realisierung der syntaktischen Wörter
und deren Positionierung im Satz in einer nach der Konstruktion der
syntaktischen Struktur operierenden Komponente der Grammatik zu
beschreiben[45, 46].

---

45 Der bisweilen verwendete Begriff „Morphosyntax" dürfte sowohl die Syntax im hier
   verwendeten Sinne (d. h. Beschreibung der hierarchischen (Satz)Struktur) als auch

Zugabe: Morphologische Analyse von Werbesprüchen

(1)   *Größer, besser, lecker* [MacDonald's]

Abgesehen von seinem Rhythmus fällt dieser Spruch durch den Reim auf: Alle drei Adjektive enden auf *-er*. Nur: Die Silbe *-er* trägt in den ersten beiden Fällen zur Komparativbildung bei, im dritten Fall ist sie Bestandteil des (lexikalischen) Morphems *lecker*. *Größer* ist regelmäßig zu analysieren als *groß* + [Palatalisierung des Stammvokals + *-er*-Affix$_{komparativ}$]. *Besser* ist eine (irreguläre) Verschmelzung von *gut* + [Komparativ], *lecker* ist morphologisch nicht weiter zerlegbar. Unter dem Einfluß der ersten beiden Adjektive erwartet der Leser auch bei *lecker* eine Komparativform. Daher Überraschungseffekt!

(2)   *Je Fachinger, desto gesünder.*

Je...desto kann nur mit Komparativen verwendet werden, die im regulären Fall am Suffix *-er* (evtl. mit Palatalisierung (Umlaut) des Stammvokals) erkennbar sind. Daher die Versuchung, *Fachinger* als Komparativ eines Adjektives *Faching* zu analysieren. Da ein solches Adjektiv nicht existiert, muß diese Hypothese verworfen werden. Aber dieser Korrekturvorgang trägt dazu bei, daß man auf den Namen *Fachinger* besonders aufmerksam wird und sich ihn vielleicht einprägt.

Das Morph *-er* kann als Wortbildungssuffix (mit einem Ortsnamen verbunden) die Herkunft bezeichnen (*Berliner, Hamburger, Göttinger*), eine für *Fachinger* plausible Hypothese, zumal *Fachinger* groß geschrieben ist. *Fachinger* kann also etwas bezeichnen, was aus *Faching* oder *Fachingen* stammt. Aber diese Analyse „rettet" nicht die erste Hypothese, denn *Fachinger* ist auch in diesem Fall weder ein Adjektiv noch ein Komparativ: Der Spruch bleibt abweichend.

(3)   *Eine Kuh macht muh*
        Viele Kühe machen Mühe.

Auch hier wird mit der Diskrepanz zwischen lautlichem und morphologischem Parallelismus gespielt: Es könnte sein, daß der Kontrast zwi-

---

Morphologie im weiten Sinne (Formenlehre *und* Wortstellung) bezeichnen, freilich ohne daß deren Zusammenspiel genau beschrieben wird.
46 Man könnte meinen, die Unterscheidung zwischen Tiefen- und Oberflächenstruktur, wie sie in der klassischen generativen Grammatik vorgenommen wurde (s. Exkurs in Kap. 2.8), entspräche der hier vertretenen Einteilung in Syntax einerseits und Morphologie im weiten Sinne andererseits. Dem ist aber nicht so: Die Versprachlichung der OS ist nur zum Teil Aufgabe der TR (die zur OS führen), im wesentlichen jedoch Aufgabe der interpretativen Phonologie-Komponente, welche freilich besser „Morphonologie" heißen sollte, weil sie auch Teile der Formenbildung mit enthält.

schen *Kuh* und *Kühe* (die Opposition Singular/Plural) derselbe ist zwischen *muh* und *Mühe*. Dem ist aber nicht so, denn *Mühe* ist ein einfaches Morphem (im Singlar), das nicht als *muh* + Umlaut + *-e*] ([Plural]) analysiert werden kann. Zum einen weil *muh* kein Substantiv ist, zum anderen weil die Bedeutung von *muh* in der von *Mühe* nicht steckt.

Übungen zu Kapitel 3

Übung 1: Bestimmen Sie die folgenden Verbformen:

sei	*wäre*	*wäre gewesen*
hatte gedacht	*denkt*	*denke*
dächte	*befohlen*	*nachgedacht*
dürfe	*operiert*	

Übung 2: a) Welche Verben werden als Modalverben im Deutschen aufgefaßt? b) Was macht sie zu morphologisch unregelmäßigen Verben? c) Ist die Kategorie „Modalverb" eine rein morphologische? d) Welche nicht-morphologischen (also syntaktischen oder semantischen) Eigenschaften sind ihnen auch gemeinsam?

Übung 3: Welche Eigenschaft charakterisiert die schwachen Verben im Gegensatz zu den starken Verben?

Übung 4: a) Suchen Sie nach weiteren unregelmäßigen Verben. b) Wie läßt sich historisch der Umlaut (die „Palatalisierung") bei der 2. und 3. Person Singular mancher starker Verben erklären (z. B. *schlafen/du schläfst, geben/du gibst, laufen/du läufst*)?

Übung 5: Wie wird der Plural bei maskulinen, femininen und neutralen Nomina im Deutschen gebildet? Nennen Sie für jeden Bildungstyp ein Beispiel! Läßt sich in manchen Fällen die Pluralbildung aus Genus und/oder Stammform des Nomens mit Sicherheit ableiten?

Übung 6 : Was charakterisiert die sog. „schwachen" Nomina (Nomina mit schwacher Flexion) im Deutschen?

Übung 7: Suchen Sie nach Nomina im Deutschen, die keine Singular-Form haben, und nach solchen, die keine Plural-Form haben.

Übung 9: a) Warum ist es schwer, das Genus der folgenden Wörter zu bestimmen?

Augenmerk	*Verlaub*	*Hehl*
Anbetracht	*Abrede*	*Mißkredit*

b) Welches Genus erhalten im Deutschen Substantive fremder Herkunft? Suchen Sie nach Beispielen und Regelmäßigen. c) Welche Pluralform erhalten im Deutschen Substantive fremder Herkunft? Suchen Sie nach Beispielen und Regelmäßigkeiten. d) Wie vorhersagbar ist 1. das Genus, 2. die Pluralform deutscher Substantive?

Übung 9: a) Suchen Sie nach Adjektiven, die nicht oder nicht regelmäßig flektiert werden. Kann man sie trotzdem in attributiver Funktion verwenden? b) Suchen Sie nach Adjektiven, die nur in flektierter Form (also nur in attributiver Funktion) auftreten.

Übung 10: Geben Sie Beispiele von Adjektiven oder Partizipien in appositiver Position. Welche Form nehmen sie dann an?

Übung 11: Nennen Sie weitere graduierbare Adverbien! Suchen Sie nach Adjektiven, die keine Komparativ- und keine Superlativform haben.

Übung 12: Nennen Sie Wörter, die sowohl als Adjektive als auch als Adverbien bezeichnet werden können. Bilden Sie mit ihnen Beispiele, aus denen man entnehmen kann, ob sie als Adjektiv oder als Adverb gelten.

Übung 13: Wie sind Ausdrücke wie *die zue Tür* oder *der abe Arm* zu bewerten?

Übung 14: Als Artikel im engeren Sinne gelten im Deutschen *der/die/das* und *ein/eine/ein* und (mit Negation kombiniert) *kein/keine/kein*. Wie bilden Sie den Plural?

Übung 15: Suchen Sie nach Wörtern, die als „Artikelersatz" fungieren können (sog. „Determinanten"). Welche unter ihnen können neben einem Artikel auftreten, welche nicht? Wie werden diese verschiedenen Subklassen von Determinanten genannt?

Übung 16: Suchen Sie nach Beispielen, in denen vor dem Nomen kein Artikel auftreten kann. Gibt es für diese Regelmäßigkeit (eine) Erklärung(en)?

Übung 17: Welche Informationen stecken in den folgenden Wortformen: *größeren, größerem, Küssen, küssen, bester, neuer, Geliebter*?

Übung 18: Suchen Sie nach weiteren Klassifikationen der starken Verben im Deutschen (z. B. in Duden 4). Welche würden Sie vorziehen a) für den Unterricht Deutsch als Fremdsprache und b) für den Unterricht Deutsch als Muttersprache?

Übung 19: Welche Eigenschaft ist charakteristisch für die aus dem Französischen entlehnten Verben auf *-ieren*?

Übung 20: Wie würden Sie die Präteritum- und die Perfektformen von aus dem Englischen entlehnten Verben wie *outen, scannen* usw. bilden?

Übung 21: Was können im Deutschen *-en, -er, -e,* -t-, -st- und *ge-* ausdrücken? Geben Sie jeweils Beispiele.

Übung 22: a) Wie werden die Personalpronomina *ich, du, er, sie, es, wir, ihr, sie* dekliniert? Vergleichen Sie diese Formen mit denen der Possessiva (*mein, dein, sein, ihr...*). Was fällt auf? b) Worin unterscheiden sich die Formen des bestimmten Artikels von denen des Relativpronomens im Deutschen?

Übung 23: Suchen Sie nach Präpositionen, die den Genitiv regieren und fragen Sie sich vor diesem Hintergrund, ob der Genitiv im Deutschen wirklich nur „edel", archaisch, „vom Verfall bedroht" ist.

Übung 24: a) In welchen anderen Fällen (als den hier genannten Adjektiven und Nomen) kann man im Deutschen von Kongruenz sprechen? Nennen Sie dazugehörige Beispiele.

Übung 25: Wie ist *es kostet unser aller Geld* morphologisch zu analysieren?

Übung 26: Wie läßt sich erklären, daß die folgenden Äußerungen, obwohl morphologisch defekt, verstanden werden:

(1)   *Ich danke meine Freunde aus Wuppertal für ihre Hilfe*
(2)   *Die Mutter geht mit ihr Kind zum Doktor*
(3)   *Türkisch Kind schlecht deutsch sprechen*

Übung 27: Welche Regelmäßigkeit machen folgende Beispiele sichtbar?

(1) (a)   *der Verzehr ranziger Butter*
(1) (b)   * *der Verzehr Butter*
(1) (c)   *der Verzehr von Butter*
(2) (a)   *die Werke berühmter Komponisten*
(2) (b)   * *die Werke Komponisten*
(2) (c)   *die Werke von Komponisten*

4 Von Bedeutung und Verstehen

4.1 Ein Beispiel als Einstieg

(1)   *Ich habe gestern mein Hochzeitskleid bestellt.*

Wenn am 17. Juni 1993 Petra zu ihrer Freundin Gisela (1) sagt, dann versteht/lernt Gisela, daß (a) am 16. Juni 1993 Petra ihr Hochzeitskleid bestellt hat und (b) Petra demnächst heiraten wird, daß es also einen Mann x gibt, den Petra demnächst heiraten wird.

Man kann (a) als das **ausdrücklich** Mitgeteilte von (b) als dem **implizit** Mitgeteilten, aus (a) Ableitbaren unterscheiden, und zwar aufgrund bestimmter Vorstellungen, die man von der Institution „Ehe" hat. Um aus der Äußerung (1) (a) zu verstehen, muß Gisela die Bedeutung der Wörter *bestellen, gestern, Hochzeit* und *Kleid* kennen; hierfür ist offenbar ihr sprachliches Wissen zuständig. Die (lexikalische) Bedeutung von *x bestellen* könnte hier in etwa sein „verbindlich vereinbaren, daß man x zu kaufen, d. h. gegen Geld zu erwerben, beabsichtigt"; die von *Hochzeit* etwa „Zeremonie anläßlich von Heirat", die von *Kleid* etwa „aus einem Stück bestehendes, speziell für Frauen vorgesehenes (Ober)Kleidungsstück". Die Bedeutung von *gestern* ist nicht so konstant: *Gestern* bezeichnet immer einen Tag, auf den man nur referieren kann, wenn man den Tag kennt, an dem das Wort geäußert wird; *gestern* bezeichnet nur deswegen hier den 16. Juni 1993, weil man weiß, daß Petra (1) am 17. Juni 1993 geäußert hat. Daß sich hier *ich* auf Petra bezieht, leitet Gisela von der Tatsache ab, daß Petra die Sprecherin von (1) ist.[47]

Daß *heiraten* ein zweistelliges Prädikat ist, daß es also eine zweite Person geben muß, die von dieser Hochzeit tangiert wird, mag auch vom (sprachlichen) Wissen um die Bedeutung von *heiraten* ableitbar sein; daß *Hochzeitskleid* gemeinhin das Brautkleid bezeichnet und nicht das Kleid, das ein beliebiger weiblicher Hochzeitsgast zum Fest

---

47 Die Wörter *gestern* und *ich* werden als **deiktische** (griech. *deik-*„ zeigen") Ausdrücke bezeichnet (vgl. Kap. 1), weil ihre Bedeutung von der jeweiligen Äußerungssituation abhängt: Nur wenn man weiß, wer wann (wo) mit wem spricht, kann man solche Ausdrücke mit bestimmten Personen, Zeitpunkten und Orten in Verbindung setzen. Hätte Gisela – gerade von ihrem Urlaub zurückgekehrt – lediglich einen Zettel mit (1) in ihrem Postkasten vorgefunden, dann wüßte sie nicht, wer wann wessen Hochzeitskleid bestellt hat.

anzieht, ist vielleicht auch sprachliches Wissen (Lexikalisierung). Aber daß Petra noch nicht verheiratet war oder geschieden oder verwitwet ist, das kann Gisela aus (1) nur folgern, weil sie weiß, unter welchen Bedingungen in unserer Kultur eine Heirat möglich ist: Hier ist ihr Wissen über Bräuche bzw. Gesetzgebung relevant, generell ihr Sach- bzw. **Weltwissen**, nicht ihre Kenntnis der deutschen Sprache. Natürlich könnte Gisela auch z. B. wissen, daß Petra noch nicht verheiratet ist[48]. Angenommen, Gisela wußte noch nicht, daß der Mann x, mit dem Petra schon länger lebt, nicht mit ihr verehelicht war, dann könnte sie auf (1) mit (2) reagieren:

(2)   *Seid Ihr/bist du denn (noch) nicht verheiratet?*

D. h., sie würde sich danach erkundigen, ob eine Bedingung für die Angemessenheit oder die Möglichkeit von (1) gegeben sind. Sollte sie hingegen auf (1) mit (3) reagieren, dann hieße das, sie weiß von einem potentiellen Partner für Petra (von einem potentiellen Referenten für das zweite Argument von *heiraten*, was semantisch in *Hochzeit(skleid)* steckt) und will bestätigt haben, ob er der Referent ist.

(3)   *Heiratest du Klaus?*

In beiden Fällen ist hier ihr Wissen um die Institution „Ehe(schlie- ßung)" bzw. um die konkrete Eheschließungsabsicht im Spiel, d. h. ihr Wissen um die avisierte Situation, also um ihr Weltwissen.

Gehen wir einen Schritt weiter und nehmen an, Petra und Gisela ha- ben sich gerade darüber unterhalten, wer von beiden die Theaterkarten bezahlen soll, und Petra will mit (1) ihrer Freundin Gisela verständlich machen, daß sie schwach bei Kasse ist. Dann hat (1) nicht nur die Funktion, Gisela mitzuteilen, daß (a), sondern auch die, daß Gisela diesmal ihre Theaterkarte selbst bezahlen möge: (1) kommt einer Bitte an Gisela gleich, sich nicht (wie sonst oft) von Petra einladen zu lassen. Dies ist eine **indirekte Bitte**, die sich als solche nur interpretieren läßt, wenn Gisela weiß, daß Petra sie sonst gern eingeladen hätte. Auch hier ist nicht Giselas Sprachkenntnis einschlägig, sondern ihre Kenntnis von Petras Großzügigkeit. (Sie weiß außerdem, daß Hochzeitskleider in der Regel teuer sind, und daß eine Bestellung eine verbindliche Verpflichtung ist, so daß (1) in etwa gedeutet werden kann als „Ent- schuldige (die Nichteinladung, aber) ich muß im Augenblick mit mei- nen Finanzen vorsichtig sein".) Gisela muß sich also fragen, warum Petra (1) sagt, was Petra dazu bewegt, (1) zu sagen, mit anderen Wor- ten, welche Relevanz (1) in der betroffenen Dialogsituation hat.

---

48 Solches Wissen wird bisweilen **episodisches Wissen** genannt, d. h. Wissen um ein spezifisches Faktum, bezogen auf eben diese Petra.

Dieses Beispiel sollte illustrieren, daß in dem Prozeß des Sprachverstehens nicht nur sprachliches Wissen einfließt, sondern auch Weltwissen (allgemeiner oder episodischer Art). In der Bedeutungslehre wurde (und wird) im allgemeinen versucht, das rein sprachliche Wissen vom Weltwissen zu unterscheiden, um zur **Semantik** nur das zu zählen, was vom sprachlichen Wissen abhängt, und zur sog. **Pragmatik** das, was vom Weltwissen (einschl. der gesellschaftlich festgelegten Sprachkonventionen) abhängt. Grob gesagt: Die Semantik beschreibt das, was situationsunabhängig aus der lexikalischen Bedeutung der Wörter und aus den (syntaktisch bedingten) Beziehungen zwischen ihnen im Satz ableitbar oder errechenbar ist. Die Pragmatik beschreibt das, was von der Äußerungssituation abhängt. Wer ist Sprecher und wer ist Hörer der Äußerung? Was weiß der Sprecher über den Hörer? Was weiß der Hörer allgemein? Welche Weltkenntnisse setzt der Sprecher beim Hörer voraus?... Es hat heftige Diskussionen in den siebziger Jahren in der Linguistik darüber gegeben, wo die Grenze zwischen Semantik und Pragmatik verläuft und ob die Pragmatik noch zur Linguistik gehört. Im Augenblick scheint es so zu sein, daß sich die Semantiker bemühen, auch möglichst viel Situationsabhängiges in die Semantik zu integrieren. Wir werden auf diese Debatte nicht eingehen und im folgenden einen sehr liberalen Semantikbegriff zugrunde legen, indem wir uns fragen werden, was zum Verstehen eines sprachlichen Ausdrucks gehört. (➡ Übung 1–2).

4.2 Was ist die Bedeutung eines Wortes?

Wird ein Sprecher des Deutschen nach der Bedeutung eines Wortes wie z. B. *Junggeselle* gefragt, dann dürfte seine Antwort etwa lauten: *„Ein Junggeselle ist ein erwachsener, männlicher Mensch, der nicht verheiratet ist und weder Witwer, noch geschieden ist, also nie verheiratet war"*. Eine solche Antwort wäre, genau so formuliert, auch auf die Frage *„Was ist ein Junggeselle?"* passend. D. h.: Die Bedeutung des Wortes wird intuitiv einer Menge von Eigenschaften gleichgesetzt, die die Menschen charakterisieren, auf die das Wort *Junggeselle* paßt, auf die mit Hilfe dieses Wortes hingewiesen (referiert) werden kann. Die Dinge aus der Welt, auf die mit einem bestimmten Wort **referiert** wird, nennt man **Referenten**. M. a. W.: Der befragte Sprecher hat „Bedeutung" als **Referenz** aufgefaßt. Das ist allzu natürlich, denn das Kind lernt den Umgang mit neuen Wörtern im wesentlichen durch das Identifizieren von Referenten, und die Wörter dienen ja dazu, auf bestimmte Dinge der Welt (der reellen oder der imaginären) zu referieren. Trotzdem ist es sinnvoll, Bedeutung von Referenz zu unterscheiden.

Wenn wir das Wort (den Namen) *Kohl* benutzen, um auf den jetzigen Bundeskanzler zu referieren, dann interessieren wir uns – außer für Sprachspiele – nicht für die Bedeutung, die das Wort *Kohl* sonst im Deutschen hat. Wenn wir uns auf denselben Referenten aber mit dem Ausdruck *der Bundeskanzler der Wiedervereinigung* beziehen, dann haben wir nicht „dasselbe" gesagt. Auf denselben Referenten wird mit zwei, in ihrer Bedeutung unterschiedlichen Ausdrücken Bezug genommen, d. h. referiert. Wenn es der Fall wäre, daß „Bedeutung=Referenz", dann müßten *Kohl* und der *Bundeskanzler der Wiedervereinigung* bedeutungsgleich sein, was nicht zutrifft. *Kohl* als Eigenname ist eigentlich bedeutungsleer (sprachlicher Zufall!), in *der Bundeskanzler der Wiedervereinigung* stecken deutlich erkennbar die Bedeutung des Wortes *Bundeskanzler*, die des Wortes *Wiedervereinigung* und eine besondere Beziehung zwischen beiden (in diesem Fall etwa „der Bundeskanzler hat die Wiedervereinigung erlebt, bewirkt, sich zugeschrieben, nicht verhindert..."). Und dies ist zweifellos etwas anderes als z. B. *der berühmte Saumagen-Liebhaber*.

Ein akademisches Beispiel für die Unterscheidung zwischen Referenz und Bedeutung ist *Venus/Morgenstern/Abendstern*: Alle drei Wörter haben die gleiche Referenz, „bedeuten" aber auch intuitiv nicht dasselbe[49].(➜ Übung 3–4).

Also: Bedeutung ist nicht gleich Referenz. Aber was ist Bedeutung? Auf diese Frage gibt es in der Linguistik- und Philosophietradition verschiedene Antworten. Für manche ist Bedeutung ein **Begriff** (**Konzept**), eine (**mentale**) **Vorstellung**, die man mit einem Wort verbindet, mit Hilfe dessen man auf ein Ding referieren kann[50]. Fragt man Sprecher des Deutschen, welche (mentale) Vorstellung sie von Junggeselle haben, kann es passieren, daß sie Charakteristiken des – aus ihrer Sicht – „typischen" Junggesellen nennen, wie „ernährt sich von Spiegeleiern oder Fertiggerichten", „wäscht erst ab, wenn kein sauberes Geschirr mehr im Schrank ist", „lebt etwas chaotisch"... D. h.: Unter „Vorstellung" können auch Eigenschaften verstanden werden, die nicht notwendige, „definitorische" Eigenschaften sind, aber mit dem Begriff Junggeselle oft, oder generell, bzw. „stereotypisch" assoziiert werden. (Manche nennen diese Vorstellungen **Konnotationen**, andere nennen sie **Stereotypen**.).

In der sog. **lexikalischen Semantik** (**Wortsemantik**) versucht man, die Bedeutung eines Wortes als eine Menge von **notwendigen** und **hinrei-**

---

49 Dieses berühmte Beispiel stammt von G. Frege (1892), der freilich „Bedeutung" das nannte, was wir „Referenz" nennen, und „Sinn" das, was wir „Bedeutung" nennen.
50 Obwohl es passieren kann, daß man den Referenten nicht kennt, ja nicht einmal weiß, ob es einen gibt. In *ich suche eine Sekretärin, die Norwegisch und Türkisch kann* hat der Begriff „norwegisch-und-türkisch-kundige-Sekretärin" vielleicht genau so wenige Referenten haben, wie der Begriff „gelbe Kornblume" oder der Begriff „umweltfreundliches Automobil".

chenden Bedingungen (**Merkmalen**) zu fassen, unter denen ein Ding als möglicher Referent eines Wortes aufgefaßt werden kann. Die o. g. Eß- und Abwaschgewohnheiten des Junggesellentypus sind weder notwendig noch hinreichend, um einen bestimmten Menschen als Junggesellen zu bezeichnen, daher werden sie nicht in die Merkmalsbeschreibung von *Junggeselle* aufgenommen: Sie gehören (im strengen Sinne) nicht zur semantischen Beschreibung von *Junggeselle*, obwohl sie oft „mitverstanden" werden, wenn das Wort *Junggeselle* verwendet wird. Diese stereotypischen Vorstellungen spielen bei der Interpretation von scheinbar widersprüchlichen Sätzen, wie *er ist verheiratet, aber immer noch sehr Junggeselle* eine Rolle: Eigentlich (von der Definition, d. h. Semantik des Wortes *Junggeselle* her gesehen) ist er kein Junggeselle (er ist verheiratet, und Junggesellen sind nicht verheiratet), aber seine Lebensweise ist weitgehend die eines (stereotypischen) Junggesellen.

Von der semantischen Beschreibung des Wortes *Junggeselle* erwartet man mit Recht, daß sie von allen Mitgliedern der deutschsprachigen Gemeinschaft geteilt wird. Die stereotypischen Vorstellungen hingegen müssen nicht in gleichem Maße von allen geteilt sein – genau wie sie nicht auf alle Referenten zutreffen müssen. Daher hat es Sinn, nur solche Merkmale wie [+ erwachsen], [+ männlich] und [– verheiratet] (wobei „–" hier genau genommen „bisher nie" bedeutet) als **definitorische Merkmale** für *Junggeselle*, also als Ausbuchstabierung der Bedeutung von *Junggeselle* anzunehmen. Damit wird deutlich, daß die „Bedeutung" von *Junggeselle* im technischen Sinne zu unterscheiden ist von der Vorstellung, die die Deutschsprecher von dessen möglichen Referenten haben mögen.

Aber auch das, was wir mit den drei o. g. Merkmalen festzuhalten versucht haben, kann man als einen „Begriff" betrachten, wenn man mit „Begriff" eine abstrakte Vorstellung meint, die auf viele verschiedene konkrete Realisierungen paßt – aber nicht alle einzelnen Eigenschaften erfaßt, die ein Exemplar, eine bestimmte Realisierung, aufweist. Ein Beispiel: Jede Person, auf die mit dem Wort *Junggeselle* verwiesen werden kann, ist nicht nur erwachsen, männlich und verheiratet, sie hat auch ein bestimmtes Alter, eine bestimmte Haarfarbe, ist rechts- oder linkshändig, mehr oder weniger gesund, mehr oder weniger sprachbegabt usw. Solche Eigenschaften sind keine definierenden Eigenschaften für den Begriff „Junggeselle", sie sind weder hinreichend noch notwendig und können daher nicht die Menge der Referenten für *Junggeselle* einschränken.

Der Begriff [+ erwachsen, + männlich, – verheiratet], dem das deutsche Wort *Junggeselle* entspricht, ist gerade wegen der Existenz des Wortes *Junggeselle* jedem Deutschsprecher vertraut und somit unmittelbar verfügbar: Obwohl er komplex ist, wird er beinahe wie einfachere Begriffe (*Mann*, *Frau*, *Kind*...) empfunden; er gehört zum Inventar der mental gespeicherten Begriffe, weil sein Name zum Inventar der gespeicherten Wörter gehört. Der Französischsprecher hingegen, der unter *célibataire* [+ erwachsen], [– verheiratet], aber nicht [+ männlich] versteht (vgl. dt. *ledig*), verfügt nicht über ein fertiges Wort für den Begriff [+ erwachsen, – verheiratet, + männlich] und muß, um diesen Begriff zu versprachlichen, dem Adjektiv *célibataire* das Nomen *homme* hinzufügen (*un homme célibataire*). Der Französischsprecher hat genau wie der Deutschsprecher Zugang zum Begriff [+ erwachsen, – verheiratet, + männlich], das Fehlen eines genau dem Wort *Junggeselle* entsprechenden Wortes im Französischen tangiert nicht sein Denkvermögen; seine Begrifflichkeit zwingt ihn aber zur Bildung eines komplexen Ausdrucks – was ja funktioniert![51] Wenn die Sprache (hier der Wortschatz) das Denken beeinflussen soll, dann nur insofern, als der Wortschatz eine Menge von „Fertigbegriffen" (wie „Fertiggerichte"!) unmittelbar zugänglich macht und insofern hervorhebt. Die anderen möglichen Begriffe bedürfen, wenn sie in Sprache umgesetzt werden sollen, einer kreativen sprachlichen Arbeit, wie im o. g. Beispiel der Bildung einer Nominalphrase mit einem Attribut im Französischen. Man kann also die Bedeutung eines Wortes als einen Begriff betrachten, aber es gibt in keiner Sprache für jeden Begriff[52] ein Wort, und jeder Sprecher kann sich zu jeder Zeit einen neuen Begriff konstruieren (definieren) und in seiner Sprache auf ihn verweisen (d. h. ihn versprachlichen). (➜ Übung 5–7).

Die Sprachen unterscheiden sich u. a. darin, daß und wie sie für unterschiedliche Begriffe fertige Wörter zur Verfügung stellen und daß die Bedeutung jedes Wortes von dem Inventar der für verwandte Begriffe zur Verfügung stehenden Wörter abhängt (s. Kap. 1). Eine Skala von Begrüßungsausdrücken bilden im Deutschen *guten Morgen/guten Tag/guten Abend/gute Nacht*, im Französischen nur *bonjour/bonsoir/ bonne* nuit. *Bonjour* entspricht aber deutsch *guten Morgen* und *guten Tag*, nicht allein *guten Tag*: Nicht nur in den Situationen (zu den Zeiten), in denen der Deutsche *guten Tag* sagt, sagt der Franzose *bonjour*. M. a. W.: Der Wert der Bedeutung von *guten Tag* ist nicht identisch mit dem Wert der Bedeutung von *bonjour*, obwohl *guten Tag* als wortwörtliche Übersetzung von *bonjour* gilt. Die Einteilung des Tages in Morgen (Vormittag), Nachmittag, Abend und Nacht ist nur im Deut-

---

51 Zugegeben, es gibt Wörter in manchen Sprachen, die sich schwer in andere Sprachen übersetzen lassen. Als solche werden immer wieder *Heimat, gemütlich, Kitsch...* genannt. Aber erstens sind sie nicht zahlreich, zweitens entsprechen sie recht vagen und komplexen Begriffen, die in unterschiedlichen Kontexten unterschiedlich versprachlicht werden können.

52 Man beachte, daß wir *Begriff* im Sinne von „Idee", „Konzept"..., nicht von „Wort" verwenden. Das Wort, das einen Begriff versprachlicht, nennen wir „Terminus", „Ausdruck" oder eben „Wort".

schen bei den konventionellen Begrüßungsausdrücken relevant – abgesehen vom marginalen *guten/schönen Nachmittag* (noch), der nur beim Abschied verwendet wird.

Ein anderes Beispiel: Im Deutschen gibt es zur Bewertung der Temperatur (etwa einer Suppe) die Adjektive *kalt, warm* und *heiß*, denen im Französischen die Adjektive *froid* und *chaud* entsprechen. Die Referenz (die Temperaturskala) ist sprachunabhängig, die Bedeutung von *chaud* ist aber anders als die von *warm*, denn *warm* bezeichnet nicht den höchsten Temperaturgrad. Natürlich kann man im Französischen *très/trop chaud* („sehr/zu warm") oder *brûlant* („brennend") sagen, wenn man heiß genauer übersetzen will; d. h., es ist auch im Französischen möglich, den Begriff zu benennen, dem im Deutschen *heiß* entspricht, aber die Tatsache, daß es im Grundwortschatz des Französischen nur *froid/chaud* gibt, zeigt, daß unterschiedliche Sprachen Mittel für unterschiedliche **Kategorisierungen** ein und desselben Ausschnittes der Welt zur Verfügung stellen. Es wäre daher nicht verwunderlich, wenn die binäre Kategorisierung dem Französischsprecher als selbstverständlicher oder sogar „natürlicher" und die ternäre Kategorisierung (*kalt/warm/heiß*) dem Deutschsprecher „natürlicher" vorkäme.

Ein weiteres Beispiel dafür, daß dieselbe Realität (Referenz) von verschiedenen Sprachen verschieden versprachlicht werden kann, d. h., daß Ausdrücke für dieselben Referenten unterschiedliche Bedeutungen haben können, sind die Zahlwörter: So lautet die Zahl 80 im deutschen *achtzig* (=Zahl 8+Zeichen für „mal 10"), im Frz. *quatre-vingt* (=Zahl 4 [mal] Zahl 20); das Zahlwort *neunzig* ist nach demselben Prinzip gebildet wie *achtzig*, frz. *quatrevingtdix* hingegen bedeutet etwa „80 [und] 10".

Die Begriffe, für die es in unserer (Erst-)Sprache Namen gibt, dürften uns selbstverständlicher vorkommen als die, für die wir erst einen Namen (z. B. einen syntaktisch komplexen Ausdruck) kreieren müssen. Manche Autoren schließen daraus, daß unser Wortschatz unser Denken beeinflußt bzw. bedingt. Dies ist wohl etwas zu streng formuliert, denn wir können zu jeder Zeit einen neuen Begriff und neue Gedanken schöpfen und sie benennnen. Aber sicher erleichtert es oft unser Denken, daß uns bestimmte Begriffe dadurch vorgegeben oder vertraut sind, daß sie die Bedeutung von einzelnen Wörtern darstellen[53].

---

53 Die Begriffe, die uns unter dem Einfluß der Sprache vertraut sind, weil sie einem verfügbaren Wort entsprechen, sind nicht deswegen grundsätzlich einfach: *kalt* und *rot* dürften einfacher sein als *lieb* oder *mutig, männlich* einfacher als *väterlich* usw. Es ist nicht leicht, den **Komplexitätsgrad eines Begriffs** festzustellen. Verwendet man zur Beschreibung von Wortbedeutungen semantische Merkmale (s. *Junggeselle* oben), dann kann man als Maßstab der Komplexität die Anzahl der Merkmale betrachten. Dann verlagert sich aber die Frage der Komplexität der Begriffe auf das Inventar der Merkmale – und es ist zweifelhaft, ob ein Merkmal wie z. B. [+ verheiratet] semantisch atomar ist. Es ist eine der Schwierigkeiten der semantischen Merkmalanalyse,

(→ Übung 8). Wir vertiefen hier nicht weiter die Diskussion über die Explikation von „Bedeutung", zu der es in Linguistik- und Logikwerken eine Vielzahl von Ansichten und Vorschlägen gibt. Wir umgehen das Problem und halten fest: Wissen, was ein Wort bedeutet, ist wissen, wann und unter welchen Umständen, in welchen Situationen es verwendet werden kann; wissen, was ein Satz bedeutet, ist – grob gesagt – wissen, unter welchen Bedingungen der Satz (die Aussage) wahr sein kann – womit wir zur Bedeutung von komplexen Ausdrücken übergehen. (→ Übung 9–10).

4.3 Die Bedeutung syntaktisch komplexer Ausdrücke

Wie läßt sich die Bedeutung eines komplexen Ausdrucks aus den Bedeutungen seiner Bestandteile errechnen? Selbstverständlich ist die Bedeutung eines komplexen Ausdrucks nicht einfach die **Summe** der Bedeutungen der ihn konstituierenden Teile. Der Ausdruck *die grünen Äpfel* bezeichnet nicht die Vereinigungsmenge der grünen Gegenstände und der Äpfel, sondern ihre Schnittmenge: aus der Menge der Äpfel die Teilmenge der grünen oder aus der Menge der grünen Gegenstände die Teilmenge der Äpfel (vgl. Abb. 1):

Abb. 1

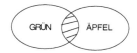

Selbst im Falle eines komplexen Ausdrucks mit *und* reicht der arithmetische Begriff „Summe" nicht aus: (4) bedeutet (4) (a) (vgl. Abb. 2(a)), während (5) (5) (a) bedeutet (vgl. Abb. 2 (b)); der grundsätzliche Bedeutungsunterschied zwischen (4) und (5) läßt sich unschwer auf die An- bzw. Abwesenheit des Artikels nach *und* zurückführen:

(4)	*die roten und die weißen Tulpen*
(4) (a)	*die Menge der weißen Tulpen und die Menge der roten Tulpen*
(5)	*die roten und duftenden Rosen*
(5) (a)	*die Teilmenge der Rosen, die sowohl rot sind als auch duften*

---

daß noch kein begrenztes Inventar aufgestellt werden konnte, mit dem der gesamte Wortschatz einer Sprache erfaßt werden könnte. In der Merkmalanalyse wird einfach so getan, als wären die Merkmale atomar, obwohl die Begriffe, denen sie entsprechen (als Merkmalnamen werden ja meist Wörter der zu beschreibenden Sprache verwendet), logisch nicht immer unanalysierbar (atomar) sind.

Abb. 2 (a)   Abb. 2 (b)

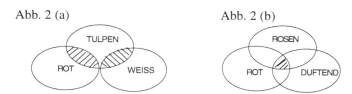

Die Semantiker nehmen an, daß sich die Bedeutung eines komplexen Ausdrucks ableiten läßt aus den Bedeutungen der Bestandteile dieses Ausdrucks und aus seiner syntaktischen Struktur. Theorieabhängige Uneinigkeit besteht allerdings in der Frage, wie vollständig und eindeutig dieses „Ableiten" ist und welche Konsequenzen diese Annahme für die formale Syntax und die formale Semantik hat.

4.3.1 Prädikatenlogische Analyse einfacher Sätze

Die Operation, die für die semantische Analyse grundlegend ist, ist die **Prädikation**: Ein einfacher Satz wie z. B. (6) kann so analysiert werden, daß einem Hund die Eigenschaft zu schlafen zugesprochen (lat. *praedicare*) wird.

(6)   *Der Hund schläft.*

Selbst der Hund kann analysiert werden als ein x, für das gilt, daß es ein Hund ist. x steht für ein **Individuum**, dem die **Eigenschaften** zugesprochen werden, ein Hund zu sein und zu schlafen. Die **Eigenschaften** sind **Prädikate,** die **Individuen** bzw. **Individuenvariablen** zugesprochen werden.

Auf dieser Ebene der Analyse werden die Wörter nicht weiter semantisch zerlegt. Man kann aber die in 4.1 angesprochene Merkmalanalyse auch auf die Grundoperation der Prädikation zurückführen: Ein Junggeselle ist ein x, für das gilt, daß es durch die Merkmale [+ erwachsen], [+ männlich] und [– verheiratet] charakterisiert ist. Oder: Von einem Individuum kann man nur sagen, daß es ein Junggeselle ist, wenn auf dieses Individuum die Eigenschaften männlich, erwachsen und nicht-verheiratet (bzw. noch nie verheiratet gewesen) zutreffen. Wenn man sich um die Semantik syntaktisch komplexer Ausdrücke (im allgemeinen **Satzsemantik** genannt) kümmert, berücksichtigt man (zur Vereinfachung der Darstellung) in der Regel die Wortsemantik nicht, außer in Fällen, wie (7), wo die entsprechende Formel (7) (a) (vereinfacht) unmittelbar deutlich macht, daß ein Widerspruch vorliegt: x kann logisch nicht gleichzeitig verheiratet und nicht-verheiratet sein.

(7)   *Stefan ist Junggeselle, aber verheiratet.*
(7) (a)   Es gibt ein x, für das gilt, daß x ist erwachsen und

x ist männlich und
x ist nicht-verheiratet aber/und
x ist verheiratet

Der erste Schritt, wenn man mit Hilfe der Prädikatenlogik einen Satz analysieren will, ist der, daß man ihn in eine **Formel** übersetzt, die aus **Individuenvariablen, Prädikaten** und **Operatoren**, wie „es gibt ein" (sog. Existenzquantor), „für alle x (gilt)" (sog. Allquantor) oder der Negation („es gilt nicht", „es ist nicht der Fall") und dem Junktor „und" besteht.[54]

Besonders wichtig ist es z. B. für die Bedeutung eines Satzes, in dem eine Negation oder eine Konjunktion wie *und* vorkommt, zu erkennen (und eindeutig zu notieren), worauf sich die Negation genau bezieht (sog. **Skopus** von griech. *skopos* „Ziel, das man im Auge hat"), was die Konjunktion womit verknüpft. In (8) wird auch *vergewaltigt* negiert, die Koordination liegt im Skopus der Negation, anders in (9), wo sich nicht nur auf *angeschnallt*, nicht auf die Koordination bezieht. Siehe auch das zweideutige Beispiel (10):

(8)   *Der Angeklagte hat die Frau nicht entführt und vergewaltigt.*
        Es gibt ein x und es gibt ein y, für die gilt, daß x ein Angeklagter ist und y eine Frau ist und es ist nicht der Fall, daß x y entführt und vergewaltigt hat.

(9)   *Der Mann war nicht angeschnallt, und er wurde am Kopf verletzt.*
        Es gibt ein x, das ein Mann ist und für das nicht gilt, daß es angeschnallt war, und für das gilt, daß es am Kopf verletzt wurde.

(10)   *Das Kind besucht seine Tante nicht, weil es sie liebt.*
        Es gibt ein x, das ein Kind ist und ein y, das Tante-von-x ist und 1) es ist nicht der Fall, daß x y besucht, und der Grund dafür, daß x y nicht besucht, ist der, daß x y liebt; oder 2) x besucht y, und es ist nicht der Fall, daß der Grund dafür, daß x y besucht, der ist, daß x y liebt. (➜ Übung 11).

---

54 Eine Aussage (Proposition) ist eine logische Formel, die wahr oder falsch ist. Sie besteht aus mindestens einem Prädikat, das einem Individuum oder einer Variable zugesprochen wird. Eine Aussage kann aus Teilen bestehen, die selbst Aussagen sind. Als vermittelnde Worte treten insbes. die sog. „Junktoren" (lat. *jungere* = verbinden) *und, oder, wenn-dann* ... auf. Der Wahrheitswert der komplexen Aussage hängt vom Wahrheitswert der Teilaussagen und von den „Wahrheitstafeln", die den Junktoren zugeordnet sind, ab. Es kann notwendig sein (z. B. zur Beschreibung von NPs mit Determinanten wie *ein, alle, jeder...*), Quantoren einzubeziehen, die die Variablen „binden". Wir gehen auf komplexe Logiken (Prädikaten- und Modallogiken) nicht ein, empfehlen den „Liebhabern" z. B. die Einführung in die Logik von Bühler (1992); Allwood/Andersson/Dahl (1973) und Lyons (1980).
    In der Logik werden für die Operatoren spezielle Symbole verwendet, um Verwechslungen mit den entsprechenden Ausdrücken der zu beschreibenden natürlichen Sprache zu vermeiden: Ein umgedrehtes A (∀) repräsentiert den **Allquantor**, ein umgedrehtes E (∃) den **Existenzquantor**, ein ¬ die **Negation**, ein ∧ „und" (vgl. lat. *vel*) „oder". Wir werden aber hier diese Symbole meist nicht verwenden, sondern die logischen Formeln in nicht-symbolische Sprache wiedergeben.

4.3.2 Wahrheitswerte und Präsupposition

Die Logik ist Hilfswissenschaft für die Semantik: Die Semantiker verwenden die von den Logikern ausgearbeiteten Beschreibungsinstrumente, um die Bedeutung der Sätze der natürlichen Sprachen zu beschreiben (vgl. Lyons (1971:Kap. 10) (1980:Kap. 6)). Es ist aber nicht so, daß man Semantik und Logik gleichsetzten kann. Ein wichtiger Unterschied zwischen Logik und Semantik liegt in ihrem Ziel: Ziel der Logik ist es, Regeln zum richtigen Deduzieren/Schließen (zwecks Wahrheitsfindung) aufzustellen; Ziel der Semantik ist es, herauszufinden, unter welchen Bedingungen ein Satz sinnvoll, d. h. wahr oder falsch sein, also eine Bedeutung haben kann (s. Fußnote 55).

Es ist semantisch nicht weiter schlimm, wenn ein Satz falsch ist, d. h., von etwas etwas behauptet, was faktisch nicht zutrifft (vgl. (11) und (12)). Semantisch abweichend hingegen ist ein Satz, der nur falsch sein kann, unabhängig vom Stand in der Welt, weil er in sich widersprüchlich (bzw. logisch falsch) ist, wie z. B. (13) (a). Sprachlich auffällig sind Sätze, die nur logisch wahr sein können, weil sie wenig informativ sind (z. B. (13) (b)).

(11)	*Die Erde ist oval.*
(12)	*Helmut Kohl ist polyglott.*
(13) (a)	*Die Zahl x ist Primzahl und teilbar.*
(13) (b)	*Die Zahl x ist gerade und teilbar.*

Man kann mit Sprache Dinge behaupten, die in der Welt, in der wir leben, nicht zutreffen, z. B. (14), und doch ist jeder kompetente Sprecher des Deutschen in der Lage, diesem Satz eine Interpretation zuzuordnen. Deswegen wird der Semantiker nicht sagen, daß der Satz (14), weil er faktisch falsch ist, semantisch abweichend ist, sondern er wird mögliche Interpretationen dieses Satzes aufzulisten versuchen. Selbst bei Sätzen wie (15) wird er versuchen, eine Interpretation zu finden, etwa: Stalin ist physisch tot, aber er lebt ideologisch, für manche Leute, noch. Das ist in diesem Fall deswegen möglich, weil sich *leben* nicht nur auf das physische Leben bezieht, sondern auch übertragen als „ideelles Fortbestehen" verstanden werden kann (vgl. *der Geist der Revolution lebt in Frankreich heute noch*). Jeder „kooperative" Gesprächspartner bemüht sich, auch „problematische" Äußerungen zu interpretieren, gegebenenfalls so umzudeuten, daß er mit seiner Interpretation im jeweiligen Kommunikationskontext vorankommen kann. (➟ Übung 12).

(14)	*Die Erde ist doch eine Scheibe.* [Werbung für CD-ROM]
(15)	*Stalin ist tot, aber er lebt noch.*

Es gibt Bedingungen dafür, ob ein Satz einen Wahrheitswert (wahr oder falsch) erhalten kann, die im Satz selbst nicht genannt werden, beim Verstehen desselben aber als erfüllt angenommen werden: Diese werden in der Literatur **Präsuppositionen** („Voraussetzungen") genannt.

Der Satz (16) wird von Semantikern als wohlgeformt bezeichnet unter der Voraussetzung, daß es einen König in Frankreich gibt. Der Satz (17) ist ebenfalls wohlgeformt, wenn Paul verheiratet ist.

(16)   *Der König von Frankreich ist kahlköpfig.*
(17)   *Paul liebt seine Frau.*

Ein Satz kann nur dann als semantisch wohlgeformt gelten, wenn die Bedingungen, unter denen er wahr oder falsch sein kann, gegeben sind. Unter der Voraussetzung, daß es Einhörner gibt, ist der Satz (18) semantisch wohlgeformt (gleichgültig ob er wahr oder falsch ist). Verschiedene Wörter induzieren verschiedene Präpositionen, so z. B. *suchen* und *glauben* einerseits und *finden* und *sehen* andererseits. Der Satz (19) präsupponiert nicht, der Satz (20) hingegen präsupponiert, daß es ein Einhorn gibt. Bei (21) muß das Ungeheuer nicht existieren; bei (22) wird präsupponiert, daß es das Ungeheuer von Loch Ness gibt:

(18)   *Das Einhorn kann Wunder schaffen.*
(19)   *Julia sucht nach einem Einhorn.*
(20)   *Julia hat ein Einhorn gefunden.*
(21)   *Rainer glaubt, daß es das Ungeheuer von LochNess gibt.*
(22)   *Rainer hat das Ungeheuer von LochNess gesehen.*

Obwohl Fragesätze nicht wahr oder falsch sein können, können sie eine Bedeutung haben (semantisch wohlgeformt sein), indem sie wahr oder falsch beantwortbar oder unbeantwortbar sind und dabei denselben Voraussetzungen wie die ihnen entsprechenden – positiven oder negativen – Aussagesätze unterliegen, vgl (23)[55]:

(23)   *Hat Rainer das Ungeheuer von Loch Ness gesehen?*

Das, was ein Satz präsupponiert, gibt darüber Auskunft, was der Sprecher als geltend annimmt – wenn er es auch nicht explizit aussagt, d. h., über seine Vorstellungen, sein Wissen oder seinen Glauben keine Mitteilung macht. Wer z. B. (24) (a) sagt, geht davon aus, daß Marc

---

[55] Einen Wahrheitswert können eigentlich nur Aussagesätze haben. Fragesätze, wie *Gibt es Leben auf dem Mars?* und *Wer hat die Mona Lisa gemalt?* sind weder wahr noch falsch, nur die entsprechenden Antworten können wahr oder falsch sein. Bezogen auf Fragesätze muß daher der Präpositionsbegriff leicht umgedeutet werden: Die Präsuppositionen eines Fragesatzes sind mit denen ihrer möglichen Antworten identisch. Eine Frage ist nur dann wohlgeformt, wenn sie beantwortbar ist. Dasselbe muß für Befehlssätze angenommen werden: Ein Befehlssatz hat nur dann Sinn, wenn der Befehl ausführbar ist. *Mach bitte die Tür zu!* hat nur dann Sinn, wenn es eine Tür gibt und sie zum Zeitpunkt des Befehls offen ist.

früher geraucht hat. Wer (24) (b) sagt, geht ebenfalls davon aus, daß
Marc schon früher rauchte.

(24) (a)   *Marc raucht nicht mehr.*
(24) (b)   *Marc raucht (immer) noch.*

M. a. W.: Die positive Aussage und ihre negative Entsprechung haben
dieselben Präsuppositionen. Wer (25) (a) sagt, geht davon aus, daß er
eine schöne Stimme hat. Das gälte auch, wenn er (25) (b) sagen würde.

(25) (a)   *Wenn ich keine schöne Stimme hätte, würde ich Gesangsunterricht
           nehmen.*
(25) (b)   *Wenn ich keine schöne Stimme hätte, würde ich keinen Gesangsun-
           terricht nehmen.*

Wer (26) fragt, glaubt, daß es einen Lehrstuhl für Allgemeine Sprachwissenschaft in Wuppertal gibt. Wer (27) sagt, ist der Überzeugung,
daß Gilberts Vater krebskrank war, ebenso, wer (28) sagt. Wer hingegen (29) sagt, geht davon aus, daß Gilberts Vater nicht krebskrank war.
Wer (30) fragt, geht davon aus, daß der Vater seines Gesprächspartners
„besuchbar" ist, also noch lebt.

(26)   *Wer hat den Lehrstuhl für Allgemeine Sprachwissenschaft in Wup-
       pertal inne?*
(27)   *Gilbert wußte, daß sein Vater Krebs hatte.*
(28)   *Gilbert wußte nicht, daß sein Vater Krebs hatte.*
(29)   *Gilbert wähnte, daß sein Vater Krebs hatte.*
(30)   *Wann besuchst du deinen Vater?*

Man kann diese Annahmen des Sprechers als Teil seiner Vorstellung
von der „Welt" betrachten, als Teil einer Welt, in der seine Äußerungen einen Sinn haben. Wenn die reale Welt oder die Welt, wie sie sich
der Gesprächspartner (Hörer) vorstellt, nicht der des Sprechers entspricht, dann wird der Gesprächspartner entweder die Aussage nicht
verstehen oder durch seine Reaktionen den Präsuppositionen der Äußerung widersprechen, z. B. mit (31)–(34), und somit das Thema des Gesprächs umorientieren (vom Inhalt der ursprünglichen Aussage oder
Frage weg, hin zum Inhalt der Präsupposition).

(31)   *Marc hat doch nie geraucht!* [zu (24)]
(32)   *Du hast aber keine schöne Stimme!* [zu (25)]
(33)   *In Wuppertal gibt es keinen Lehrstuhl für Allgemeine Sprachwissen-
       schaft!* [zu (26)]
(34)   *Mein Vater ist schon lange tot!* [zu (30)]

M. a. W.: Er hat schon „verstanden", was sein Gesprächspartner gemeint hat, aber zugleich erkannt, daß dies für ihn keinen Sinn hat, weil
er die Präsuppositionen nicht teilt, die Bedingungen für den Sinn des

Gesagten sind. Wie man sieht, ist für das Verstehen eines Satzes zweierlei zu leisten:

a) Es muß der propositionale Gehalt des Satzes errechnet werden, d. h. der Satz in eine (prädikaten- bzw. aussagen)logische Formel übersetzt werden;

b) es müssen die Präsuppositionen erkannt werden, d. h., die impliziten Bedingungen, unter denen der Satz einen Wahrheitswert erhalten kann.[56] (➡ Übung 13–15).

4.3.3 Satzsemantische Fingerübungen (Beispiele)

Kommen wir zurück zu der Frage, wie sich die Bedeutung eines Satzes unter Berücksichtigung seiner syntaktischen Struktur errechnen läßt. Wir werden uns mit der Arbeitsweise der logischen Semantik vertraut zu machen versuchen, indem wir deutschsprachige Ausdrücke auf informelle Weise in die Sprache der Logik übersetzen.

Die Grundrelation in der Logik ist die **Prädikation** (vgl. 4.3.1), sie wird bei der Übersetzung eines natürlichsprachigen Ausdrucks in die Sprache der Logik nicht nur für das sog. Prädikat (im syntaktischen Sinne) des Satzes angenommen, sondern auch für Attribute: (35) läßt sich (grob) übersetzen in (35) (a) bzw. (35) (b). Auch Nomina, die als „Kopf" einer NP fungieren, werden logisch Prädikaten gleichgesetzt. (vgl. (36) (a)).

(35)	*Alle roten Rosen duften.*
(35) (a)	Für alle x gilt: Wenn x eine rote Rose ist, dann duftet x.
(35) (b)	Für alle x gilt: Wenn x rot ist und x eine Rose ist, dann duftet x.
(36)	*Die weiße Rose duftet.*
(36) (a)	Es gibt ein bestimmtes x, für das gilt: x ist weiß und x ist eine Rose und x duftet.
(37)	*Manuela liebt Blumen.*
(37) (a)	Für alle y gilt: Wenn y eine Blume ist, dann liebt Manuela y.[57]
(38)	*Manuela mag keine Blume.*
(38) (a)	Für alle y gilt: Wenn y eine Blume ist, dann ist es nicht der Fall, daß Manuela y mag.
(39)	*Die Kinder füttern die Tauben und versuchen sie zu fangen.*
(39) (a)	Es gibt x und y, für die gilt: x ist Kind und y ist Taube und x füttert y und x versucht p (wobei p=x fängt y).[58]
(40)	*Die Kinder versuchen, die Tauben zu füttern und zu fangen.*
(40) (a)	Es gibt x und y, für die gilt:x ist Kind und y ist Taube und x versucht (p und q) (p=x füttert y; q=x fängt y).

---

56 Es gibt eine reichhaltige Literatur zum Präsuppositionsbegriff, auch kritische (vgl. Levinson (1990)).

57 Da *Manuela* ein Eigenname ist, d. h. im Prinzip einzigartig, wird Manuela direkt als Individuumkonstante eingefügt: Manuela wird nicht einer Variable x als Prädikat zugewiesen.

58 Mit den Buchstaben x, y... wird auf Individuen, mit den Buchstaben p, q... auf Propositionen (Aussagen) verwiesen.

Diese, zugegeben nicht sehr eleganten Übersetzungen machen deutlich, daß die Konjunktion *und* in (39) [x füttert y] mit [x versucht p], in (40) [x füttert y] mit [x fängt y] verknüpft.

Prädikate sind ein-, zwei-..., n-stellig: *Müde-sein, schlafen, sterben...* sind einstellige Prädikate; *sehen, nachlaufen, füttern, fangen...* sind zweistellige Prädikate (vgl. Abs. 2.3.3.2). Manche Prädikate können als Argument eine Proposition haben (so z. B. *versprechen, versuchen, sagen, behaupten...*):

(41)   *Klaus verspricht seinem Sohn ein Eis.*
         Klaus verspricht seinem Sohn, daß er ihn zum Eisessen einlädt .
         Klaus verspricht seinem Sohn, ihn zum Eisessen einzuladen.
(42)   *Klaus sagt, daß er das Rad nicht gesehen hat.*

Der Unterschied zwischen (43) und (44) läßt sich schematisch wie unter (43) (a) bzw. (44) (a) darstellen:

(43)   *Dieter versucht zu sagen, daß er Dagmar liebt .*
(43) (a)   Dieter versucht p
             p=Dieter sagt q
             q=Dieter liebt Dagmar
(44)   *Dieter sagt, daß er versucht, Dagmar zu lieben .*
(44) (a)   Dieter sagt p'
             p'=Dieter versucht q
             q=Dieter liebt Dagmar

Die Prädikate *versuchen* und *sagen* sind vertauscht, so daß q in (43) Argument zu sagen und in (44) Argument zu versuchen ist, die Prädikation mit *sagen* ist Argument von *versucht* in (43), die Prädikation mit *versuchen* ist Argument von *sagt* in (44). Wir haben im Kap. 2 gesehen, daß der Unterschied zwischen (43) und (44) durch verschiedene hierarchische Strukturen syntaktisch erfaßt wird. Den zwei syntaktischen Hierarchien entsprechen zwei semantische Strukturen. Die semantische Beschreibung soll im Einklang stehen mit der syntaktischen; manche Semantiker streben sogar eine eineindeutige Entsprechung, ja sogar Isomorphie zwischen Syntax und Semantik an: Jeder syntaktischen Regel oder jedem syntaktischer Konstruktionstyp sollte eine semantischen Regel bzw. ein semantischer Interpretationstyp entsprechen. Der Wunsch nach vollständiger, regelmäßiger Entsprechung zwischen Syntax und Semantik läßt sich nicht immer erfüllen, er beeinflußt jedoch tendenziell die Syntax- und Semantikschreibung. Das viel zitierte Beispiel (45) illustriert einen Fall von semantischer Mehrdeutigkeit, dem nicht zwei syntaktische hierarchische Strukturen (etwa K-Strukturen) entsprechen. (➡ Übung 16).

(45)   *Viele Männer lieben eine Frau*
(45) (a)   *Es gibt viele Männer, die eine Frau lieben.*

(45) (b)   *Es gibt eine Frau, die (gleichzeitig) von vielen Männern geliebt wird.*[59]

4.3.3.1 Skopus von Negation und Modalwörtern

Dem Bedeutungsunterschied zwischen (46) und (47) wird durch unterschiedliche Position (Skopus) des Negationsoperators in der semantischen Formel Rechnung getragen. Ähnlich kann man die Mehrdeutigkeit von Sätzen wie (48) syntaktisch und semantisch durch den unterschiedlichen Skopus von *sicher* beschreiben:

(46)   *Nicht alle Kinder mögen Spinat.*
         Es ist nicht der Fall, daß für alle Kinder gilt, daß sie Spinat mögen.
(47)   *Kein Kind mag Spinat.*
         Für alle Kinder gilt, daß es nicht der Fall ist, daß sie Spinat mögen.
(48)   *Sie fahren sicher mit der Bundesbahn .*
(48) (a) Es ist sicher der Fall, daß sie mit der Bundesbahn fahren.
(48) (b) Es ist der Fall, daß sie mit der Bundesbahn sicher (ungefährlich, auf sichere Weise) fahren

In der Lesart (48) (b) bezieht sich *sicher* lediglich auf das komplexe Prädikat *mit der Bundesbahn fahren*, in der Lesart (48) (a) auf die gesamte Proposition *sie fahren mit der Bundesbahn.*[60]

4.3.3.2 Semantik der Koordinationskonjunktionen

Wenn ein komplexer Satz eine **koordinative Verknüpfung** enthält, dann liegt es nahe, ihn semantisch als durch zwei Junktoren wie *und* oder *oder* verbundene Propositionen zu beschreiben.

(49)   *Es war kalt, und die Straßen waren leer.*
         p=Es war kalt
         q=die Straßen waren leer
         p und q (wahr, wenn sowohl p als auch q wahr ist)
(50)   *Bert ist entweder noch im Büro oder er sitzt schon im Zug.*
         p=Bert ist noch im Büro
         q=Bert sitzt schon im Zug
         p oder q (wahr, wenn nur p oder nur q wahr ist; falsch, wenn weder p noch q wahr ist und wenn sowohl p als auch q wahr ist).
(51)   *Bert war weder im Büro noch (saß er) im Zug.*
         p=Bert war im Büro
         q=Bert saß im Zug
         nicht p und nicht q (wahr, wenn sowohl p als auch q falsch ist)

---

59 Der Hauptakzent liegt in der Lesart (45) (a) auf *Frau*, in der Lesart (45) (b) auf *eine*.
60 Da in der Literatur Nicht-Argumente (freie Angaben, Adjunkte) wie *sicher* oder *mit der Bundesbahn* nicht einheitlich behandelt werden, verzichten wir hier auf eine detailliertere „Übersetzung" solcher Konstruktionen. Es reicht uns hier die Erkenntnis, daß die Bedeutung von Konstruktionen mit Adjunkten davon abhängt, was im Skopus von welchem Adjunkt ist (vgl. Kap.2.4.4).

(52)   *Bert war nicht mehr im Büro, sondern er saß schon im Zug.*
            p=Bert war noch im Büro
            q=Bert saß schon im Zug
            (nicht p) und q (wahr, wenn p falsch und q wahr ist).
(53)   *Tanja hatte Durst, aber der Kühlschrank war leer.*
            p=Tanja hatte Durst
            q=der Kühlschrank war leer
            p und q (wahr, wenn sowohl p als auch q wahr ist)

Diese Beispiele zeigen, daß es insofern eine relativ gute Entsprechung zwischen der Bedeutung der Koordinationskonjunktionen *und*, *oder*, *sondern*, *noch*, *aber* und der Funktion der logischen Konnektoren ∧ und ∨, eventuell mit Negation kombiniert. Sie zeigen aber auch, daß in der natürlichsprachlichen koordinativen Verknüpfung mehr verstanden werden kann als in der logischen: (49) kann auch so verstanden werden, daß die Straßen deswegen leer waren, weil es kalt war; d. h., daß p der Grund für q ist. Eine Deutung, die höchst unwahrscheinlich für die Variante (49) (a) wäre, die jedoch rein aussagenlogisch mit (49) äquivalent ist:

(49) (a)   *Die Straßen waren leer und es war kalt.*

Ein weiteres Beispiel für den Unterschied zwischen dem logischen Junktor und der deutschen Konjunktion *und* ist der Kontrast zwischen (54) und (54) (a): Hier entspricht die Reihenfolge von p und q der zeitlichen Abfolge der beiden ausgedrückten Ereignisse. Diese Festlegung der Reihenfolge der Konjunkte gilt nicht für das logische *und:* Logisch sind [p und q] und [q und p] äquivalent.

(54)   *Heidi wachte auf und ging zum Fenster*
(54) (a)   *Heidi ging zum Fenster und wachte auf.*

Zwischen (53) und (53) (a) gibt es ebenfalls einen Unterschied, der durch die Formel „p und q" nicht repräsentiert wird. (53), im Unterschied zu (53) (a), macht deutlich, daß es einen Kontrast zwischen p und q gibt, derart, daß q in dieser Situation nicht erwartet war.

(53) (a)   Tanja hatte Durst, und der Kühlschrank war leer.

Noch deutlicher ist dieser Effekt von *aber* in Beispielen wie (55):

(55)   *Roland ist Linguist, aber schlau.*

Der Sprecher von (55) hält es nicht für sehr wahrscheinlich, daß ein Linguist schlau sein kann. Zwar bedeutet (55), daß Roland sowohl Linguist als auch schlau ist. Aber *aber* ist nicht lediglich eine Variante des logischen *und.* Vielmehr verknüpft *aber* zwei Konjunkte miteinander, die zwar nicht logisch unverträglich sind, von denen aber nicht erwartet wird, daß sie faktisch gleichzeitig und auf dasselbe x (hier Roland) bezogen zutreffen. Man kann sagen, daß diese Beziehung zwischen den beiden Konjunkten zu den Verwendungsbedingungen und somit zur Bedeutung von *aber* gehört.

Man kann nachweisen, daß nicht beliebige Ausdrücke miteinander koordiniert (egal mit welcher Koordinationskonjunktion) werden können: Abgesehen vom syntaktischen Parallelismus (es sind in der Regel nur syntaktische Einheiten vom gleichen Format, Sätze, NPs, VPs usw. miteinander koordinierbar) muß es zwischen den Bedeutungen der beiden Konjunkte gewisse Beziehungen geben (Vergleichbarkeit, Kontrast...), es muß eine ihnen gemeinsame „Dimension" geben, bezogen auf die sie kontrastieren:

(56) (a)   *?Ich suche ein Buch oder ein Ei.*
(56) (b)   *Ich suche ein Buch oder eine CD.*
(56) (c)   *Ich suche ein Buch oder ein Stück Holz.*
(57)   *Sie trägt die Koffer und er die Verantwortung.*

Es ist schwer, sich eine Situation vorzustellen, in der ein Ei eine Alternative zu einem Buch sein könnte (vgl. (56) (a)). (56) (b) hat Sinn, wenn ich z. B. ein Geschenk suche, (56) (c) wenn ich einen Briefbeschwerer suche. Abweichungen wie (57) wirken witzig.

Die Semantik der deutschen Koordinationskonjunktionen ist überzeugend beschrieben worden (Lang (1977)). Sie zeigt den Nutzen der Logik als Werkzeug für den Semantiker, aber gleichzeitig auch, daß die deutschen Konjunktionen nicht genau dasselbe „bedeuten" wie die entsprechenden logischen Konnektoren. Die Semantik der natürlichen Sprache baut, wie gesagt, auf der Logik auf, ist ihr aber nicht gleichzustellen; die Logik ist das Skelett, die Semantik sind die Muskeln (mit Narben und Beulen!). (➜ Übung 17–19).

4.3.3.3 Semantik der Subordinationskonjunktionen

Den Übergang zwischen den koordinativer und den subordinativer Verknüpfung liefert die Konjunktion *denn*:

(58)   *Wir fahren nicht in den Urlaub, denn wir müssen sparen.*
              p=wir fahren nicht in den Urlaub
              q=wir müssen sparen

P und q müssen beide wahr sein (ebenso wie bei einer *und*-Verknüpfung), wenn (58) wahr sein soll, aber dies ist noch nicht alles: (58) bedeutet außerdem, daß q etwa der Grund für p ist. Vgl. (58) (a) und (b):

(58) (a)   *Wir fahren nicht in den Urlaub, weil/da wir sparen müssen.*
(58) (b)   *Wir müssen sparen, deswegen/daher fahren wir nicht in den Urlaub.*

Es dürfte einleuchten, daß auch die Subordinationskonjunktionen *weil* und *da*[61] als die Kombination von *und* und einem zweistelligen Prädikat „ist-Grund/Ursache-von" (mit p und q als Argumente) beschrieben werden könnten. Auch weitere Subordinationen könnte man ähnlich beschreiben:

(59)   *Wir fahren in Urlaub, obwohl wir sparen müssen.*
(60)   *Wir waren in Urlaub, so daß wir jetzt pleite sind.*

Sowohl (59) als auch (60) bedeuten, daß p und q wahr sind, und daß außerdem in (59) gilt, daß „normalerweise, wenn q, dann nicht p", und in (60), daß „p ist Grund/Ursache für q". Bei Finalsätzen wie (61) hingegen dürfte es unangemessen sein, die Wahrheit sowohl von p als auch von q (also den Junktor *und* in der Bedeutung von *damit*) anzunehmen. In (61) wird p (als wahr) behauptet, aber q muß nicht eintreten. Als wahr wird bestenfalls etwas wie *wir möchten/wollen/beabsichtigen q*. Auf jeden Fall: q ist Zweck/Ziel/Absicht-für p. (➡ Übung 20).

(61)   *Wir fahren in Urlaub, damit wir uns vom Streß des Semesters erholen.*
        p=wir fahren in Urlaub
        q=wir erholen uns vom Streß des Semesters.

Die Beschreibung der temporalen Subordinationskonjunktionen setzt eine aufwendige Temporallogik voraus, in der Zeitintervalle, eine Zeitachse (vor/nach) und verschiedene Typen von Ereignissen (punktuelle, dauerhafte...) usw. definiert werden. Es gibt zur Beschreibung der zeitlichen Ausdrücke im Deutschen eine sehr umfangreiche Literatur, in der nicht nur die temporalen Konjunktionen, sondern auch die Zeitadverbien und die Tempora des Verbs semantisch erforscht werden – ein zu komplexes Forschungsgebiet, als daß wir hier darauf eingehen könnten. Einige Beispiele mögen hier die Komplexität der Temporalsemantik illustrieren:

(62)   *Er besuchte die Grundschule, als/während er in München war.*
        Er war in München. als/?während er die Grundschule besuchte.
        Er verließ München, nachdem er die Grundschule besucht hatte/*hat.
        Er besuchte die Grundschule, bevor er München verließ.
        Er hatte die Grundschule besucht, bevor er München verließ.

Die Konditionalkonjunktion *wenn* läßt sich auch unter Bezug auf die logische Implikation *wenn-dann* beschreiben, aber auch hierauf wollen wir wegen der wahrheitseinschlägigen Komplikationen durch Irrealis (würde...) nicht eingehen: Konditional setzt immer eine „Welt" voraus,

---

61 Auf den Unterschied zwischen *da* und *weil* gehen wir hier nicht ein. Siehe aber Übung 20.

die nicht mit der realen Welt des Sprechers zum Sprechzeitpunkt über-
einstimmt (gesetzt der Fall, ich wäre ein Vogel, aber ich bin keiner:
Wenn ich ein Vogel wär...).

Fassen wir zusammen: Die Bedeutung eines einfachen Satzes läßt
sich errechnen, wenn man weiß, was wovon prädiziert wird, was im
Skopus wovon liegt; die Bedeutung eines komplexen Satzes läßt sich
errechnen, wenn man weiß, was die Bedeutung (einschließlich der
Gebrauchsbedingungen) der satzverknüpfenden Ausdrücke (Konjunktionen) ist. Sofern außerdem jeder deutsche Satz eine finite Verbform
enthält, die Auskunft darüber gibt, ob der bezeichnete Sachverhalt vor,
während, oder nach dem Sprechzeitpunkt liegt, und in komplexen Sätzen die relative zeitliche Situierung der verschiedenen Sachverhalte
zueinander festgelegt werden, ist keine semantische Satzanalyse ohne
Zeitkomponente denkbar.

Der Vollständigkeit halber sei nur noch erwähnt, daß **modalisierte
Ausdrücke** wie (63)(a)–(g), sollten sie mit den Mitteln der Aussagen-
logik beschrieben werden, eine Erweiterung derselben notwendig machen (Modallogik mit den Operatoren „es ist notwendig, daß"/"es ist
möglich, daß"). (➡ Übung 21).

(63) (a)	*Er dürfte der Mörder sein.*
(63) (b)	*Er könnte der Mörder sein.*
(63) (c)	*Er soll der Mörder sein.*
(63) (d)	*Mag er der Mörder sein.*
(63) (e)	*Er ist möglicherweise/vielleicht/sicher/vermutlich der Mörder.*
(63) (f)	*Er muß der Mörder sein*
(63) (g)	*Er ist der Mörder.*

4.3.3.4 Für was oder wen stehen Pronomina?

Es soll ferner ein bedeutungsrelevantes Phänomen, das vorrangig beim
Textverstehen eine Rolle spielt, aber schon in einigen komplexen Sätzen relevant ist angesprochen werden: die sog. **Anapherbeziehung.** Es
geht um die Interpretation von Personalpronomina unter bestimmten
Kontextbedingungen. Es gibt zwei Typen von Personalpronomina: Die
Pronomina der 1. und 2. Person, die sich immer auf Sprecher bzw. Angesprochene in der jeweiligen Kommunikationssituation beziehen
(deiktische Personalpronomina) und die der 3. Person, die auf an-
derswo im Text genannte Individuen verweisen[62]. Zum Verstehen gehört es auch, daß man die intendierte Referenz der Personalpronomina
erkennt. Das gleiche gilt für Possessivpronomina der 3. Person. Es ist
zu fragen, ob es syntaktische Strukturen gibt, die die Anzahl der möglichen Referenzen eines Personalpronomens der 3. Person in einem
komplexen Satz einschränken. In (64) kann sich *er* (muß aber nicht)

---

62 Deiktisch sind auch Demonstrativa wie *dies-, jen-,* betontes *der, die, das.*

auf *Thorsten* beziehen. In (65) kann sich *sein* auf *Thorsten* beziehen. Es kann (muß aber nicht) der Tod eben dieser Großmutter (ihrem) gemeint sein. Selbst in (66) kann (muß aber nicht) *er* mit *Franz* identisch sein: Franz kann als Zeuge in einem Prozeß gegen seinen Freund Klaus aussagen, daß Klaus die Notlage nicht erkannt habe (nach Franz' Überzeugung). Das kann man nicht aus dem isolierten Satz schließen: Ohne Berücksichtigung der Kommunikationssituation und/oder des sprachlichen Kontextes läßt sich ein Satz mit Personalpronomen nicht vollständig und definitiv interpretieren.

(64) (a)　*Als er in München war, besuchte Thorsten die Grundschule.*
(64) (b)　*Als Thorsten in München war, besuchte er die Grundschule.*
(65)　　　*Thorsten besuchte seine Großmutter im Krankenhaus kurz vor ihrem Tod.*
(66)　　　*Franz behauptete, er hätte die Notlage nicht erkannt.*

Daß die Syntax Einfluß auf die Interpretation von Personalpronomina haben kann, zeigt das Beispielpaar (67) und (68):

(67)　　　*Der Knabe sieht ihn.*
(68) (a)　*Der Knabe fürchtet, daß ihn sein Vater sieht.*
(68) (b)　*Der Knabe fürchtet, daß sein Vater ihn sieht.*

In (67) kann sich *ihn* nicht auf den Knaben beziehen, in (68) kann, muß dies aber nicht der Fall sein. (➡ Übung 22).

4.3.3.5 Dem Prädikat fehlt ein Argument

Ein anderes interessantes Phänomen für die Semantik komplexer Sätze ist das der Lücken (klassischerweise **Ellipsen** (Auslassungen) genannt). Syntaktisch kann man **obligatorische** und **fakultative** Ellipsen unterscheiden:

(69) (a)　*Naomi will Spanisch, Claudia Russisch lernen.*
(69) (b)　*Naomi will Spanisch* lernen, *Claudia* will *Russisch lernen.*
(70) (a)　*Hartmut fährt morgen mit dem TGV nach Lille und Klaus auch.*
(70) (b)　*Hartmut fährt morgen mit dem TGV nach Lille und Klaus* fährt *auch* morgen mit dem TGV nach Lille.
(71) (a)　*Babette liest, während Heiner ißt.*
(71) (b)　*Babette liest* etwas (ein Buch, eine Zeitung...), *während Heiner* etwas (sein Abendbrot, einen Snack...) *ißt.*

In (69) (a) und (70) (a) werden Ausdrücke weggelassen, die sonst (vgl. (69) (b) bzw. (70) (b)) wiederholt werden würden. Die Auslassung ist in diesen Fällen fakultativ. Verstanden werden (69) (a) und (70) (a) wie (69) (b) bzw. (70) (b), d. h., wir setzen gedanklich anstelle der Lücken Ausdrücke ein, die im Vordersatz (mit derselben syntaktischen Funktion) vorhanden sind. Die Auslassung ist nur deswegen möglich und verständlich, weil es das Gebot der (Referenz)identität zwischen dem Ausgelassenen und seiner vorhandenen Entsprechung (**Anteze-dens**) gibt.

In (71) (a) werden zweistellige Prädikate (*lesen, essen...*) mit nur einem Argument verwendet. Dies ist nicht immer möglich; wenn es aber möglich ist, dann wird „irgendetwas Passendes" verstanden, wobei die Referenz dieses unspezifischen Etwas von der Bedeutung des Verbs abhängt. Man kann dieses „irgendetwas Passendes" als semantisch (und syntaktisch) in einem einstelligen Prädikat enthalten („inkorporiert") betrachten: Dann hat man (71) (a) nicht als lückenhafte Konstruktion beschrieben, sondern als regulär vollständige. Auf jeden Fall läßt sich beobachten, daß nicht alle zweistellige Prädikate (in beliebigen Kontexten) einstellig verwendet werden können:

> (72)   *Ich rauche seit langem Pfeife.*
>   *Ich rauche seit langem.*
>   *Ich kenne seit langem Tibor.*
>   **Ich kenne seit langem.*

Auch wenn im Vordersatz ein Ausdruck steht, der als Objekt des Nachsatzes mitverstanden werden könnte, ist das Fehlen des Objekts nicht immer möglich:

> (73) (a)   *Anne wäscht den Wagen, während ihr Mann ihn repariert.*
> (73) (b)   *?Anne wäscht den Wagen, während ihr Mann repariert.*
> (73) (c)   **Anne wäscht den Wagen und ihr Mann repariert.*
> (73) (d)   *Anne wäscht und ihr Mann repariert den Wagen.*

Als obligatorische Ellipse kann man das systematische Fehlen des Subjekts bei Infinitiv- und Partizipialkonstruktionen im Deutschen betrachten. Daß dieses Fehlen kein Verständnisproblem verursacht, ist ein Indiz dafür, daß wir sehr wohl wissen, wie wir das fehlende Subjekt rekonstruieren können. Inwieweit unser syntaktisches Wissen dabei aktiviert wird, ist kontrovers: Auf jeden Fall besteht in der Sprachgemeinschaft weitgehend Einigkeit darüber, wie diese fehlenden Argumente semantisch zu interpretieren sind.

> (74) (a)   *Die Kinder versprechen ihren Eltern, sich nicht zu streiten.*
> (74) (b)   *Die Kinder bitten ihre Eltern, sich nicht zu streiten.*
> (75) (a)   *Die Kinder schlagen ihren Eltern vor, ins Kino zu gehen.*
> (75) (b)   *Die Kinder bitten ihre Eltern, ins Kino gehen zu dürfen.*
> (76)   *Die Kinder rufen ihre Eltern an, um sie zu beruhigen.*
> (77)   *Der Polizeichef schickte seine besten Leute zum Fußballstadium, um den Krawallen vorzubeugen.*
> (78)   *Es ist heutzutage viel Glück nötig, um einen Sitzplatz im Hörsaal zu kriegen.*
> (79)   *Um es klar auszudrücken: Sie geht einem auf die Nerven.*

Das nicht ausgedrückte Argument (Subjekt oder Agens) des Infinitivs entspricht in (74) (a) dem Subjekt des Hauptverbs, in (74) (b) dem Objekt; (75) (a) läßt beide Lesarten zu; in (75) (b) bewirkt die Hinzufügung von *dürfen*, daß das Subjekt von *bitten* mit dem Infinitivsubjekt identisch ist. Das Identifizieren hängt im wesentlichen vom Hauptverb ab: Das Verb **kontrolliert** das fehlende Argument; man nennt Verben wie *empfehlen* Verben mit **Objektkontrolle** (das Infinitivsubjekt wird als identisch mit deren Objekt verstanden), Verben wie *versprechen* Verben mit **Subjektkontrolle**. Das Beispiel (75) (b) zeigt aber, daß bisweilen von dem lexikalisch festgelegten Kontrolltyp abgewichen wird, wenn es die Bedeutung der Infinitivkonstruktion erfordert. Während (75) (a) drei etwa gleich plausible Lesarten zuläßt (entweder die Eltern, oder die Kinder, oder alle zusammen sollen ins Kino gehen), kann die Bedeutung des Infinitivsatzes bewirken, daß nur eine Lesart in Frage kommt:

(75) (c)	*Die Kinder schlagen ihren Eltern vor, ins Kino zu gehen, um dem Kindergeschrei zu entfliehen.*
(75) (d)	*Die Kinder schlagen ihren Eltern vor, ins Kino zu gehen, um den Vater beim Mittagsschlaf nicht zu stören.*

Bei den *um-zu*-Konstruktionen (76)–(79) gibt es kein Kontrollverb, das die Interpretation des Infinitivsubjekts bedingt. (76) illustriert den regulären Fall bei *um-zu*-Konstruktionen: Das fehlende Argument ist identisch mit dem Subjekt des Hauptverbs. (77) zeigt, daß manchmal (typischerweise bei Verben wie *schicken, senden...*) auch Objektkontrolle möglich ist. In (78) wird ein unbestimmtes Subjekt angenommen – wem das viele Glück nötig ist, wird ebenfalls nicht genauer gesagt. (79) ist das Beispiel einer **Parenthese** (Einschub), mit der der Sprecher seine folgende Formulierung kommentiert. Als Subjekt von *ausdrücken* wird der Sprecher von (79) verstanden.

Ein weiteres Beispiel für Konstruktionen mit einem Verb, von dem das eine Argument nicht ausgedrückt, unter bezug auf den Kontext (Subjekt des Hauptverbs) aber interpretiert wird, stellen die deutschen Partizipialkonstruktionen (80)–(82) dar:

(80)	*Kaum aus dem Bus ausgestiegen, begegnete der alte Mann seinem treuen Freund Max.*
(81)	*Vom hellen Licht des Lastwagens geblendet, verlor der Motorradfahrer die Kontrolle über sein Motorrad und stürzte.*
(82)	*Ihre Handtasche fest auf dem Schoß haltend, saß sie wie gelähmt auf dem Stuhl und schaute dem Kommissar in die Augen.*

Wie solche Konstruktionen syntaktisch zu beschreiben sind, müssen wir hier nicht diskutieren. Sie haben mit den eben behandelten Infinitivkonstruktionen gemeinsam, daß sie eigentlich unvollständig (ein Argument des Verbs fehlt), dennoch nicht abweichend sind. Unter Berücksichtigung ihrer unmittelbaren Umgebung sind sie regulär interpretierbar. Wir werden im nächsten Abschnitt auf weitere Beispiele von Ellipsen eingehen, für deren Auflösung aber der ganze Text, in dem sie vorkommen, benötigt wird. (➡ Übung 23).

4.4 Textverstehen

Da die Syntax für die Beschreibung von Sätzen Strukturen liefert, denkt man bei der Semantik zunächst einmal an die Interpretationen, die man solchen Strukturen geben kann. Aber es gibt keine besondere semantische Kategorie, die der syntaktischen Kategorie Satz entspricht. Eine Kette (parataktisch) aneinander gereihter, also syntaktisch voneinander unabhängiger Sätze kann dieselbe semantische Interpretation erhalten wie ein komplexer Satz:

(83)   *Das Kind hatte sich erkältet, weil es ohne Mantel spazieren gegangen war, obwohl es regnete.*

(83) (a) *Es regnete. Trotzdem war das Kind ohne Mantel spazieren gegangen. Und es hatte sich (so) erkältet.*

(84)   *Während es in den siebziger Jahren verpönt war, Latein zu lernen, ist es heute wieder sehr in.*

(84) (a) *In den siebziger Jahren war das Lernen des Lateins verpönt. Heute ist es hingegen wieder sehr in.*

Es ist daher wahrscheinlich, daß Texte (d. h. Folgen von Sätzen) mit denselben Mitteln interpretiert werden wie komplexe Sätze. Versteht man unter Satzsemantik die Semantik von Ausdrücken, die komplexer sind als lexikalische Einheiten (Wortsemantik), dann umfaßt die sog. Satzsemantik auch die semantische Beschreibung von Texten.[63]

4.4.1 Textkohärenz

Nicht jede Kette von Sätzen wollen wir als Text betrachten, sondern nur solche, die eine gewisse **Kohärenz** aufweisen. Einige Beispiele mögen illustrieren, was wir damit meinen:

(85)   A. *Wie kann ich mich verstecken?*
          B. *Ich werde mich rächen.*
          A. *Warum bin ich bloß hier?*
          B. *Ich muß zu Pedro, er muß mir eine Waffe besorgen.*

---

63 Es ist nicht leicht, den Begriff „Text" für unsere Zwecke so einzugrenzen, daß er interessant wird – also ohne eine vollständige Textsortentypologie anzustreben. Es gibt zwar eine umfangreiche Literatur zur sog. „Textlinguistik" (siehe z. B. Dressler/de Beaugrande 1981), aber die Ansätze zu einer Texttheorie sind so unterschiedlich, daß wir lieber möglichst untheoretisch vorgehen wollen.

(85) sei ein Fragment eines Theaterstücks: Zwei Personen A und B
sind auf der Bühne, ohne voneinander zu wissen, jede Person spricht
nur mit sich selbst. Wir möchten in diesem Fall nicht von einem, sondern von zwei Texten ausgehen (dem, was A sagt und dem, was B
sagt), die jeder für sich kohärent sind. Denn was B sagt, ist keine Reak-
tion auf das, was A sagt, und umgekehrt. Was jeder sagt, versteht sich
ohne Berücksichtigung dessen, was der andere sagt. Nicht die Tatsache, daß es zwei Sprecher gibt, verhindert, daß (85) zum Text wird,
denn Dialoge wie z. B. (86) sind sehr wohl als Texte zu werten:

(86)   A. *Wie kann ich mich verstecken?*
         B. *Warum willst du dich denn verstecken?*
         A. *Wenn mein Mann mich hier sieht, wird er mich schlagen.*
         B. *Komm mit!*

Manche Ketten von Sätzen kommen einem recht merkwürdig und in-
kohärent vor – bis ihr Zusammenhang durch einen kohärenzschaffen-
den Satz deutlich wird:

(87) (a)   *In den USA hat die Erde gebebt.*
(87) (b)   *Das Ozonloch wird immer größer.*
(87) (c)   *Die jüngeren Leute finden keine Arbeit.*
(87) (d)   *In Somalia herrscht Hungersnot.*
(87) (e)   *Die Serben schießen weiterhin auf die Zivilbevölkerung.*
(87) (f)   *Die Mafia verbreitet sich nach Norden.*
(87) (g)   *Wo man hinschaut: Es gibt nur Schreckensnachrichten.*

Erst der Schlußsatz (87) (g) gibt dem Text seine Kohärenz: Alle Ein-
zelsätze (87) (a)–(f) nennen je eine schlechte Nachricht aus der aktuellen Welt. Abgesehen davon, daß sie alle die Gegenwart betreffen, sind
diese Nachrichten untereinander ohne jeden Bezug.

(88)   A. *Der Tee ist gut, aber die Tasse ist klein. Mein Schneider ist reich.*
            Hier kommt der Postbote. Wir fahren mit dem Wagen in die Stadt.
         B. *Was erzählst du denn da?*
         A. *Ich lerne Deutsch.*

Erst die Antwort auf die Frage von B gibt zu verstehen, daß die von A
rezitierten Sätze unzusammenhängende Sätze sind; die Inkohärenz ist
hier nahezu textkonstitutiv (Textsorte: Deutsch-als-Fremdsprache).

(89)   *Karsten holte die Zeitung. Die Mafia hatte wieder zugeschlagen.*
(90) (a)   *Daniel wollte mit dem Wagen fahren.*
(90) (b)   *Er sprang nicht an.*
(90) (c)   *Daniel wurde wütend.*
(90) (d)   *Seine Tochter hatte wieder das Fernlicht brennen lassen.*

(89) kann so verstanden werden, daß Karsten aus der Zeitung erfährt,
daß die Mafia zugeschlagen hat. (90) (a)–(d)) kann ebenfalls als kohärenter Text verstanden werden: Daniel ist deswegen wütend gewor-

den, weil seine Tochter schuld war, daß der Wagen, mit dem er fahren
wollte, nicht anspringen konnte. M. a. W.: Wir verstehen eine Kette
von Sätzen als Text, wenn wir Beziehungen zwischen den Sätzen her-
stellen, so daß ein Zusammenhang zwischen ihnen besteht: Kein Satz
ist irrelevant, wir können es, zumindest hypothetisch, so einrichten, daß
er eine Funktion im Ganzen hat. Wenn in (90) zwischen dem Satz (a)
und dem Satz (b) gestanden hätte: *er war rot*, dann hätten wir Mühe
gehabt, die **Relevanz** dieser Information in diesem Kontext einzusehen.
Er war rot bliebe in (90) ein Fremdkörper ohne Funktion.

Es muß nicht so sein, daß alle Sätze eines Textes unmittelbar miteinander in Verbindung stehen, es reicht, wenn jeder Satz mindestens
mit einem anderen verbunden ist:

(91) (a)   *Lena wollte schon immer gern eine Kreuzfahrt machen.*
(91) (b)   *Plötzlich erbte sie von einer Tante.*
(91) (c)   *Sie schlug ihrem Mann vor, zum 25. Hochzeitstag mit dem Schiff*
             nach Amsterdam zu fahren.

Zwischen (91) (a) und (91) (b) gibt es nur die Koreferenz von *Lena*
und *sie*, ansonsten existieren semantisch keine besondere Beziehungen.
Aber (91) (c) ist sowohl mit (91) (a) (Kreuzfahrt) als auch mit (91) (b)
(das Erbe macht es möglich, den Traum zu verwirklichen) verbunden
– und so kohärenzstiftend.

Es gibt verschiedene sichtbare und unsichtbare (erst durch semantische Interpretation erschließbare) kohärenzschöpfende Faktoren. Unter
den sichtbaren werden oft die Pronomina erwähnt: Die Person, auf die
im Satz (91) (b) mit *sie* verwiesen wird, war im Satz (91) (a) mit Namen (*Lena*) eingeführt. In Satz (90) (b) kann sich *er* nur auf *den
Wagen* aus Satz (90) (a) beziehen (Daniel kann nicht gemeint sein,
denn *anspringen* kann nur eine Maschine und nicht ein Mensch). Es
gibt aber subtilere Mittel, um auf ein und denselben Referenten in einem Text zu verweisen:

(92)   *Als nächste war Frau Süßmuth dran. Die Bundestagspräsidentin*
         sprach sich für die Quotenregelung aus.
(93)   *Doris ist sehr unglücklich mit ihrem Mann. Das Schwein schlägt sie*
         jedesmal, wenn er besoffen ist.
(94)   *Armin und Carmen haben einen Knaben gekriegt. Das Kind ist ge-*
         sund, wog bei der Geburt 3 kg und heißt Benjamin.
(95)   *Armin und Carmen kauften sich einen Trabi. Mit dem Wagen haben*
         sie ein Stück Freiheit erworben.

Die Koreferenz von *Frau Süßmuth* und *die Bundestagspräsidentin* in
(92) zu erkennen, erfordert einschlägiges Weltwissen. Die Koreferenz
von *ihrem Mann* und *das Schwein* in (93) ist deswegen erkennbar, weil
Schwein im Deutschen als Schimpfwort einen Menschen bezeichnen
kann und das Schlagen einer Frau (auch im besoffenen Zustand) eine

unmoralische und ungerechte Handlung ist, so daß deren Agens schon deswegen als Schwein bezeichnet werden kann. In (94) ist *Kind* hyperonym zu *Knabe* bzw. *Knabe* hyponym zu *Kind* (jeder Knabe ist ein Kind, nicht jedes Kind ist aber ein Knabe), und daher ist *Kind* als unspezifisches Pro-Nomen für *Knabe* oder für *Mädchen* einsetzbar. In (95) fungiert *Wagen* (hyperonym zu *Trabi*) als Pro-Nomen. (➡ Übung 24).

Im allgemeinen kann man sicher davon ausgehen, daß ein Text umso kohärenter ist, je klarer und konstanter die Menge der in ihm implizierten Personen und Dinge sind. Wer (96) liest, nimmt zunächst an, daß *die Fenster* die des genannten Hauses sind und nicht die eines anderen Gebäudes:

(96)   *Am Ende der Allee stand ein zweistöckiges Haus. Alle Fenster waren geschlossen, obwohl hochsommerliches Wetter herrschte.*

Fenster sind für uns so konstitutive Bestandteile eines Hauses, daß nicht explizit gesagt werden muß, daß es sich um die Fenster dieses Hauses handelt: *Alle Fenster* wird spontan als Teil-Koreferenz zum eben genannten Haus aufgefaßt. Dies wirkt also ähnlich kohärenzstiftend wie die Pro-Nomen in (94) und (95)

Ein weiterer Kohärenzfaktor ist die zeitliche Lokalisierung etwa durch eine Zeitangabe, die den ganzen Text im Skopus hat (*damals, im Jahre 1986, in seiner Kindheit...*) oder in bezug auf die das weitere im Text geschilderte Geschehen lokalisiert wird:

(97)   *Als ich klein war, wohnte ich in München. Wir hatten eine Zwei-Zimmer-Wohnung in Schwabing. Zum Oktoberfest ging die ganze Familie auf die Wiesen. Ich fand es toll. Später wurde mir klar, daß das Oktoberfest auch ein Ort der Exzesse ist. Jetzt gehe ich nicht mehr hin, auch wenn ich im Oktober in München zu tun habe.*

Die Zeitpunktangabe *als ich klein war* gilt für die ersten vier Sätze des Textes und indirekt (*später =nach meiner Kindheit, als ich nicht mehr klein war*) für den fünften Satz. Erst der 6. Satz (mit *jetzt* als Verweis auf den Sprechzeitpunkt) liegt außerhalb dieses Zeitrahmens (dafür logisch deutlich als Konsequenz aus dem 5. Satz, also doch kohärent). Ähnlich kann eine Ortsangabe einen ganzen Text räumlich lokalisieren:

(98)   *In meiner Heimatstadt gibt es viele Künstler. In manchen Vierteln sind es Maler und Bildhauer, in anderen Dichter und Musiker. Manche reiche Frau organisiert in regelmäßigen Abständen einen „Salon", wo sich alle möglichen Künstler treffen. Dieses rege Kulturleben prägt das Stadtbild...*

Wollte man den Text explizit ausführen, müßte man statt (98) etwa (98) (a) sagen: (➡ Übung 25–26).

(98) (a)   *In meiner Heimatstadt gibt es viele Künstler. In manchen Vierteln*
                meiner Heimatstadt sind es Maler und Bildhauer, in anderen
                Vierteln meiner Heimatstadt sind es Dichter und Bildhauer. Manche
                reiche Frau organisiert in meiner Heimatstadt *in regelmäßigen*
                Abständen einen „Salon", wo sich alle möglichen Künstler treffen.
                Dieses rege Kulturleben prägt das Stadtbild meiner Heimatstadt..

4.4.2 Verstehensstrategien

Wie kommt es, daß wir (98) im Sinne von (98) (a) verstehen, obwohl
die räumliche Lokalisierung nicht in jedem Satz wiederholt wird? Es
ist anzunehmen, daß ein allgemeines **Ökonomieprinzip** unser Textverstehen prägt: Ist einmal eine Ortsangabe genannt worden, dann betrachten wir sie so lange als geltend, bis eine andere genannt wird, die
die erste ersetzt, oder bis der Kontext so abweichend wird, daß der genannte Ort nicht mehr zutreffen kann. D. h.: Jedes Ereignis ist zeitlich
und räumlich lokalisiert. Wenn im 2. Satz keine neue zeitliche oder
räumliche Angabe enthalten ist, die die des ersten Satzes ersetzen oder
eingrenzen könnte, gehen wir davon aus, daß nur Bekanntes, schon
Genanntes ausgelassen wurde (wie bei der Ellipse im allgemeinen).
Die Situierung, die im 1. Satz ausdrücklich vorgenommen wird, bleibt
erhalten, solange nichts gegen sie spricht. Dies ist der Normfall (der
sog. „unmarkierte Fall"), der es eben erlaubt, daß nicht jeder Satz alles
ausdrücklich enthält, was zu dessen Verständnis nötig ist. Nach demselben Prinzip suchen wir für den Referenten eines Pronomens oder eines Pro-Nomens nach einem der schon erwähnten Individuen, weil wir
davon ausgehen, daß ein neues Individuum (eine Person oder ein Ding)
im kohärenten Text ausdrücklich als solches hätte eingeführt werden
sollen. Dies entspricht einer **Verstehensstrategie**, nach der wir zunächst
einmal vorgehen (d. h.: Es können Fälle auftreten, in denen diese
Strategie nicht erfolgreich funktioniert), und diese Strategie basiert auf
die Annahme, daß der Autor des Textes nur das ausdrücklich erwähnt,
was notwendig ist. M. a. W.: Unser Textverstehen ist bedingt oder zumindest geprägt von Annahmen, die wir über das Verhalten des
Textautors bzw. unseres Gesprächspartners machen. Wir gehen davon
aus, daß er sich **möglichst ökonomisch** (sparsam) und **möglichst rele-
vanzgerecht** verhält, d. h. nur das ausdrückt, was ausgedrückt werden
muß, so wie wir selbst beim Schreiben oder Sprechen instinktiv nur
das ausdrücken, was relevant ist, und dadurch möglichst effizient vorgehen. (➜ Übung 27–28).
        Dieses Verhalten ist möglicherweise universell, d. h., nicht an eine
bestimmte Kultur gebunden. Der englische Sprachphilosoph Grice formulierte dafür das folgende sog. **Kooperationsprinzip**: „Gestalte deine
Äußerung so, daß sie dem anerkannten Zweck dient, den du gerade

zusammen mit deinem Kommunikationspartner verfolgst." (Zitiert nach Hamm et. al, 1987: 402). Er konkretisiert das Kooperationsprinzip durch die folgenden **Maximen**:

Maximen der Quantität:
1. Mache deinen Gesprächsbeitrag so informativ, wie es der anerkannte Zweck des Gesprächs verlangt.
2. Mache deinen Gesprächsbeitrag nicht informativer, als es der anerkannte Zweck des Gesprächs verlangt.

Maximen der Qualität:
1. Versuche, einen Gesprächsbeitrag zu liefern, der wahr ist.
2. Sage nichts, wovon du glaubst, daß es falsch ist.
3. Sage nichts, wofür du keine hinreichende Gründe hast.

Maxime der Relation:
Sage nur Relevantes.

Maximen der Modalität:
1. Vermeide Unklarheit.
2. Vermeide Mehrdeutigkeit.
3. Vermeide unnötige Weitschweifigkeit.
4. Vermeide Ungeordnetheit.

Diese Maximen (im Imperativ) sind als Befehle oder Empfehlungen formuliert, was den Eindruck erwecken könnte, es ginge darum, normative Verhaltensregeln aufzusetzen, die ein „kooperativer" Sprecher zu befolgen hat. Man kann die Maximen aber als den Versuch betrachten, das zu beschreiben, was unser Verhalten als Sprecher – die wir ja immer mit mehr oder weniger Erfolg, aber aus Notwendigkeit kooperativ sein wollen, weil wir am Erfolg der Kommunikation interessiert sind – erklärt. Man könnte die berühmt gewordenen Griceschen Maximen im einzelnen diskutieren und sich fragen, ob sie alle dasselbe Gewicht haben, was der Unterschied zwischen „informativ" und „relevant" (Quantität) ist, was unter „Ungeordnetheit" genau zu verstehen ist, ob die 3. Maxime der Qualität nicht im Widerspruch zu der 2. steht usw... Ausbuchstabiert ergeben aber diese Maximen zusammen einen Eindruck der Vielfalt der kommunikationsfördernden Faktoren. Es leuchtet ein, daß ein Zuviel an Information den Gesprächspartner irritieren kann, genau wie Informationen, deren Relevanz im gegebenen Kontext nicht erkennbar ist. Wir dürften in der Tat normalerweise davon ausgehen, daß der Sprecher das, was er behaupet, für wahr hält – obwohl wir wissen, daß er auch lügen könnte. Daß ein „klarer" Text leichter zu verarbeiten bzw. zu verstehen ist als ein „unklarer" Text, ist trivial. Die Frage ist nur: Was trägt zur Klarheit eines Textes bei, was zur Unklarheit? Mehrdeutigkeiten stören nur, wenn sie sofort erkannt werden (und man Mühe hat, sich für eine Lesart zu entscheiden) oder wenn zunächst nur die nicht intendierte Lesart erkannt wird und im weiteren Verlauf des Textes eine Korrektur nötig wird.

Grice läßt die Rolle der syntaktischen Komplexität völlig außer acht. Ein komplexer Satz mit mehreren ineinander geschachtelten Sät-

zen dürfte aufwendiger zu analysieren und daher schwerer zu verstehen
sein als eine Folge von weniger komplexen Sätzen. Daß parataktisch
verknüpfte Sätze einfacher sind als subordinative Satzverknüpfungen,
gilt aus der Sicht der Spracherwerbsforscher als sicher, denn Kinder
lernen den Umgang mit der Subordination relativ spät.

Das Verstehen eines Textes hängt ferner von einer Vielzahl von
noch nicht ausgiebig erforschten, dem Sprachbenutzer meist nicht bewußten Erwartungen ab, die den Aufbau des Textes (je nach Textsorte)
betreffen. Im unmarkierten Fall werden aufeinander folgende Ereignisse durch aufeinander folgende Sätze genannt wie in (99), (99) (a)
stellt dagegen den markierten Fall dar:

(99)   *Die Mutter steht auf. Sie bereitet das Frühstück und weckt die Kin-*
            der. Die Kinder waschen sich und ziehen sich an. Sie frühstücken
            und gehen dann in die Schule.
(99) (a)   *Bevor die Kinder in die Schule gehen, haben sie gefrühstückt. Sie*
            haben sich zuvor angezogen, nachdem sie sich gewaschen hatten.

In Rezepten erwarten wir z. B. zunächst die Liste der Zutaten und dann
die Anweisungen in der Reihenfolge ihrer Durchführung; (100) ist somit lesefreundlicher als (100) (a):

(100)   *Eiweiß steif schlagen und langsam der Creme beimischen!*
(100) (a)   *Der Creme wird jetzt das zuvor steif geschlagene Eiweiß beige-*
            mischt.

Auch die Erwartungen, die aus unserer Alltagskenntnis erwachsen, beeinflussen das Verstehen eines Textes: Da wir wissen, wie normalerweise ein Essen im Restaurant vor sich geht, gehen wir z. B. davon
aus, daß der Gast vor dem Verlassen des Lokals bezahlt hat, auch wenn
dies nicht ausdrücklich gesagt wird. Es gibt sehr viele Bereiche des
Lebens, die uns so vertraut sind, daß wir vieles aus einem Text heraus
„interpretieren", was nicht explizit erwähnt wird – gerade weil der Autor des Textes annimmt, daß es uns vertraut ist (z. B. das Leben am
Strand, ein Fußballspiel, die Fahrt in die Ferien...). Manche Autoren
nennen solche – mehr oder weniger flexible – Geschehensvorstellun-
gen **Schemata** oder **Scripts** (im Sinne von „Scenario"). Es handelt sich
um „zusammengepackte" Vorstellungen, die unser Weltwissen ordnen
und uns helfen, eine mentale Repräsentation (Vorstellung) von dem
aufzubauen, worum es im Text geht. Insofern kann man sie als eine
besondere Sorte **prototypischer** Vorstellung betrachten: Die Scripts
bzw. Schemata sind prototypisch in dem Sinne, daß sie zwar als
Nächstliegendes aktiviert werden, ihnen aber nicht in allen Punkten

entsprochen werden muß.[64] Was die Verständlichkeit eines Textes angeht, sei betont, daß diese unsere Vorkenntnisse und Erwartungen z. T. individuell und z. T. auch sozial bzw. kulturell variieren können (vgl. Besuch eines Restaurants in Japan).

Diese unsere Erwartungen haben als Grundlage nicht sprachliches Wissen, sondern unsere bisherige Erfahrung, also **Weltwissen**. Überhaupt spielt unser Weltwissen beim Textverstehen eine sehr wichtige Rolle: Denn wir vergessen nicht, was wir wissen oder zu wissen glauben, wenn wir anfangen, einen neuen Text zu verarbeiten.[65] Wir nehmen in der Regel nicht an, daß der Text unser bisheriges Weltwissen korrigieren wird; wir erwarten eher, daß er es erweitert. Die Information, die wir dem Anfang eines Textes entnommen haben, behalten wir bei der Verarbeitung der folgenden Textpassagen in Erinnerung, ebenso wie unsere bisherige Weltkenntnis: So wird eine Art Textrahmen abgesteckt, dem sich die später registrierten Informationen einfügen, so daß die Verarbeitung jeder Textstelle auf einer schon konstruierten mentalen Vorstellung der „Welt" des Textes aufbaut. Wenn am Anfang des Textes zu lesen bzw. zu hören war, daß Waldi ein Dackel ist, dann werden wir alle späteren Okurrenzen des Namens *Waldi* auf unsere Vorstellung eines Dackels beziehen. Wenn später im Text von Waldis stehenden Ohren die Rede ist, dann werden wir stutzig: Entweder wir werden die Eigenschaft „Dackel-sein", die wir bisher auf Waldi bezogen gespeichert haben, löschen und z. B. durch „Hund-sein" ersetzen, oder wir werden einen zweiten Waldi annehmen, oder wir erweitern unser Wissen über das „Dackel-sein" um ein neues Merkmal „stehende Ohren"..., oder wir werden den Text nicht verstehen können. Man kann das Dekodieren eines Textes mit dem Aufstellen einer Datenbank vergleichen, die jederzeit erweiterbar ist und nur bei Bedarf korrigiert wird. Einige Beispiele für Korrekturen: Am Ende des Textes erfährt man, daß Waldi in Wirklichkeit ein Phantasiehund war. Oder: Eine mehrdeutige Passage war falsch interpretiert worden, so daß nun eine Störung im Verstehen entsteht; wir erinnern uns jetzt an die alte Passage und interpretieren sie um, so daß sie mit der jetzigen Passage kohärent ist. Oder: Wir hatten eine Information falsch eingeordnet und nicht gemerkt, daß eigentlich ein Themawechsel (vielleicht sogar ein Textwechsel) eingetreten ist, d. h., daß es weder nötig noch angemessen war, diese neue Information mit dem schon Gespeicherten zu kombinieren. So etwas passiert bisweilen in Dialogen:

---

64 Ein prototypisches Exemplar der Kategorie „Vogel" z. B. ist ein Tier, das fliegen kann, aber wir können auch Texte verstehen, in denen von Straußen oder Pinguinen als Vögeln, die nicht fliegen können, die Rede ist.
65 Wir werden sehen (§4.4), daß gerade dies der Grund ist, weshalb das, was wir an Informationen aus einem Text erschließen, grundsätzlich verschieden von dem sein kann, was sein Autor intendiert hat.

(101) (a)   A: *Meyer macht im Moment Urlaub, und Müller ist krank.*
(101) (b)   B: *Also mußt du für drei arbeiten?*
(101) (c)   A: *Sozusagen. Ein Streß, sag ich dir.*
(101) (d)   B: *Klaus ist zur Zeit in Thailand.*
(101) (e)   A: *Was hat das mit meinem Streß zu tun?*
(101) (f)   B: *Nichts. Es fiel mir nur ein: Wir haben eine Postkarte von ihm ge-*
              kriegt.
(101) (g)   A: *Ich habe keine Mittagspause gemacht. Was gibt's heute abend?*
(101) (h)   B: *Habe ich noch nicht überlegt. Müssen wir schauen. Thailand, da*
              würde ich auch gerne hin.
(101) (i)   A: *Ich auch, klar. Gab es nicht ein Rest Sauerkraut von gestern?*

Ein solches Gespräch können wir nur deswegen als *einen* Text betrachten, weil durch (101) (e) und (101) (f) der Bezug zwischen dem Streß
und Thailand thematisiert wird. Für A hätte (101) (d) als Beginn eines
neuen Textes gelten müssen, was B durch (101) (f) bestätigt. Im weiteren Verlauf des Gesprächs existieren beide Themen nebeneinander, al-
ternierend, aber ohne gegenseitige Beeinflussung.

4.5 Erweiterte Semantik: Kommunizieren

4.5.1 Was will der Sprecher eigentlich?

Wenn A zu B (102) gesagt hat und B (102) verstanden hat, dann weiß
B soviel über die Position von Wuppertal, wie A ihm mitgeteilt hat,
nämlich das graphisch in Abb. 3 Dargestellte:

(102) *Wuppertal liegt ungefähr auf halber Strecke zwischen Paris und Berlin.*

Abb. 3

Paris   Wuppertal   Berlin

Aber das Verstehen von (102) reduziert sich nicht darauf, was in Abb.
3 dargestellt wird. B will außerdem verstehen, warum ihm A das mit-
teilt, welche **Relevanz** diese Information hat, wie er sie in seinen mentalen Speicher (in seine Weltvorstellung) einordnen soll. Dafür aktiviert er sein Wissen über die Person A, über die Situation, in der A
(102) gesagt hat, über den sprachlichen und situativen Kontext von
(102). Derselbe Satz (102) kann als Antwort auf Fragen wie (103) gebracht werden:

(103) (a)   *Wie weit ist Wuppertal von Paris?*
(103) (b)   *Wie weit ist Wuppertal von Berlin?*
(103) (c)   *Wo liegt Wuppertal?*

In diesem Fall nimmt A an, daß B in etwa weiß, wo Paris und Berlin liegen. (102) kann aber vor (104) (ebenfalls von A gesprochen) stehen:

(104)   *Du könntest da Zwischenstation machen und bei mir in Wuppertal übernachten.*

In diesem Fall ist (102) als Begründung für das Angebot (104) zu sehen. (104) gibt B sozusagen im Nachhinein die Möglichkeit, die Relevanz von (102) zu erkennen. A muß nicht wie in (103) angenommen haben, daß B nicht weiß, wo Wuppertal liegt. Die Hauptintention von A war es nicht, B die mit Abb. 3 dargestellten Verhältnisse beizubringen, sondern die mit (104) ausgesprochene Einladung oder auch einen in (104) versteckten Vorwurf, weil B A zu selten besucht, obwohl Wuppertal auf der Strecke nach Berlin günstig liegt. Eine Semantik, die als Repräsentation der Bedeutung von (102) lediglich Abb. 3 liefert, abstrahiert von alledem und ist daher zu arm, wenn man sich für die Frage interessiert, wie B (102) versteht. Natürlich sind die mit Abb. 3 dargestellten Verhältnisse etwas, was für alle Vorkommen von (102) gilt. Aber das Verstehen ist komplexer, und vor allem situationsabhängig. Die Faktoren, die außerhalb der reinen Semantik im engeren Sinne das Verstehen einer Äußerung in einem bestimmten Kontext bedingen, werden klassischerweise in der sog. **Pragmatik** untersucht. Ich sage hier absichtlich **Äußerung** und nicht „Satz", weil es wirklich darum geht, wer wann unter welchen Umständen den Satz (102) **äußert**.

Man kann verschiedene Typen von Äußerungen unterscheiden, vor allem: Aussage, Frage, Befehl/Bitte/Wunsch. Wir haben in Kap. 2 gesehen, daß diese Äußerungstypen nicht notwendigerweise mit den verschiedenen (syntaktischen) Satztypen korrelieren, die im Deutschen vor allem durch die Stellung des finiten Verbs charakterisiert werden:

(105) (a)   *Ich möchte bitte ein Weißbier!*
(105) (b)   *Bringen sie mir bitte ein Weißbier!*
(106) (a)   *Geh jetzt ins Bett!*
(106) (b)   *Du gehst jetzt bitte ins Bett!*

Man kann sagen, daß die Formulierung (105) (b) deutlicher, expliziter (durch den Gebrauch des Imperativs) als die Äußerung von (105) (a) einen Befehl kennzeichnet. „Das, was man tut, indem man spricht", wird seit der sog. **Sprechakttheorie** als **Illokution** bezeichnet und von der sog. **Lokution**, d. h., der eigentlichen Produktion sprachlicher Laute unterschieden: Indem der Sprecher von (105) (a) spricht (Lokution), vollzieht er den Akt des Befehlens (Illokution).[66]

---

66 **Perlokution** wird die Wirkung genannt, die durch den Sprechakt beim Hörer hervorgerufen wird (hier im erfolgreichen Fall das Gehorchen). Ob sich der Hörer so verhält, wie es sich der Sprecher vorgestellt oder gewünscht hatte, ist aber nur zum Teil

Die Frage nach dem Handlungstyp eines Sprechaktes läßt eine differenziertere Beantwortung zu, als nur Frage/Aussage/Befehl. So kann man etwas sagen, um einen Sachverhalt einfach zu beschreiben oder das Vorliegen eines solchen zu behaupten, oder um jemanden zu einem bestimmten Verhalten zu animieren (etwa Verben wie *befehlen, auffordern, erlauben, raten...*), oder um sich jemandem gegenüber zu etwas zu verpflichten (z. B. Verben wie *versprechen, ankündigen, drohen*). Unter Berücksichtigung bestimmter Bedingungen können *Ich*-Äußerungen im Präsens verbindliche, ja juristisch an den Sprechakt gebundene Handlungen sein:

(107)   *Ich taufe dich hiermit auf den Namen Stefanie.*
            Ich vermache dir hiermit meine Uhr.
            Ich schwöre, daß ich unschuldig bin.

Konstruktionen wie (107) sind **performativ**, weil die entsprechenden Äußerungen notwendigerweise vollzogen (Performanz) werden müssen, damit der Tatbestand „Taufe", „Vermächtnis" bzw. „Schwur" erfolgreich zustande kommt. Sie können in juristisch weniger brisanten Kontexten verwendet werden, um den Äußerungstyp deutlich zu kennzeichnen. In Fällen wie in (108) geben sie dem Hörer einen Hinweis auf die (vorgeblich) echte Intention des Sprechers. Vergleicht man (109) mit (108) (a) und (108) (b), wird diese Funktion deutlich: (109) sieht wie eine Frage aus, könnte aber auch eine höfliche Bitte sein. (➡ Übung 29).

(108) (a)   *Ich frage dich (hiermit), ob du Lust hast, mitzukommen.*
(108) (b)   *Ich bitte dich (hiermit), mitzukommen.*
(108) (c)   *Ich warne dich (hiermit): Deine Freundin Emma ist nicht zuverlässig.*
(109)   *Hast du Lust, mitzukommen?*

Im Sinne einer Bitte würde man (109) in der Terminologie der **Sprechakttheorie** als **indirekten Sprechakt** bezeichnen. Indirekte Sprechakte kommen sehr häufig vor. Am deutlichsten sind solche Beispiele wie (110):

(110) (a)   *Es zieht!*
(110) (b)   *Ich habe Durst.*
(110) (c)   *Wenn ich bloß eine Zigarette hätte.*

Der Sprecher wünscht beispielsweise, daß man das Fenster oder die Tür schließt ((110) (a)), ihm ein Getränk anbietet ((110) (b)) oder eine Zigarette gibt ((110) (c)). Weitere Lehrbuchbeispiele sind (111):

---

davon abhängig, ob er ihn „verstanden" hat: der Hörer kann sehr wohl „verstanden" haben, aber nicht „gehorchen"!

(111) (a)   *Entschuldigen Sie, könnten Sie mir sagen, wie spät es ist?*
(111) (b)   *Hätten Sie Kleingeld?*
(111) (c)   *Haben Sie Feuer?*

Der Sprecher hat in den Sätzen (111) die Absicht, die Uhrzeit zu erfahren (a), Geld zu wechseln (b) und Feuer zu bekommen[67] (c), aber er möchte nicht, daß auf seine Fragen einfach mit *ja* geantwortet wird, ohne daß die entsprechende Handlung (Uhrzeit sagen, Geld wechseln bzw. Feuer geben) folgt. Im Gegensatz dazu erwartet er bei einer negativen Antwort keine weitere Handlung.

Zu den indirekten Sprechakten könnte man vielleicht auch umständliche, vorsichtige Formulierungen wie (112) rechnen (vgl. (108) (c):

(112)   *Es gibt das Gerücht, daß deine Freundin Emma nicht zuverlässig ist.*

4.5.2 Wie konsensfähig ist das Mitgeteilte?

Die erste Frage also, die sich der Hörer stellen muß, wenn er die Äußerung seines Gesprächspartners hört, ist die nach dem **kommunikativen Wert**, nach dem **Spechakttyp**, dem diese Äußerung zuzurechnen ist. In dem Fall, wo der Sprecher etwas sagt, weil er es weiß und sein Wissen auf den Hörer übertragen will (vgl. Abb. 3), ist es ferner für den Hörer möglicherweise nicht uninteressant zu erfahren, wo der Sprecher dieses Wissen her hat; ob er selbst dieses Faktum konkret erfahren hat (etwa dadurch, daß er die Strecke selbst gefahren ist oder eine Landkarte studiert hat) oder ob er es von Dritten gehört hat, und wenn letzteres zutrifft, wie zuverlässig diese Information ist. Die **Zuverlässigkeit**, die eine Information für den Hörer hat, ist deswegen wichtig, weil er nur dann bereit sein wird, seine mit dieser Information nicht verträgliche bisherige Vorstellung von der „Welt" zu revidieren, wenn er den Quellen dieser neuen Information mehr Vertrauen schenkt als den Quellen seiner bisherigen Annahmen. Der Sprecher nennt oft „Garantien", „Bürgschaften" für seine Aussagen, so daß sich der Hörer entscheiden kann, ob er sie anerkennt.

(113) (a)   *Der Ehemann ist der Mörder.*
(113) (b)   *Der Ehemann soll der Mörder sein.*
(113) (c)   *Nach Angaben der Polizei sei der Ehemann der Mörder.*
(113) (d)   *Nach Angaben der Polizei ist der Ehemann der Mörder.*
(113) (e)   *Nach Auffassung der Justiz ist der Ehemann der Mörder.*
(113) (f)   *Der Ehemann ist der Mörder, denn ich habe selbst gesehen, wie er die Frau erschoß.*

---

67 Offenbar verbietet uns die Höflichkeit, deutlich zu bitten bzw. den Modus Imperativ zu verwenden, denn die meisten Beispiele für indirekte Sprechakte sind Bitten, Befehle und Wünsche.

Der Sprecher von (113) (a) gibt – ohne Nennung von „Garantien" – bekannt, daß (auch) er der Meinung ist, daß (113) (a) wahr ist. Der Sprecher von (113) (b) behauptet nur, daß allgemein angenommen wird, daß (113) (a) der Wahrheit entspricht. Der Sprecher von (113) (c) nennt eine Quelle (die Polizei), gibt aber auch zu verstehen, daß die Polizei für die Wahrheit von (113) (a) nicht bürgt: Sie selbst behauptet nicht (113) (a), traut ihrer Quelle nicht ganz, im Unterschied zu (113) (d): Der Sprecher von (113) (d) scheint die Polizei als zuverlässige „Garantie" zu akzeptieren – und suggeriert damit seinem Hörer, daß man kaum an dem zweifeln kann, was die Polizei behauptet. Der Sprecher von (113) (e) ist vielleicht genauso überzeugt wie der Sprecher von (113) (a) und nennt als „Garantie" die Justiz, also die verbindlichste Instanz in unserem Rechtsstaat für solche Urteile. Die wohl stärkste „Garantie", die am wenigsten vom Hörer angezweifelt werden könnte, ist (113) (f). Der Hörer kann die Zuverlässigkeit der verschiedenen genannten „Garantien" anders bewerten als der Sprecher. Wenn er den Sprecher gut kennt und z. B. weiß, daß er wenig Vertrauen zur Polizei hat, kann es sein, daß er aus der gewählten Formulierung entnehmen kann, wie der Sprecher von (113) (d) der Wahrheit von (113) (a) skeptisch gegenüber steht. Es kann auch sein, daß der Hörer generell weniger Vertrauen zur Polizei hat als der Sprecher: In diesem Fall wird ihn auch (113) (d) nicht überzeugen, daß (113) (a) wahr ist. Dieses Beispiel zeigt, daß auch dann, wenn der Sprecher seine Quellen angibt, das, was er sagt, vom Hörer anders bewertet wird, als er es selbst tut. Der Hörer hat den Sprecher verstanden, aber die Information, die er daraufhin speichert, ist nicht identisch mit der, die sich der Sprecher zu eigen gemacht hatte und mitteilen wollte. Es gibt viele Beispiele derart unterschiedliche Bewertungen der Zuverlässigkeit einer Mitteilung, die durch unterschiedliche Anerkennung der genannten „Garantien" zustande kommen: Wie reagiert der Zeitungsleser, wenn eine Behauptung mit Angaben wie *nach wissenschaftlich zuverlässigen Erkenntnissen, nach Auffassung des angesehenen Professors xy, aus der Sicht von Heinrich Böll, nach repräsentativen Meinungsumfragen, nach Meinung führender Spezialisten* usw. modalisiert, d. h. „abgesichert" wird? Auf den einen wirkt die Nennung solcher „Garantien" überzeugend, der andere zweifelt gerade deshalb an der Information, und ein anderer läßt sich überhaupt nicht beeindrucken. Der Leser kann – mit Recht – solche Modalisierungen als Indiz für den Überzeugungsgrad des Journalisten deuten. Nur: Er muß ihm nicht folgen. Angenommen, der Hörer erwidert auf (113) (d) mit (114):

(114)   *Was besagt das nun? Solange die Richter kein Urteil gesprochen haben, gilt für mich das Prinzip „in dubio pro reo".*

Dann verlagert sich das Gespräch von der Identifikation des Mörders auf die Zuverlässigkeitsfrage. Das Gespräch geht aber weiter. Es wäre absurd zu behaupten, die Kommunikation hätte deswegen nicht funktioniert, weil der Hörer am Ende nicht zur gleichen Überzeugung gelangt ist wie der Sprecher. Die Zustimmung ist nur eine der möglichen Reaktionen auf eine Mitteilung: Der Hörer kann zurückhaltend, gleichgültig oder unentschieden bleiben oder auch kontern, protestieren. M. a. W.: Die Kommunikation ist nicht nur dann erfolgreich gewesen, wenn am Ende A und B sich diesselben Informationen, Erkenntnisse, dasselbe Wissen zu eigen gemacht haben; Konsens ist nur ein mögliches Ergebnis einer gelungenen Kommunikation.

Es gibt zahlreiche Beispiele von Dialogen, die als gelungene Kommunikationssituationen gelten können, obwohl im Ergebnis die Gesprächspartner nicht einer Meinung sind, sich also nicht mit demselben „Wissen" trennen.

(115)   A. *Es ist besser, mit dem Auto zu fahren.*
         B. *Aber in der Bahn kann man lesen und schlummern.*
         A. *Ja, aber die Zugverbindungen sind nicht immer günstig.*
         B. *Das stimmt, das könnte besser sein. Aber das Auto rentiert sich doch für eine Person nicht.*
         A. *Sehe ich ein. Beide, Zug und Auto, haben Vor- und Nachteile.*
(116)   A. *Norbert soll in Griechenland sein.*
         B. *Unmöglich. Ich habe ihn letzte Woche getroffen. Er war völlig pleite.*
         A. *Dann bist du nicht auf dem letzten Stand. Er sollte seine Mutter begleiten, sie ist reich genug.*
         B. *Aha. Aber so sicher bist du auch wieder nicht.*
(117)   A. *Der Arzt hat mir ein Glas Rotwein pro Mahlzeit empfohlen.*
         B. *Wein als Medizin! Komischer Arzt!*
         A. *Doch! Rotwein enthält viele kostbare Substanzen. Schädlich ist Wein nur, wenn man zuviel davon trinkt. Außerdem: Kaffee ist auch nur für manche schädlich, für andere empfehlenswert. Das ist bei Wein nicht anders.*
         B. *So gesehen, vielleicht ja.*

In keinem der Dialoge (115)–(117) hat am Ende B denselben Überzeugungsstand wie A erreicht. Trotzdem kann man nicht von mißlungener Kommunikation sprechen. Auch in Fällen, wo sich am Ende A und B scheinbar verstanden haben, ist die Vorstellung, die B von der Beziehung von A zum Gesagten hat, nicht identisch mit der Beziehung von A zum Gesagten. (➡ Übung 30).

Man kann generell annehmen (vgl. Grunig/Grunig (1985)), daß in der Kommunikationssituation drei Faktoren zu berücksichtigen sind:

i.   die Beziehungen zwischen dem Sprecher A und der Lautkette C

ii.   die Beziehungen zwischen dem Hörer B und der Lautkette C

iii.   die Beziehungen zwischen dem Sprecher A und dem Hörer B
       in der betroffenen Situation.

Wenn A C ausspricht, dann tut er das unter Berücksichtigung bestimmter Vorstellungen, die er von ii und iii hat. Und wenn B C „versteht",
dann tut er das unter Berücksichtigung bestimmter Vorstellungen, die
er von i und iii hat. Daraus ergibt sich, daß i und ii nicht identisch sein
müssen. In der Regel sind i und ii auch nicht identisch, zumal A und B
mehr oder weniger verschiedene „deutsche Sprachen" sprechen (unterschiedliche Vorstellungen von Wortbedeutungen, unterschiedliche Stereotypen haben...). Je besser sich A und B kennen, insbesondere je häufiger sie unter Verwendung ein und desselben Sprachregisters miteinander kommunizieren oder je konventioneller die Kommunikationssituation ist (z. B. Mathematikunterricht oder Besprechung eines „Falls"
unter Ärzten), umso größer sind die Chancen, daß i und ii identisch
sind.   Zusammengefaßt: Wie gut die Kommunikation zwischen zwei oder
mehr Gesprächspartnern funktioniert, hängt von vielen Faktoren ab
(vgl. auch Kap. 6), u. a. von der Fähigkeit der betroffenen Personen,
dem Gesagten bzw. Gehörten eine Bedeutung im klassischen Sinn
(Formale Logik) zuzuordnen. Diese Fähigkeit wird bisweilen „semantische Kompetenz" genannt (Paraphrasebeziehungen, semantische Abweichungen, Mehrdeutigkeiten, Implikationen zwischen Bedeutungen
usw. erkennen). Aber das „Verstehen" eines Textes (einer Lautkette)
geschieht nicht unabhängig von den Vorstellungen, die der Hörer von
seinen Gesprächspartnern, von der Welt, von der jeweiligen Situation
usw. hat, womit all das in die „Verstehenslehre" zu integrieren ist, was
manche „Pragmatische Kompetenz" genannt haben. Nach allem, was
wir in diesem Abschnitt angesprochen haben, ist das „Verstehen" immer die Konstruktion einer Person in einer bestimmten Situation. (➡
Übung 31–36).[68]

Zugabe: Semantische Analyse von Werbesprüchen

(1)   *Ceci n'est pas une annonce.* [Kunstausstellung in Zü-
           rich. Bild: Kein Bild, sondern nur der genannte Spruch
           in „Schülerhandschrift".]

---

68 Ich habe vermieden, für das Ergebnis dieser Konstruktion (dieses Verstehens),
   Wörter wie „Bedeutung" oder „Sinn" zu verwenden, ich hoffe, Sie „verstehen" jetzt,
   warum!

„*Ceci n'est pas une annonce*" bedeutet „dies ist keine Anzeige", was ja nicht stimmt, denn es handelt sich um eine Werbeanzeige für die Kunstausstellung in Zürich! Wer sich in Kunstgeschichte nicht auskennt, dürfte Mühe haben, diesen Spruch zu deuten. Und warum ein Spruch in französischer Sprache? Der Schlüssel ist das berühmte Magritte-Bild einer Pfeife, unter der der Spruch „ceci n'est pas une pipe" (in derselben Handschrift wie der Spruch der Anzeige) steht. Was Magritte mit seinem Spruch bezweckte, ist klar: Er wollte hervorheben, daß ein Bild einer Pfeife keine Pfeife ist, sondern eben nur das Werk eines Künstlers und daher eine bestimmte Sicht der Realität. Der Werbespruch ist also ein leicht modifiziertes Zitat aus einem Kunstwerk, der als solches nur von denen „verstanden" werden kann, die das Original erkennen. Die Anspielung auf Magrittes Werk reicht als Signal für Kenner der Kunstszene aus: sie (und nur sie, also eine Elite) sind angesprochen.

Auf Kunst oder Literatur wird bisweilen auch in der Werbung für Produkte angespielt, deren potentielle Käufer nicht unbedingt Kunst- oder Literaturliebhaber sind. So z. B. in *Lichter einer Ausstellung* [Erco Leuchten]; *der Name der Hose* [Mustang]. Man muß nicht Mussorgskis „Bilder einer Ausstellung" oder Umberto Ecos „Der Name der Rose" kennen, um Erco-Lampen bzw. Mustang-Hosen zu kaufen. Die Adressaten der Anzeige sind aber „gebildete" Menschen, vielleicht sind sie stolz, diese elitäre Anzeige zu verstehen, und möglicherweise übertragen sie auch auf das jeweilige Produkt das Prädikat „gebildet", „edel" o. ä., das eigentlich nur in der Adresse steckt.

(2)   *Lieber lange Unterhosen als lange Schnupfen.* [Jockey-Unterwäsche]

Wie alle Sprüche, die dem Schema „lieber A als B" entsprechen (s. Übung 18) verlangt dieser Spruch, daß A und B als Alternativen zueinander verstanden werden können und daß A gegenüber B als das geringere Übel gilt. Denn wenn es selbstverständlich wäre, daß A besser ist als B, dann wäre der Spruch nicht paradox und daher nicht witzig. Das Problem besteht darin, sich einen Kontext vorzustellen, in dem A und B (die beim ersten Hinschauen, rein semantisch, nichts Gemeinsames haben und daher schwerlich eine Alternative darstellen) in das Schema „lieber A als B" passen. Hier ist Weltwissen notwendig: Lange Unterhosen sind hierzulande eine Winterkleidung, sie schützen vor Kälte. Daher schützen sie auch vor Erkältung im allgemeinen, also auch vor Schnupfen. Sie gelten vielleicht nicht als elegant und modern, aber sie haben auch ihren Nutzen, und der ist nicht gering: Denn wer will schon Schnupfen?!

(3) (a)   *Ich war eine Dose.* [Weißblech Recycling. Bild: Eine
            einfache Blechdose]
(3) (b)   *Ich war nie eine Dose. Dafür bin ich ohne Chlor gewa-
            schen.* [Joker. Bild: Eine Jeanshose]

Es hat eine Reihe von Anzeigen mit dem Spruch „Ich war eine Dose"
gegeben, in denen verschiedene Gegenstände aus Blech (vom Spielzeug bis zum Kruzifix) abgebildet waren. Wenn ein Spielzeug sagt:
„*Ich war eine Dose*", dann versteht jeder leicht, daß es aus „recycletem" Metall hergestellt wurde. Das überraschende an (3) (a) ist, daß eine Dose das sagt: Der Leser muß genau auf die Verbform achten, denn
„ich bin eine Dose" wäre redundant (das Bild zeigt dies), mit *war* heißt
der Spruch soviel wie „Ich war schon mal eine (andere) Dose", also:
Auch Dosen werden aus „recycletem" Metall hergestellt.
  Der Spruch (3) (b) versteht sich nur auf dem Hintergrund der durch
(3) (a) illustrierten Werbekampagne: „Ich war eine Dose" symbolisiert
nicht nur Recycling, sondern den Umweltschutz allgemein. Nur über
diese Umdeutung (die ja Kenntnis der Werbung voraussetzt) ist es
möglich, zu verstehen, daß eine Hose die – ansonsten völlig triviale,
also informationsleere – Aussage machen kann: „Ich war nie eine
Dose". Sie bedeutet etwa: „Ich kann zwar nicht für mich den berühmten Dosenspruch gelten lassen, aber..."
  Und jetzt kommt der zweite Teil des Spruchs, der auch ein umweltfreundliches Herstellungsverfahren nennt, nämlich „*ohne Chlor gewaschen*". Durch *dafür* wird deutlich gemacht, daß B (*ohne Chlor gewaschen*) als gleichwertig zu „*Ich war eine Dose*" im o. g. verallgemei-
nerten Sinne aufzufassen ist. Die Semantik von *A dafür B* stimmt, nur:
Es war ein Umweg über das Weltwissen notwendig, um A so zu
verstehen, daß es in das Schema *A dafür B* paßt. Dieser Spruch ist ein
Beispiel dafür, daß sich die Werbetexter bisweilen gern gegenseitig zitieren, die Kenntnis der Werbesprüche nahezu als Kulturgut ausnutzen,
um bestimmte Effekte (für Insider) zu erzielen.

Übungen zu Kapitel 4

Übung 1: Die folgenden Sätze klingen zunächst paradox. Woran liegt das? Durch welche kognitiven Anstrengungen sind wir doch in der Lage, ihnen eine sinnvolle Interpretation zuzuordnen?
  (1)   *Bedenken wir, daß heute morgen schon gestern ist.*
  (2)   *Die Zukunft ist nicht mehr das, was sie mal war.* [Novell. Vergangen-
            heit, Gegenwart und Zukunft des Network Computing].
  (3)   *Die Zukunft beginnt in der Gegenwart.* [Hypobank.]
Übung 2: Auf welchem sprachlichen Phänomen basieren folgende Witze?

(1)   *Fleckel ist frisch konvertiert. Gleich bei der ersten Beichte stiehlt er dem Pfarrer die Uhr und beichtet:*
„Ich hab' eine Uhr gestohlen. Es bedrückt mich. Darf ich die Uhr Ihnen übergeben, Hochwürden?"
Pfarrer: „Was fällt Ihnen ein? Ich nehme sie nicht. Geben sie sie dem Eigentümer zurück!"
Fleckel: „Das habe ich eben versucht. Er will sie nicht."
Pfarrer: „Dann brauchen Sie sich nicht weiter bedrückt zu fühlen und können die Uhr mit gutem Gewissen behalten."

(2)   *Aus dem Brief eines Ehemanns an sein Weib: „Teure Riwke, sei so gut und schick mir Deine Pantoffeln! Natürlich meine ich meine und nicht Deine Pantoffeln, aber wenn Du liest, meine Pantoffeln, dann meinst Du, ich möchte Deine Pantoffeln. Wenn ich aber schreibe: Schick mir Deine Pantoffeln, dann liest Du „Deine Pantoffeln" und verstehst richtig, daß ich meine „meine Pantoffeln" und schickst mir meine Pantoffeln. Schick mir also deine Pantoffeln!"*

Übung 3: Wodurch wird der literarische Effekt im folgenden Werbespruch erreicht? *Für den Gastgeber ist sie halb leer. Für den Gast immer noch halb voll.* [Chivas Regal (Whisky).]

Übung 4: Suchen Sie nach Paaren von Ausdrücken, die dieselbe Referenz, aber nicht dieselbe Bedeutung haben. Präzisieren Sie jeweils, worin der Bedeutungsunterschied zwischen ihnen besteht!

Übung 5: a) Die folgenden Ausdrücke haben als gemeinsame Bedeutungskomponente STERBEN. Worin unterscheiden sie sich ansonsten voneinander?

ableben	*abkratzen*
erlöschen	*verrecken*
entschlafen	*den Löffel abgeben*
(für immer) einschlafen	*das Zeitliche segnen*

b) Auch die folgenden Verben haben gemeinsam, daß sie STERBEN bedeuten: *erfrieren, verdursten, ersticken, ertrinken.* Worin unterscheiden sie sich ansonsten voneinander? Haben diese Unterschiede denselben Status, wie die zwischen den Ausdrücken in a)?

c) Worin unterscheiden sich die (wohl bedeutungsgleichen) Wörter?:

> *Ehefrau, Gattin, Gemahlin*
> *Frau, Weib, Dame*
> *Gastarbeiter, Fremdarbeiter*

Übung 6: Kommentieren Sie den folgenden Werbespruch, indem Sie vom Begriff „Konnotation" Gebrauch machen: *Krawatten für die Füße* [Elbeo. Wenn Eleganz, dann ganz (Bild: Ein Mann mit einer Socke anstelle einer Krawatte.)]

Übung 7: In jeder Sprachgemeinschaft gibt es Redewendungen (Stereotypen), die deutlich machen, daß manche Merkmale unsere Vorstellung der Bedeutung bestimmter Wörter – über die Vorstellung, die wir von den durch diese Wörter bezeichneten Dingen haben – vielleicht beeinflussen. So z. B. im Dt. *stark wie ein Bär* (bärenstark): Die Eigenschaft „stark" wird mit dem Bär assoziiert; im Frz. *fort comme un bœuf:* Die Eigenschaft „stark" *(fort)* wird mit dem Ochsen assoziiert. Vgl. *laufen wie ein Wiesel* (Frz. wie ein Hase oder wie ein Zebra); *bekannt sein wie ein bunter Hund* (Frz. wie der weiße Wolf) usw. Suchen Sie nach Redewendungen und Sprichwörtern, die evtl. Auskunft über gängige Assoziationen im deutschsprachigen Raum („Weltbild"?) geben und nach Beispielen, die zu verstehen Kenntnis dieser Assoziationen voraussetzt!

Übung 8: Kommentieren Sie die folgenden Ausdrücke, indem Sie das, was die Ausdrücke bezeichnen sollen (Referenz) mit dem, was sie eigentlich bedeuten bzw. suggerieren (deren Bedeutung), vergleichen!

Nullwachstum	*negative Zuwachsraten*	*Entsorgung*
Abwicklung	*Ethnische Säuberung*	*Quotenfrau*
Mülltourismus	*Super-Gau*	*Umweltauto*

Wendehals
Übung 9: Der Vergleich zwischen Sprachen macht deutlich, daß die Wörter mehr ausdrücken, als das, was zur Identifikation von ihren möglichen Referenten dient: *Flitterwoche* wird im Französischen durch *lune de miel* (*Honigmond*) übersetzt, aber beide Ausdrücke rufen nicht die gleichen Assoziationen hervor. Vergleichen Sie unter diesem Gesichtspunkt die folgenden Paare – und suchen Sie weitere dieser Art (aus beliebigen, Ihnen bekannten Sprachen)!
Bohnenkraut/sarriette; Eiweiß/protéine; kristallklar/clair comme de l'eau de roche (wie Felsenwasser); *steinreich/riche à millions; schlangestehen/faire la queue; helles Bier/bière blonde; dunkles Bier/bière brune.*

Übung 10: Manche Werbekampagnen bauen auf einem sprachlichen Schema auf. Welches Schema liegt den folgenden Werbesprüchen (alle von den Unternehmen der Metall- und Elektroindustrie) zugrunde?

1.	*Programmier*einheit *für Präzisions-Schalt*uhr *suelt junge Leute, die richtig ticken.*

1.   *Programmier*einheit *für Präzisions-Schalt*uhr
     sucht junge Leute,
     die richtig ticken.

2.   *Zwei obenliegende Nocken*wellen, *auf 8000 Umdrehungen getestet,*
     suchen junge Leute
     auf gleicher Wellen*länge.*

3.   *4 Megabit-Chip für Superrechner mit* Artificial intelligence
     sucht junge Mädchen
     mit natürlicher Intelligenz.

4.   *Kathodenstrahl-Röhre für hochauflösenden* Farbbildschirm
     sucht junge Leute
     ohne Mattscheibe.

5.   Licht*wellenleiter für optische Nachrichtentechnik*
     sucht
     helle *Jungs und Mädchen.*

6.   *80mm Sechskant-*Nuß *aus Chrome-Alloy-Steel*
     sucht Jungs,
     die sich nicht mit peanuts *abgeben.*

7.   *Freilauf*knarre, *aus Chrom-Vanadium geschmiedet,*
     sucht Jungs
     von besonderem Kaliber.

Übung 11: Geben Sie eine informelle semantische Analyse der folgenden Sätze:

(1) (a)   *Viele Studenten lesen wenige Bücher.*
(1) (b)   *Wenige Bücher werden von vielen Studenten gelesen.*
(2)   *Der IC 102 hat* leider voraussichtlich *20 Minuten Verspätung.*
(3) (a)   *Er hat seine Frau* wirklich nicht *gliebt.*
(3) (b)   *Er hat seine Frau* nicht wirklich *geliebt.*
(4) (a)   *Er fährt* sicher nicht.
(4) (b)   *Er fährt* nicht sicher.
(5) (a)   *Der Angeklagte* wollte *zur Tatzeit im Kino sein.*
(5) (b)   *Der Angeklagte* will *zur Tatzeit im Kino gewesen sein.*
(6) (a)   *Die Frau* konnte *nicht schlafen.*
(6) (b)   *Die Frau* kann *nicht geschlafen haben.*

Übung 12: Um die Aufmerksamkeit der Leser auf die Werbung zu lenken, „schockieren" die Texter oft mit Sprüchen, die wie Widersprüche aussehen – aber durchaus auflösbar sind. Die Interpretationsbereitschaft und -fähigkeit der Leser wird dabei – in unterschiedlichem Ausmaß – in Anspruch genommen. Zeigen Sie auf, wie die scheinbaren Widersprüche in den folgenden Werbetexten interpretiert werden können:

(a)   *Der billigste Kraftstoff ist manchmal der teuerste* [Aral].
(b)   *Damit Sie sehen können, was Sie nicht sehen können* [Nikon].
(c)   *Wer nicht mit der Zeit geht, geht mit der Zeit* [Unibind].

(d)   *Im Ruhrgebiet gibt's Museen, die gibt's gar nicht.*
(e)   *Weniger ist manchmal eben mehr* [Johannis Quell].
(f)   *Einfach riesig, der kleine* [Peugeot 106].
(g)   *Wasser ist nicht gleich Wasser* [Gerolsteiner Mineralbrunnen].
(h)   *Investitionen, die man gerne sieht – und die man gar nicht sieht* [Landesbank Hessen-Tübingen; aus dem kleingedruckten Text: „Heranführen von sauberer Energie und Entsorgung von Abwässer mindestens so wichtig – wenn auch meist unsichtbar – wie Schaffung von Wohnraum"].
(i)   *Kaufen Sie lieber einen Anzug für 1000 Mark. Der für 600 ist zu teuer* [Eduard Dressler].
(j)   *Im Baumarkt gibt's alles. Aber selten das richtige* [Ihr Bad vom Fachmann].
(k)   *Eine Jacke, die man nicht braucht, aber einfach haben muß* [Mustang].
(l)   *Jedes Land hat eine Armee. Wenn es nicht die eigene ist, ist es eine fremde* [die Bundeswehr].
(m)   *In sein ist out .*
(n)   *Eines ist sicher: Nichts ist sicher.*

Übung 13: Zeigen Sie, daß an der Anomalie der folgenden Beispiele der Existenzquantor bzw. die Existenzpräsupposition beteiligt ist!

(1)   *Die umweltfreundlichste Dose ist die, die es gar nicht erst gibt* [Aral: Öl direkt aus der Öl-Zapfsäule].
(2)   *Was kostet gar kein Hund?* [Smuel will einen Hund kaufen und geht in die Tierhandlung. Vor einer riesigen Dogge bleibt er interessiert stehen. „300 Zloty", sagt der Tierhändler. Smuel zeigt auf einen hübschen Dobermann. „500 Zloty", sagt der Verkäufer. Smuel erblickt einen kleinen Foxterrier. Es erweist sich, daß der 1.000 Zloty kosten soll. Smuel betrachtet fasziniert einen winzigen Zwergrattler. „2.000 Zloty", erklärt der Verkäufer. „Sagen Sie", fragt Smuel neugierig, „und was kostet gar kein Hund?"]
(3)   *Ob Homer gelebt hat, wissen wir nicht; nur daß er blind war, ist bekannt.*

Übung 14: Warum sind die folgenden Werbesprüche schwer zu verstehen? Welche Interpretationskünste braucht der Leser dafür?

(1)   *Wo es fehlt, fehlt was* [Warsteiner (statt Bild eine schwarze Fläche).]
(2)   *Mit Licht kann man bauen. Wenn man kann* [Erco-Leuchten].
(3)   *Wer mit beiden Beinen auf der Erde steht, kommt nicht vorwärts* [Hypobank].

Übung 15: Nennen Sie die Annahmen (Präsuppositionen usw.), die für das Verstehen der folgenden Beispiele konstitutiv sind:

(1)   *Egon Bahr: „Wenn ein Kommunist sagt: 2 x 2=4, dann muß ich den Mut haben zu sagen: Ja, er hat recht, obwohl er Kommunist ist".*
(2)   *Der Generaldirektor hat ein neues Dienstmädchen. Am Nachmittag ruft er zu Hause an und sagt zu ihr: „Bestellen sie bitte der Frau Generaldirektor, daß ich heute abend später komme. Sie möchte sich schon ins Bett legen und auf mich warten." „Jawohl", sagt das Dienstmädchen, „wird prompt ausgerichtet. Wer ist am Apparat bitte?".*
(3)   *Bibelquiz von Radio Jerusalem. Der Sprecher verkündet: „1. Preis: Eine Woche Aufenthalt in Israel; 2. Preis: 3 Wochen Aufenthalt in Israel; 3. Preis: 1 Jahr Aufenthalt in Israel."*
(4)   *Tausche Studienplatz an der Beamtenfachhochschule gegen anständigen Beruf.*
(5)   *Lieber 6 Stunden Uni am Tag als gar keinen Schlaf.*

Übung 16: Zeigen Sie, daß die Mehrdeutigkeit der folgenden Ausdrücke an unklaren Skopusverhältnissen liegt:
  (1)   *Es sind bei diesem Unfall drei Frauen und sieben Kinder umgekommen, die nicht schwimmen konnten.*
  (2)   [Aus einem Rezeptbuch:] *Sie brauchen 1 Eigelb und 1 Glas Öl oder 100 griech. Butter.*
  (3)   *Über 20 Bürgermeister, politische Parteien und Jugendgruppen hatten zur Demonstration aufgerufen.*
  (4)   *200.000 mal im Jahr wird irgendwo in Deutschland eine Frau vergewaltigt.*

Übung 17: Wie werden die folgenden Ausdrücke verstanden? Sofern sie Ihnen auffällig bzw. witzig vorkommen, versuchen Sie herauszufinden, wodurch dieser Effekt zustande kommt. Welche (semantischen) Eigenschaften der *und*-Koordination werden durch diese Beispiele illustriert?
  (1)   *Klaus hat einen Vogel und Christian auch.*
  (2)   *Klaus hat einen Vogel und Christian eine Meise.*
  (3)   *Dieter hat einen Kater und Juliane Zahnschmerzen.*
  (4)   *Dieter hat einen Kater und Juliane eine Hündin.*
  (5)   *Jockey gibt es in 113 Ländern und in kariert* [Jockey].
  (6)   *Der Versicherungsnehmer verletzte die Vorfahrt und kurz darauf den von rechts kommenden Radfahrer.*
  (7)   *–"Meine Leute tragen große Verantwortung." –"Meine tragen lieber Schutzkleidung.* [Kimberly-Clark].
  (8)   *Kommen sie aus Deutschland oder kommen sie aus Überzeugung?*
  (9)   *Sie [die Sekretärin] hat öfter eine Hornbrille, immer aber eine souveräne Verachtung für den breiten Bierbauch der Angestellten.* [Tucholsky].
  (10)   *Sie trieben ihn in eine Schule in der Oberstadt*
         kämmten ihm die Haare glatt
         lernte Rumpf und Wörter beugen [Degenhardt].
  (11)   *Die Stadt Göttingen, berühmt durch ihre Würste und Universität, gehört dem König von Hannover und enthält 999 Feuerstellen, diverse Kirchen, eine Entbindungsanstalt, eine Bibliothek und einen Ratskeller, wo das Bier recht gut ist* [Heine].

Übung 18: Es gibt eine Menge von Graffitisprüchen, die nach dem Schema *lieber A als B* gebaut sind. Sie setzen alle voraus, daß A und B Alternativen, d. h. vergleichbare, zur Wahl stehende, aber kontrastierende Sachverhalte sind – eine ähnliche Bedingung wie bei koordinierten Ausdrücken. In ihnen wird aber nicht nur rein semantisch, sondern auch formal gespielt. Kommentieren Sie die folgenden Beispiele und versuchen Sie, sie nach ihren Bauprinzipien zu klassifizieren:
  (1)   *Lieber Kohl als gar kein Gemüse.*
  (2)   *Lieber nackt studieren als in Uniform krepieren* [DDR].
  (3)   *Lieber arm dran als arm ab.*
  (4)   *Lieber heimlich schlau als unheimlich doof.*
  (5)   *Lieber heute aktiv als morgen radioaktiv.*
  (6)   *Lieber später und richtig als nie und falsch.*
  (7)   *Lieber natürliche Dummheit als künstliche Intelligenz.*
  (8)   *Lieber mangelhaft als Einzelhaft.*
  (9)   *Lieber eingebildet ausgehen als ausgebildet eingehen.*
  (10)   *Lieber hochschwanger als niederträchtig.*
  (11)   *Lieber voll heimgekommen als leer ausgegangen.*
  (12)   *Lieber fernsehmüde als radioaktiv.*
  (13)   *Lieber einen wackeligen Stammtisch als einen festen Arbeitsplatz.*
  (14)   *Lieber eine gesunde Verdorbenheit als eine verdorbene Gesundheit.*
  (15)   *Lieber ein Abenteuer als eine billige Nacht.*

(16)   *Lieber über Nacht versumpfen als im Sumpf übernachten.*

Übung 19: Wie würden Sie einem Ausländer – etwa einem Franzosen – den Unterschied zwischen *aber* und *sondern* erklären? Bilden Sie hierfür einleuchtende Beispiele, d. h. solche, an denen dieser Unterschied besonders deutlich wird. (Z. B. *Die Reise war nicht teuer, sondern billig* vs. **Die Reise war nicht teuer, aber billig; Richard ist nicht mehr jung, aber (noch) fit.* vs. **Richard ist nicht mehr jung, sondern (noch) fit.*

Übung 20: Versuchen Sie, den semantischen Unterschied zwischen den a) und den b)-Sätzen in den folgenden Beispielen zu beschreiben:

(1) (a)   *Die Franzosen fahren bekanntlich selten ins Ausland, da sie allzu gern französisch essen.*

(1) (b)   *Die Franzosen fahren bekanntlich selten ins Ausland, weil sie allzu gern französisch essen.*

(2) (a)   *Der Fahrer verlor die Kontrolle, weil die Straße naß war.*

(2) (b)   *Der Fahrer verlor die Kontrolle, da die Straße naß war.*

Übung 21: Nicht nur Modalverben (z. B. *soll, dürfte...*) und sog. Modaladverbien (z. B. *angeblich, möglicherweise...*) werden verwendet, wenn der Sprecher für das, was er sagt, nicht voll bürgen will, sondern auch Anführungsstriche: *die „liberale" Zeitung* (gesprochen als: *die – in Anführungsstrichen – liberale Zeitung*) kann bedeuten, daß sich diese Zeitung selbst als liberal versteht oder von vielen als liberal betrachtet wird, vom Sprecher jedoch nicht. Kommentieren Sie unter diesem Gesichtspunkt die folgenden Überschriften, die auf derselben Seite in der FAZ standen: 1. Überschrift: *„Wahlen" zum obersten Sowjet: 99,58%* 2. Überschrift: *Einstimmiges Votum der Union für Karl Carstens: Von 531 Wahlmännern stimmten 529 für den Präsidentschaftskandidaten.* [Beachte: 529 von 531=99,62%!]

Übung 22: Es kommt vor, daß Anapherbeziehungen in einem Textfragment nicht klar sind. So z. B. im folgenden Auszug: *Der Knabe wandte sich zum Bettler. Er schaute ihm in die Augen und sagte: „Sind wir uns nicht schon einmal begegnet?"* Erfinden Sie zwei mögliche Fortsetzungen dieses Textes, eine, aus der deutlich wird, daß der Junge die Frage stellt und eine, aus der deutlich wird, daß der Bettler die Frage gestellt hat. Wie hätte man den Ausgangstext formulieren können, damit die Unsicherheit beim Lesen gar nicht erst entsteht?

Übung 23: Worauf ist die Mehrdeutigkeit von Ausdrücken wie dem folgenden zurückzuführen: *Claudia liebt ihren Mann und Helga auch?*

Übung 24: Worauf baut der folgende Witz sprachlich auf? *Entschuldigung: Meine Tochter kann am Montag nicht zur Schule kommen, das Schwein wird geschlachtet.*

Übung 25: Zeigen Sie, inwiefern der Begriff der „Textkohärenz" für die Analyse der folgenden Werbesprüche nützlich ist!

(1)   *In unseren Traumhotels gibt es Löcher, Mäuse und Schläger* [Delta].

(2)   *Hochkarätige Ausstattung. Geschliffener Preis. Der Opel Omega CD Diamant.* [Opel].

Übung 26: Manche Sätze, die isoliert gesehen mehrdeutig sind, werden im Kontext (im Textzusammenhang) eindeutig. (vgl. (1)). Erfinden Sie Kontexte, die geeignet sind, aus den mehrdeutigen Sätzen (2) und (3) eindeutige Aussagen zu machen!

(1)   *Am Franz-Liszt-Platz sah ich eine Bank.*

(1) (a)   *Leider war sie frisch gestrichen, so daß ich mich nicht drauf setzen konnte.*

(1) (b)   *Leider war es fünf Uhr und sie war schon geschlossen.*

(2)   *Wir müssen die Ladung löschen.*

(3)   *Er machte sich am Flügel zu schaffen.*

Übung 27: Inwiefern verstößt der jüdische Kaufmann im folgenden Witz gegen das Prinzip der kommunikativen Ökonomie?

Prager jüdischer Kaufmann telegrafiert an seinen Grossisten: „Bitte mir umgehend 3 Stück grünen Polsterstoff, Satin, gemustert zuschicken. PS: Meine Frau sagt mir soeben, daß von allem noch genügend vorhanden ist. Schicken Sie mir also nichts."

Übung 28: Machen Sie von folgendem jüdischen Witz eine linguistische Analyse!

In der Nazi-Zeit: Zwei Juden begegnen einander auf der Straße.
– "Herr Kohn, ich habe zwei Nachrichten, eine gute und eine schlechte!"
– "Zuerst die gute!"
– "Der Hitler soll tot sein!""
– "Großartig! Und jetzt die schlechte!"
– "Es soll nicht wahr sein."

Übung 29: Welche Handlungen vollzieht der Sprecher der folgenden Sätze (a) bis (f), indem er sie ausspricht? Warum sind (g) und (h) unmöglich? Was passiert, wenn in (a)–(h) die erste Person (*ich*) durch die dritte ersetzt wird?

(a)	*Ich danke Ihnen hiermit für ihr Vertrauen.*
(b)	*Ich gratuliere Ihnen zum Geburtstag.*
(c)	*Ich warne Dich, der Weg ist gefährlich.*
(d)	*Ich wette um eine Flasche Sekt, daß Sabine schwanger ist.*
(e)	*Ich erkläre Sie hiermit zum Kabarettisten des Jahres.*
(f)	*Ich lade Sie hiermit zu meiner Hochzeit ein.*
(g)	**Ich beleidige Sie hiermit, indem ich Sie mit Doktortitel anrede.*
(h)	**Hiermit überzeuge ich Sie von meinem guten Willen.*

Übung 30: Inwiefern ist der folgende Witz ein Beispiel dafür, daß A die Intention von B, C zu sagen, falsch einschätzen kann?
Müller wird mit stark bandagiertem Kopf ins Krankenhaus eingeliefert. „Sind sie verheiratet?" erkundigt sich die Schwester freundlich. „Nein" antwortet Müller mit schwacher Stimme, „ich bin überfahren worden."

Übung 31: Manche Werbesprüche fallen dadurch auf, daß sie nicht leicht zu interpretieren sind; es dürfte die Absicht der Autoren sein, den Lesern zu suggerieren, daß man sie für so klug und gebildet hält, daß man ihnen schwierige Aufgaben auferlegen kann. Inwiefern kann man die folgenden Werbesprüche als „anspruchsvoll" bewerten?

(1)	*Den Unterschied zwischen Benzin und Benzin können Sie hören. Aber meistens zu spät* [Aral].
(2)	*Warum ein Stromversorger so viel Energie aufwendet, um Energie zu sparen* [Preussen-Elektra].
(3)	*Wenn Sie mit uns arbeiten, können Sie arbeiten, mit wem Sie wollen* [IBM].
(4)	*Du schaffst es. Mach' aus Dir, was in Dir steckt.* [Aktion Weiterbildung].
(5)	*Rapsodie in gelb* [unsere Landwirtschaft (Bild: Ein gelbes Rapsfeld)].

Übung 32: Ein bisweilen in der Werbung verwendetes Mittel besteht darin, den Leser durch eine (unverständliche) dickgedruckte Formel dazu zu veranlassen, den längeren (kleingedruckten) Text zu lesen: Es wird erwartet, daß der Leser erst dann zufrieden sein wird, wenn er die Formel verstanden hat und sich daher der Mühe unterziehen wird, den informativeren, kleingedruckten Text zu lesen. So die Werbung von der „grünen Linie von Celaflor. Nach dem Vorbild der Natur":
Manchmal ist die Natur stärker als die Natur.
Warum ist diese Formel allein unverständlich?
Welche Interpretation dieser Formel ermöglicht der folgende Text?
Stellen Sie sich vor, es gäbe Sie nicht. Und auch keinen anderen Menschen. Nur die Natur. Was würde passieren? Mit Obst, Gemüse und den Blumen? Ohne menschlichen Eingriff, ohne Schutz und Pflege? Vieles wäre anders. Manche Arten würden verschwinden, andere würden sich verbreiten. Je nach Klima und Boden. Die Natur würde ein Gleichgewicht finden. Sich vor sich selbst, vor Schädlingen schützen. Und sich selbst versorgen. Der einen Mangel durch des anderen Überfluß ausgleichen. Auch ohne Menschen. Nun gibt es uns aber und damit unsere kultivierten Gärten. Das Gleichgewicht ist gestört. Was nicht schlimm sein muß. Wenn man bereit ist, von der Natur zu lernen. So wie CELAFLOR. Wir haben die biologischen Techniken der Natur genau beobachtet und auf dieser Basis eine ganze Serie neuer Pflanzen-

mittel entwickelt. Ohne Insektizide. Ohne künstliche Hilfsstoffe. Die deshalb die Grüne Linie von CELAFLOR heißt. Mit der sind Sie stärker als die Natur. Aber ganz natürlich.

Übung 33: Bisweilen wird in der Werbung – um Aufmerksamkeit zu wecken – das Paradox gepflegt. Inwiefern kann das folgende Beispiel als Spiel mit dem Paradox betrachtet werden: *Auch für Linkshänder geeignet* [Lucky Strike].

Übung 34: Daß Verstehen auch außersprachliche Kenntnisse voraussetzt, zeigen zahlreiche Beispiele. Das gilt sowohl für Einzelwörter als auch für komplexe Ausdrücke. Welche außersprachlichen Kentnisse sind bei den folgenden Ausdrücken im Spiel?:

die sog. DDR	*die Wende*	*die Holocaustlüge*
Arbeit macht frei	*das Superwahljahr*	*Bananenrepublik*
2+4-Gespräche	*Soldaten aller Länder, verweigert euch!*	

Übung 35: Können Sie sich vorstellen, warum sich die folgenden Werbesprüche nicht problemlos in andere Sprachen übersetzen lassen?

(1)   *Wer 4.000 l im Jahr verschwendet, ist nicht ganz dicht. [Ihr Bad vom Fachmann.* (Bild: Ein tropfender Wasserhahn)].

(2)   *Helmut Hansen ist die Frau weggelaufen.* [*Der Lauftreff mit dem AOK.* (Bild: Mann in Sportkleidung „15 Jahre verheiratet und ich laufe ihr immer noch nach")].

Übung 36: Woran liegt es, daß der folgende Spruch nicht bzw. nur schwer verständlich ist: *Glaube nicht alles, was du weißt!* Wenn Sie ihn nicht verstehen: Warum nicht? Wenn Sie ihn verstehen: Wie verstehen Sie ihn?

5 Die Lautstruktur der Sprache: Phonetik und Phonologie

5.1 Phonetik

Sofern sich die Phonetik (griech. *phon* „Laut") mit der Beschreibung der **sprachlichen** Laute befaßt, kann man sie als Hilfswissenschaft der Linguistik betrachten.

Da die natürlichen Sprachen vor allem gesprochen werden, ist jedem sprachlichen Zeichen eine lautliche Form zugeordnet. Die allgemeine Phonetik stellt ein Inventar von Eigenschaften (phonetischen Merkmalen) zur Verfügung, mit dem alle Sprachlaute der Welt beschrieben werden können.

Die Beschäftigung mit den physikalischen Eigenschaften von Lauten, d. h. mit der Frage „Welche physikalischen Phänomene (z. B. Schallwellen) entsprechen den Lauten?" ist Aufgabe der **akustischen Phonetik**. Die Frage „Wie werden Laute gehört?" wird in der **auditiven Phonetik** behandelt. Unser Interesse gilt hier der Frage „Wie werden Laute gebildet?", d. h. der **artikulatorischen Phonetik**.

Es muß beschrieben werden:
– welche Sprechwerkzeuge an der Produktion von sprachlichen Lauten beteiligt sind (Anatomie);
– wie die einzelnen sprachlichen Laute einer Sprache gebildet werden.

Der Mensch verfügt interessanterweise nicht über Organe, die nur zur Bildung sprachlicher Laute bestimmt sind. Die Werkzeuge, die an der Artikulation beteiligt sind, dienen primär der Atmung und der Nahrungsaufnahme:
– die Lunge und die Luftröhre,
– der Kehlkopf,
– die Nasenhöhle,
– die Mundhöhle.

Man kann entsprechend die folgenden vier Prozesse bei der Lautbildung unterscheiden:
– den **Luftstromprozeß**: Woher kommt die Luft und in welche Richtung bewegt sie sich?

– den **Phonationsprozeß**: Ensteht (beim Passieren des Kehlkopfes) Stimme? (stimmhafte vs. stimmlose Laute; Kehlkopfverschluß)

– den **Mund-Nasen-Prozeß**: Geht die Luft durch den Mund oder durch die Nase oder durch beide? (orale vs. nasale oder nasalierte Laute)

– den **Artikulationsprozeß**: Welche Bewegungen werden von welchen Artikulationsorganen[69] in der Mundhöhle vollzogen?

Um sich bewußt zu machen, wie die uns vertrauten Laute gebildet werden, sind minimale Anatomiekenntnisse notwendig. Abb. 1 nennt die relevanten Teile der Mund- und Nasenregion. Die griechischen und lateinischen Namen sind deswegen nützlich, weil in der Phonetik griech.-lat. Termini verwendet werden, wie z. B. „bilabial", „apiko-alveolar" und „Glottisverschluß".

Abb. 1 (Sprechwerkzeuge)

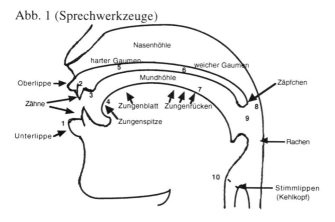

| 1 Labiae | 3 Alveolen | 5 Palatum | 7 Dorsum | 9 Pharynx |
| 2 Dentes | 4 Apex | 6 Velum | 8 Uvula | 10 Glottis |

5.1.1 Skizze der wichtigsten Vorgänge bei der Artikulation deutscher Laute[70]

Im Deutschen sind die **Vokale** grundsätzlich stimmhaft, d. h., bei ihrer Bildung vibrieren die Stimmbänder (Stimmlippen). Im Unterschied zu den Konsonanten trifft die Luft dann nicht mehr auf Hindernisse. Die

---

69 „Organ" ist hier nicht im physiologischen Sinne zu verstehen: Es meint den beweglicheren Teil der Mundhöhle im Unterschied zur „Artikulationsstelle", zu der sich das Organ je hinbewegt (z. B. das Organ Zungenspitze bewegt sich in Richtung Vorderzähne o. ä.).

70 Vgl. Wängler (1974); Kohler (1995); Schubiger (1970); Jespersen (1904).

Qualität der Vokale hängt davon ab, ob ein Teil der Luft durch die Nasenhöhle geht, vor allem aber von der Form der Mundhöhle. Die Form der Mundhöhle hängt wiederum vom Öffnungsgrad des Mundes (Kiefer mehr oder weniger nahe beieinander bzw. Unterkiefer gesenkt) und von der Plazierung der Zunge ab: Ist der Zungenrücken zum Velum hin gerundet, dann werden hintere Vokale gebildet. Vordere Vokale entstehen dann, wenn die Mittelzunge auf der Höhe des harten Gaumens eine relative Enge bildet. Mit anderen Worten: Wichtig ist, wo eine Enge gebildet wird. Die Lippen können dabei gerundet oder etwa in Ruheposition sein. Auch die Vokaldauer kann variieren, was sie im Deutschen systematisch tut.

Die Vokaldreiecke in Abb. 2 sind so zu lesen, daß die vertikale Achse den Öffnungsgrad des Mundes repräsentiert ([i] und [u] sind geschlossen, [a] ist offen) und die Links-rechts-Achse die Unterscheidung zwischen den vorderen [i], [e], [a] (links) und den hinteren Vokalen [u], [o], [ɑ] (rechts) repräsentiert. Die Vokale, die entlang der gestrichelten Linie notiert sind, sind „gerundet".[71]

Die Pfeile in den Diphthongvierecken (b) bis (f) repräsentieren den Artikulationsprozeß bei den Diphthongen: [aⁱ] (vgl. dt. *Ei*) wird so gebildet, daß man von einem [a] ausgehend in einem Atemzug, d. h. ohne Unterbrechung der Vibration, am Ende etwa ein [ɪ] (beinahe, aber nicht ganz ein [e]) spricht; Ausgangspunkt von [aᵒ] (vgl. dt. *Baum*) ist [a], Endzustand etwa ein geschlossenes [o] (nicht [u]!); bei [ɔʏ] (vgl. dt. *Heu*) startet man beim offenen [ɔ] und endet etwa beim [ʏ]. Die in (e) und (f) repräsentierten Diphthonge kommen im Dt. nicht vor, dafür z. B. im Frz. ([ui] in *oui*, [oa] in *moi*). (➡ Übung 1–2).

Abb. 2 Vokal- und Diphthongvierecke

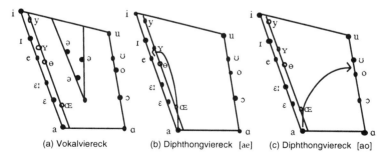

(a) Vokalviereck   (b) Diphthongviereck [ae]   (c) Diphthongviereck [ao]

---

71 Zur Bedeutung der hier verwendeten Lautzeichen, s. Abb. 4.

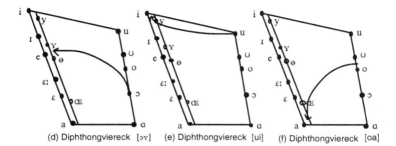

(d) Diphthongviereck [ɔʏ]   (e) Diphthongviereck [ui]   (f) Diphthongviereck [oa]

Die **Konsonanten** [dt. „Mitlaute" (lat. *con* „mit", *sonare* „lauten"), weil sie andere Laute (Vokale) begleiten] lassen sich durch die folgenden wesentlichen Charakteristiken beschreiben:
– Ort der Hemmung (**Artikulationsort**): Unter Nennung des beweglichen Organs und des ihm gegenüberstehenden unbeweglichen. Z. B.: Die Zungenspitze berührt oder berührt fast die Alveolen bei der Bildung von Apiko-Alveolaren ([d] oder [s]). Bei den Uvularen ist das Zäpfchen, bei den Pharyngalen die Rachenwand Ort der Hemmung.
– Art der Hemmung (**Artikulationsart**): Bei den „Verschlußlauten" sind vor der plötzlichen Lösung des Mundverschlusses sowohl Mund als auch Nase geschlossen. Bei den „Nasallauten" ist der Mund geschlossen[72], der Weg durch die Nase für die Luft frei. Bei „Laterallauten" ist der Weg durch die Mundhöhenmitte versperrt, die Luft entweicht seitlich der Zunge. Das gerollte [r] oder [R] ist ein „Zitterlaut": Die Zungenspitze ([r]) bzw. das Zäpfchen ([R]) zittert mehrere Male. Beim ungerollten uvularen R-Laut ([ʁ]) hat man es im Deutschen entweder mit einem einmaligen (Zitter-)Anschlag oder mit einer Friktion (Reibung, daher Reibelaut) zu tun. Bei Engelauten ist der Munddurchgang verengt, was meistens ein Reibegeräusch verursacht (daher der Name „Reibelaut", auch Frikativ genannt).
Vielleicht überraschend ist die phonetische Einordnung von Glottisverschluß ([ʔ]) und [h]-Laut[73]. Bei [h] findet im Deutschen keine hörbare Reibung statt, so daß man [h] als Vokal betrachten könnte. (➡ Übung 3–6).
Die Laute können nach phonetischen Eigenschaften (Merkmalen) klassifiziert werden (s. Abb. 3). Jeder Laut kann durch eine Menge sol-

---

72 Deswegen werden die Nasallaute als Verschlußlaute klassifiziert.
73 Es ist vorstellbar, daß man [ʔ] und [h] als mögliche Begleiter des Vokals im Morph- oder Silbenanlaut auffaßt. Denn ein Vokal, der nicht auf einen Konsonanten folgt, ist im Deutschen entweder präaspiriert oder durch vorhergehenden Glottisverschluß („harten Vokalansatz", sog. „Knacklaut") vom Vorvokal getrennt : Vgl. im Deutschen [theˀatər] (im Französischen [teatr]), [ˈaɪnˀandər], [hunt], [ˀʊnt], [bunt]. Dies wäre aber keine rein phonetisch begründete Entscheidung, sondern eine von der Phonologie des Deutschen abhängige.

cher Merkmale sehr präzise beschrieben werden. Und man kann die Sprachen der Welt danach unterscheiden, von welchen (Klassen von) Lauten sie Gebrauch machen.

Abb. 3 Phonetische Charakterisierung der deutschen Konsonanten[74]

	Labial		Dental-Alveolar				Palatal		Velar		–
	sth.	stl.	sth.	stl.	sth.	stl.	sth.	stl.	sth.	stl.	
Verschluß	[b]	[p]			[d]	[t]				[g]	[k]	[ʔ]
Reibelaut zentral	[v]	[f]	[z]	[s]			[ʃ]	[j]	[ç]	[ʁ]	[x]	
Reibelaut lateral					[l]							
Zitterlaut					[r]					[ʀ]		
Öffnung												[h]
Nasalisierung	[m]				[n]					[ŋ]		

5.1.2 Phonetisches Alphabet

Um die Laute einer Sprache zu beschreiben, kann man sich nicht darauf verlassen, wie die Wörter orthographisch buchstabiert werden. Die konventionelle Buchstabierung (Orthographie) gibt nur teilweise Auskunft über die Aussprache der Wörter. Die lautlichen Werte der Buchstaben sind in ein und derselben Sprache meist nicht eindeutig und außerdem von Sprache zu Sprache verschieden. So ist es z. B. nicht möglich, Buchstaben mit deutschem Wert zu benutzen, um französische Laute, wie sie in *soleil, garage, baigner, manger...* vorkommen, auszudrücken. Dem Buchstaben *u* entspricht im Französischen (wenn er isoliert erscheint) der Laut [y] ([vgl. *menu*, im Deutschen *Menue* oder *Menü* geschrieben; *début* [deby], im Deutschen „Debüt" geschrieben), im Deutschen entspricht demselben Buchstaben hingegen der Laut [u] [vgl. frz. *ou* in *rouge, route, routine*). Der Buchstabenkombination *ch* entspricht im Französischen der Laut [ʃ] (vgl. *Champagne, chance, charité, charme, chauffeur, chef...*), im Deutschen je nach Umgebung [ç] (Ich-Laut) (vgl. *ich, Pech, Nächte*) oder [x] (Ach-Laut) (vgl. *Bach, Buch, hoch*). Umgekehrt ist es z. B. in der französischen Orthographie nicht möglich, den Laut [h] (vgl. in dt. *Halle*) zu notieren. Während es in der deutschen Orthographie keine Möglichkeit gibt, die Nasalvokale (z. B. [ã] in *chance* [ʃãs]) wiederzugeben, weswegen viele Norddeutsche [ʃaŋzə] aussprechen.

Deswegen haben die Phonetiker (international) eine phonetische Transkription (ein phonetisches Alphabet), bekannt unter der Abkürzung API-Transkription (**API=Alphabet Phonétique International** oder **IPA=International Phonetic Association**), erfunden (s. API-Broschüre)

---

74 In der letzten Spalte stehen [ʔ] als Glottis-Laut und [h] als nicht lokalisierbarer Laut. „sth." steht für „stimmhaft", „stl." für „stimmlos".

Die API-Zeichen werden in allerlei Wörterbüchern und Sprachlehrbüchern benutzt, sie geben verläßlich Auskunft über die Aussprache der Wörter. Daher ist die Kenntnis des API (zumindest für die Laute, die in den Sprachen vorkommen, mit denen wir in Kontakt stehen) für jeden Sprachlehrer notwendig. Freilich ist Vorsicht geboten, denn manche Wörterbücher (Dudens Deutsches Universalwörterbuch z. B.) verwenden z. T. andere Lautzeichen als die des API. Das API erlaubt eine sehr detaillierte Beschreibung der einzelnen Laute, die von je einem Sprecher produziert werden. (➡ Übung 7–9).

Abb. 4 Die wichtigsten API-Zeichen für die deutschen Laute

	Charakteristiken	Beispiel
[a]	kurzer, vorderer a-Laut	Matte
[aː]	langer, hinterer a-Laut	Rat
[ɛ]	kurzer, offener e-Laut	nett
[ɛː]	langer, offener e-Laut	Ähre
[eː]	langer, geschlossener e-Laut	Besen
[ə]	kurzer, unbetonter e-Laut	Matte
[ɪ]	kurzer, offener i-Laut	mitte
[iː]	langer, geschlossener i-Laut	Niete
[ɔ]	kurzer, offener o-Laut	Locher
[oː]	langer, geschlossener o-Laut	Lohn
[ʊ]	kurzer, offener u-Laut	Futter
[uː]	langer, geschlossener u-Laut	Hut
[œ]	kurzer, offener o-Umlaut	gönnen
[øː]	langer, geschlossener o-Umlaut	König
[ʏ]	kurzer, offener u-Umlaut	Fülle
[yː]	langer, geschlossener u-Umlaut	über
[aⁱ]	Diphthong	Bein
[aᵒ]	Diphthong	Haus
[ɔʸ]	Diphthong	Feuer
[b]	stimmhafter, bilabialer Verschlußlaut	bald
[p]	stimmloser, bilabialer Verschlußlaut	Pumpe
[m]	stimmhafter, bilabialer Nasallaut	malen
[d]	stimmhafter, alveolarer Verschlußlaut	Doktor
[t]	stimmloser, alveolarer Verschlußlaut	Tonne
[n]	stimmhafter, alveolarer Nasallaut	Pfanne
[g]	stimmhafter, velarer Verschlußlaut	fliegen
[k]	stimmloser ,velarer Verschlußlaut	kalt
[ŋ]	stimmhafter, velarer Nasallaut	Angst
[v]	stimmhafter Reibelaut	Wonne
[f]	stimmloser Reibelaut	gaffen
[z]	stimmhafter, alveolarer Reibelaut	Sonne
[s]	stimmloser, alveolarer Reibelaut	vergessen
[ʃ]	stimmloser, präpalataler Reibelaut	schön
[j]	stimmhafter, palataler Reibelaut	Jambus
[ç]	stimmloser, palataler Reibelaut	richtig
[x]	stimmloser, velarer Reibelaut	hoch
[l]	stimmhafter, alveolarer Lateralengelaut	Linsen
[r]	stimmhafter, alveolarer Zitterlaut	gurren
[ʀ]	stimmhafter, uvularer Zitterlaut	gurren
[ʁ]	stimmhafter, uvularer Reibelaut	gurren
[h]	stimmloser, gehauchter Vokaleinsatz	Hund
[ʔ]	Glottisverschluß	Theater

Wir werden in Abschnitt 5.2 (Phonologie) sehen, daß der Linguist nicht an jeder individuellen oder situationsabhängigen artikulatorischen **Variation** interessiert ist. Ob der Sprecher im Deutschen [s] mit der Zungenspitze an den Oberzähnen (apikodental) oder am Zahndamm (apikoalveolar) oder mit dem Vorderteil der Zunge am Zahndamm (prädorso-alveolar) oder gar mit dem Vorderteil der Zunge an den Oberzähnen (prädorso-dental) bildet – wobei letzte Artikulationsweise hierzulande auffällig wäre und vielleicht mit Hilfe eines Logopäden korrigiert werden müßte – bildet, ist linguistisch (was das Deutsche betrifft) irrelevant und wird daher von Gesprächspartnern in der Regel mißachtet bzw. überhört., ebenfalls die Unterscheidung zwischen einem labiodentalen [v] und einem bilabialen [β] (wie etwa in Bayern üblich). Daß ein vom Schnupfen geplagter Sprecher Mühe hat, [m] und [b] unterschiedlich auszusprechen, läßt sich phonetisch erklären, ist aber kein linguistisches Thema. Genausowenig wie die Fragen, mit welcher Energie, mit welcher Deutlichkeit ein öffentlicher Redner Glottisverschluß, Aspiration und Konsonanten realisiert, ob er stottert, flüstert, freudevoll oder weinerlich spricht und wie tief oder hoch seine Stimmlage ist usw.

Die Aussprache einzelner Laute variiert auch oft unter dem Einfluß ihrer Umgebung: In der Nachbarschaft von vorderen Vokalen werden Konsonanten oft weiter vorn artikuliert als in der Nachbarschaft hinterer Vokale: Der Laut [d] wird in *die* weiter vorn gebildet als in *du*. Diesen Prozeß nennt man Assimilation (Angleichung): Ein Merkmal aus einem Laut wird auf einen benachbarten Laut übertragen. Wenn *wunderbar* [vunnɐbaːɾ][75] statt [vundɐbaːɾ] ausgesprochen wird, dann deswegen, weil die Nasalität von [n] sich auf das benachbarte [d] ausstreckt (die Artikulationsstelle bleibt erhalten, dem Merkmal [+ Verschluß] wird das Merkmal [+ Nasal] hinzugefügt). (➜ Übung 10). Solche Phänomene erklären manche systematische Alternativen, z. B. den Umlaut im Deutschen: Die Anwesenheit eines geschlossenen Vokals in der folgenden Silbe im Althochdeutschen bewirkte einen Wechsel von [+ hinten] zu [+ vorn]: *gast*, Plural *gesti* (heute *Gäste*).

Umgekehrt geschieht es auch, daß vielleicht zur Verdeutlichung der Artikulation (zur Vermeidung von Assimilation) ein Laut eingeschoben wird (historisch *eigen+lich* → *eigentlich*; ebenso *wesentlich*, *wissentlich*, *namentlich*). Wie stark individuelle und situationsbedingte phonetische Variationen sein können bzw. sind, zeigt sich, wenn man auf dem Computer Spracherkennungsprogramme zu entwickeln versucht, die gesprochene Befehle (etwa von motorisch Behinderten, die nicht tippen können) verstehen sollen: Solche Programme müssen z. Zt. auf die Stimme und Sprechweise ihres Benutzers eingestellt sein,

---

[75] Das API-Zeichen [ɐ] steht für einen kurzen Vokal zwischen [a] und [ə].

weil sie nicht in der Lage sind, die (phonetische) Mannigfaltigkeit der Sprechgewohnheiten einer Sprachgemeinschaft zu erfassen bzw. von ihr zu abstrahieren, um das Wesentliche, d. h. das fürs Verstehen Notwendige und Hinreichende, zu erkennen. Der Sprache wahrnehmende Mensch hingegen sortiert automatisch und unbewußt aus dem Input die phonetischen Merkmale, die für die Bedeutung der Äußerung relevant sind (Phonologie) und die, die andere Informationen über deren Produzenten liefern (ob es ein Kind, ein Mann oder eine Frau ist, ob der Sprecher erfreut, aufgeregt, eingeschüchtert... ist, überhaupt wer er ist!). Auf regional bzw. dialektal bedingte Variation gehen wir in 5.4 ein.

Jeder Sprachlehrer muß in der Lage sein, zu beschreiben, wie ein beliebiger Laut, den er seinen Schülern beibringen will, artikuliert wird; er muß ihn selbst nachmachen können; er muß erkennen und erklären können, was die Schüler eventuell falsch machen. Natürlich lernt man im Normalfall eine Aussprache durch einfache Nachahmung, aber es gibt Fälle, wo der Lehrer helfen können muß. Auch wenn er es mit „Tricks" versucht: Seine „Tricks" setzen eine phonetischen Analyse voraus.[76]. (➡ Übung 11).

5.2 Phonologie

5.2.1 Die Beziehung zwischen Phonetik und Phonologie

Unsere Wahrnehmung der sprachlichen Ausdrücke erfolgt nicht getreu der tatsächlichen Äußerung, sondern wir nehmen sprachliche Laute „bereinigt" von individuellen Variationen wahr. Wir erkennen Laute als identisch, die es in Wirklichkeit phonetisch nicht sind. Oder anders gesagt: Wir betrachten (für die Zwecke der Kommunikation) Klassen von Lauten als identisch, die nur ähnlich sind. Wir überhören manche Eigenschaften, erkennen und identifizieren Laute anhand bestimmter Eigenschaften, die sie gemeinsam haben, und noch mehr anhand von Eigenschaften, durch welche sie sich von anderen unterscheiden. Was bei unserer Wahrnehmung der Sprache funktioniert, sind Muster, Abstraktionen von Lauten. Einen Laut identifizieren heißt dann: ihn einem solchen Muster zuordnen. Und diesem Abstraktionsprozeß liegt unser Interesse am Verstehen, an der Bedeutung der Ausdrücke, in denen die Laute vorkommen, zugrunde. Wir wissen, daß es im Deutschen nur ein

---

76 Es ist auch Aufgabe des Lehrers, gegebenenfalls den Eltern zu empfehlen, das Kind zu einem Logopäden zu schicken, damit sich ein kindlicher Sprechfehler nicht verfestigt.

/r/[77] gibt, obwohl es mehrere Möglichkeiten im Deutschen gibt, /r/ auszusprechen (gerollt oder nicht-gerollt z. B.). Dieses Erkennen, daß es im Deutschen nur auf ein /r/ ankommt, beruht darauf, daß wir wissen, daß das Rollen oder Nicht-Rollen keinen Effekt auf die Bedeutung hat. Wir sprechen /k/ in *Kirche* anders aus als /k/ in *kaputt*, und trotzdem haben wir die Intuition, daß es im Deutschen nur ein /k/ gibt; denn wir wissen, daß das Vertauschen dieser beiden [k]-Laute an der Bedeutung der betroffenen Wörter nichts ändern würde. Dies läßt sich durch folgendes Experiment bestätigen: Man nimmt die Wörter *Kirche* und *kaputt* auf Tonband auf, schneidet aus dem Band die beiden [k]-Laute heraus (nennen wir [k$_1$] das vordere [k] von *Kirche* und [k$_2$] das hintere [k] von *kaputt*) und vertauscht sie. Das neue Band enthält dann [k$_2$ırçə] und [k$_1$aput]. Spielen wir diese beiden (neuen) Lautketten einem deutschen Hörer vor, so merkt er den Unterschied in der Regel nicht, d. h., er überhört den qualitativen Unterschied und erkennt das erste Wort als *Kirche* und das zweite als *kaputt*. Seine Wahrnehmung der sprachlichen Zeichen findet im Dienste der Bedeutungserkennung statt, und in dieser Beziehung hat die Substitution von [k$_1$] durch [k$_2$] und umgekehrt nichts bewirkt. M.a.W: Sie ist **sprachlich irrelevant** gewesen.

Wir wissen, daß ein /d/ im Auslaut stimmlos, also [t] ausgesprochen wird, und trotzdem werden wir davon ausgehen, daß in *Rad* dasselbe /d/ wie in *Räder* steckt. Es geht hier nicht um den Einfluß der Rechtschreibung, sondern primär um die **Wortidentität**, die hier durch die Rechtschreibung (trotz des phonetischen Unterschieds) signalisiert wird.[78]

Solchen Intuitionen von (abstrakter, funktionaler) Gleichheit trotz (konkreter, phonetischer) Unterschiede wird die Unterscheidung zwischen Phonetik und Phonologie und der zentrale Begriff der Phonologie, der **Phonem**begriff, gerecht.

5.2.2 Die Phoneme und wie man sie identifiziert

Das **phonologische System** einer Sprache basiert auf dem Inventar der **Phone**, der Laute, die in einer Sprache vorkommen, und auf deren

---

77 Die Bedeutung der Schrägstriche im Unterschied zu den eckigen Klammern wird in 5.2.2 erklärt.

78 Es ist nicht so, daß die Rechtschreibung im Deutschen immer die Wortidentität bzw. die Identifikation der Wortfamilienzugehörigkeit respektiert; *alt* und *Eltern* sind etymologisch verwandt, was man ihnen vom Schriftbild her nicht ansieht: Klarer wäre es, wenn man *Altern* schriebe. Ebenso wäre es konsequenter oder einfacher, *Fuß/Füße* vs. *Fluss/Flüsse* zu schreiben: ß gälte als einfacher Konsonantenbuchstabe, d. h. diente zur Kennzeichnung von vorausgehendem langen Vokal (im Unterschied zu *ss*, Doppeltschreibung des Konsonantenbuchstabens zur Kennzeichnung von vorausgehendem kurzen Vokal), und diesen Wert würden die Schreibungen auch im Singular, d. h. auch im Auslaut, behalten. Die geltende deutsche Orthographie verlangt aber im Auslaut ß (unabhängig von der Quantität des vorausgehenden Vokals), was auf Kosten der (graphischen) Wortidentität geht. S. Abs. 5.3.

Kombinationsmöglichkeiten. Die Phone werden aber – nach systematischen Kriterien – zu Phonemen zusammengefaßt: **Ein Phonem ist eine Klasse von (kommunikativ) äquivalenten Phonen**, seinen **Allophonen** (Varianten), und das phonologische System einer Sprache ist zunächst ein Phoneminventar (daher der englische Terminus „Phonemics"). Die Merkmale, durch die sich Phoneme voneinander unterscheiden, heißen **phonologische Merkmale** (im Unterschied zu den phonetischen Merkmalen, durch die Phone charakterisiert werden).

Die Phoneme sind somit die kleinsten, bedeutungsunterscheidenden sprachlichen Einheiten: Wenn sich zwei Wörter (Träger verschiedener Bedeutungen) in nur einem Laut (Phon) unterscheiden, dann liegt zwischen diesen beiden Lauten eine **phonologische Opposition** vor. Daher die Suche nach sog. **Minimalpaaren**, um das Phoneminventar einer Sprache aufzustellen. Wenn ein Bedeutungsunterschied besteht, dann sind diese Laute zwei verschiedenen **Phonemen** zuzuordnen. Phone wie Phoneme werden in IPA notiert, aber Phone in eckigen Klammern, Phoneme zwischen Schrägstrichen (vgl. Kohler (1995); Philipp (1974). Beispiele:

fein/Pein	[f] [p] → 2 Phone und 2 Phoneme (/f/ und /p/)	
fein/Wein	[f] [v] → 2 Phone und 2 Phoneme (/f/ und /v/)	
Bein/kein	[b] [k] → 2 Phone und 2 Phoneme (/b/ und /k/)	
mein/dein	[m] [d] → 2 Phone und 2 Phoneme (/m/ und /d/)	
rein/sein	[r] [z] → 2 Phone und 2 Phoneme (/r/ und /z/)	

aber: bilabiale und labiodentale Aussprache von *W(ein):* [β] und [v] → 2 Phone und 1 Phonem (/v/).

Der Anfangskonsonant in *Wein* kann labiodental ([v]) oder bilabial ([β]) ausgesprochen werden, ohne daß dieser Variation eine semantische Variation entspricht: [vaᶦn] und [βaᶦn] ist also kein Minimalpaar, [v] und [β] sind lediglich **freie Varianten** von ein und demselben Phonem (**Allophone**). Die Variante [β] kommt zwar häufiger in Bayern vor als in anderen deutschsprachigen Regionen, sie kann aber individuell sein und wird überregional akzeptiert (vgl. auch /r/ als gerolltes „Zungen-R" ([r]) oder als nicht-gerolltes „Zäpfchen-R ([ʁ])).

Der andere Fall, wo zwei Phone nicht auf zwei verschiedene Phoneme zurückgeführt, sondern als Varianten ein und desselben Phonems bewertet werden, ist der der sog. **komplementären Distribution:** Wenn zwei Phone immer in voneinander verschiedenen Positionen auftreten, sind sie nie füreinander ersetzbar, so daß kein Minimalpaar existiert, das auf eine phonologische Opposition würde zu schließen erlauben. So die Phone [x] und [ç] im Deutschen: Nach hinteren Vokalen ist nur [x] möglich, nach vorderen nur [ç] (vgl. [bax], [hoːx], [tuːx], [ʔaᵒx], *[baç], *[hoːç], *[tuːç], *[ʔaᵒç], aber [ʔɛçt], [mœçtə], [kyçə], [ʔiç], [laᶦçə], [brɔˠçə] und nicht *[ʔɛxt], *[mœxtə], *[kyxə], *[ʔix], *[laᶦxə], *[brɔˠxə]). Man kann daher sagen, daß [x] und [ç] **kontextgebundene Varianten** oder **Allophone** von /x/ sind (vgl. auch k_1 vs. k_2 in 5. 2.1).

Die Phonetik gibt uns die Möglichkeit, **Phoneme als Merkmalmengen** aufzufassen: Um *Pein* von *fein* zu unterscheiden, müssen wir mindestens ein Merkmal identifizieren, um das es bei diesem Minimalpaar geht: [p] ist mindestens durch die (phonetischen) Merkmale [+ Verschlußlaut], [– stimmhaft] und [+ bilabial] charakterisiert; [f] mindestens durch die Merkmale [– Verschlußlaut], [– stimmhaft] und [+ labiodental]. Da im Deutschen der Unterschied zwischen [+ bilabial] und [+ labiodental] phonologisch nie relevant ist, kann man diese beiden Merkmale zu dem (phonologischen) Merkmal [+ labial] zusammenfassen. Somit wäre der Unterschied zwischen [p] und [f] phonologisch auf den Unterschied zwischen [+ Verschluß] und [– Verschluß] reduzierbar, d. h., die Phoneme /p/ und /f/ unterscheiden sich nur durch eine einzige Merkmalopposition: /p/ ist als [+ Verschluß] und /f/ als [– Verschluß] charakterisiert, beide weisen sie die Merkmale [+ labial] und [– stimmhaft] auf. M. a. W: Die Opposition zwischen den beiden Phonemen /p/ und /f/ ist auf die Opposition [+ Verschluß]/[– Verschluß] zurückzuführen. Man nennt dann das Merkmal [± Verschluß] das **distinktive Merkmal**. Die Phoneme /p/ und /v/ weisen beide das Merkmal [+ labial] auf, unterscheiden sich aber durch zwei distinktive Merkmale:

/p/	/v/
[– stimmhaft]	[+ stimmhaft]
[+ Verschluß]	[– Verschluß]

Die Anzahl der distinktiven Merkmale, durch die sich zwei Phoneme unterscheiden, gibt Auskunft über deren Ähnlichkeit bzw. Verschiedenheit. (➥ Übung 12–13).

5.2.3 Das phonologische System

Beschreibt man **Phoneme als Mengen von (distinktiven) Merkmalen**, dann kann man anhand auserwählter Merkmale Phonemklassen bilden, d. h. das **Phoneminventar** als ein **Phonemsystem** betrachten: Die Phoneme /p/, /t/, /k/, /b/, /d/, /g/ gehören einer Klasse an, weil sie alle das Merkmal [+ Verschluß] aufweisen; die Phoneme /p/, /b/, /m/, /f/, /v/ gehören einer Klasse an, weil sie alle das Merkmal [+ labial] (meist [+ bilabial] genannt) aufweisen; die Phoneme /p/, /t/, /k/ gehören der Klassse der die Merkmale [+ Verschluß] [– stimmhaft] aufweisenden Phoneme an usw.

Wenn für eine bestimmte Sprache gilt, daß die das Merkmal M aufweisenden Phoneme (und nur sie) einer bestimmten Regel R_i unterliegen, dann ist M ein „interessantes", klassenbildendes Merkmal. Ein

Beispiel: Das Phonem /x/ wird nach den Vokalen /u/, /o/ (einschl./aᵒ/) und /a/ als Ach-Laut ([x]) realisiert, sonst als Ich-Laut [ç]. Da diese Vokale das gemeinsame Merkmal [+ hinten] bzw. [– vorn] aufweisen, kann man die Regel auch formulieren: /x/ wird nach den hinteren Vokalen als Ach-Laut realisiert, sonst als Ich-Laut. Die Klasse der hinteren Vokale ist also im Deutschen relevant.[79]

Eine Regel wie die sog. „**Auslautverhärtung**" erlaubt es, die Phoneme /b/, /d/, /g/, /v/ und /z/ als eine Klasse hervorzuheben, da nur sie im Auslaut als nicht stimmhaft realisiert werden: *Lob* wird [loːp], *Rad* [raːt], *Krug* [kruːk], *brav* [braːf] und *Gras* [graːs] gesprochen[80]. Diese Phoneme sind einerseits [+ stimmhaft], andererseits [+ Verschlußlaut] (aber [– nasal]) oder [+ Reibelaut] charakterisiert. Das bedeutet, daß die artikulatorischen Merkmale keine einfache Formulierung der Auslautverhärtungsregel erlaubt, was bisweilen als Argument gegen artikulatorische und für akustische Merkmale benutzt wird.[81]

Als Beispiele für den systemhaften Charakter des Phoneminventars einer Sprache könnten ferner die historischen **Lautveränderungen** genannt werden; was das Deutsche betrifft, besonders die sog. **Lautverschiebungen**. Die **1. Lautverschiebung** ist ein Veränderungsprozeß, durch den sich die germanischen Sprachen z. B. von den romanischen unterscheiden. Vermutlich zwischen dem 2. und 6. Jahrhundert n. Chr. wurden die indoeuropäischen (abgekürzt ie.) stimmlosen Verschlußlaute (p, t, k) in den germanischen Dialekten zu stimmlosen Reibelauten (f, θ, χ), während die stimmhaften Verschlußlaute (b, d, g) ihre Stimmhaftigkeit verloren (p, t, k).

---

79 Das Vokalviereck in Abb. 2 (a) unterscheidet ein vorderes [a] und ein hinteres [ɑː]; und in der Tat wird in der Regel im Deutschen ein kurzes [a] weiter vorn artikuliert als ein langes (also eher [ɑː] als [aː]). Dieser Unterschied kann jedoch phonologisch als irrelevant betrachtet werden, denn das wesentliche (distinktive) Merkmal zur Unterscheidung von zwei a-Phonemen im Deutschen ist die Länge: *As* [as] vs. *Aas* [aːs]. [ɑs] und [aːs] wären ungewöhnliche Aussprachen, aber [ɑs] würde als *As* und [aːs] als *Aas* verstanden. Daher kann man phonologisch von einem kurzen und einem langen /a/ ausgehen und die Merkmalopposition [+ vorn]/[– vorn] bei /a/ bzw. /ɑ/ als nicht distinktiv betrachten. Da sich /a/ ansonsten wie die hinteren Vokale verhält (z. B. in der Distribution von [ç] und [x] als Varianten von /x/), kann man /a/ wie /ɑː/ phonologisch als hinteren Vokal werten.
80 Daß in diesen Wörtern tatsächlich die stimmhaften Phoneme /b/, /d/, /g/, /v/ und /z / und nicht ihre stimmlosen Entsprechungen /p/, /t/, /k/, /f/ und /s / vorliegen, machen andere Formen derselben Wörter deutlich, in denen die betroffenen Phoneme nicht im Auslaut stehen: z. B. *Räder, Lobes, Krüge, braven* und *Gräser*. Das stimmhafte Phonem /j/ wird von der Auslautverhärtung nicht betroffen (als [ç] artikuliert), da es im Auslaut nicht vorkommt.
81 Auf diese Diskussion gehen wir nicht ein, da wir uns auf artikulatorische Phonetik beschränkt haben. Das, worum es geht, ist: Wenn ein Beschreibungsinstrument (hier die akustische Phonetik) erlaubt, die beobachtbaren Regelmäßigkeiten „eleganter" zu beschreiben (hier: die betroffene Klasse über ein einziges Merkmal zu definieren), dann ist es angemessener (als die artikulatorische Phonetik, die ein solches klassenbildendes Merkmal nicht zur Verfügung stellt). An diesem Beispiel sieht man, daß das Begriffsinstrumentarium, mit dem der Wissenschaftler arbeitet, Einfluß auf das hat, was im Ergebnis als „System" dargestellt wird.

Abb. 5: Die 1. Lautverschiebung (schematisch)[82]:

ie.	germ.	lat.	germ.	engl.	dt.
p	f	pater	fadar	father	Vater
t	θ	tres	treis	three	drei
k	χ	cor	hairt	heart	Herz
b	p	lubricus	ahd.sliofan got. sliupan (gleiten)	slip	schlüpfen
		labium		lip	Lippe
d	t	duo	twai	two	zwei
g	k	ager	got. akrs	acre	Acker

Vom 6. Jahrhundert n. Chr. an fand die 2., sog. **hochdeutsche Lautver-schiebung** statt: In den südlichen Bereichen der germanischen Dialekte (mit leicht unterschiedlicher geographischer Verbreitung) verwandelten sich die stimmlosen Verschlußlaute zu entsprechenden „Affrikaten" bzw. Reibelauten, d. h., /p/ wurde zu /pf/ bzw. /ff/, /t/ zu /tz/ bzw. /zz/ und /k/ zu /kx/ bzw. /hh/. Zeugen dieses Prozesses sind Entsprechungen wie in Abb. 6.

Abb. 6: die 2. Lautverschiebung (schematisch)

Gotisch Altsächsisch	Althochdeutsch	Englisch Niederdeutsch	Hochdeutsch
aeppel	apfuli	apple, appel	Apfel
pund	pfunt	pound, pund	Pfund
hilpan	hëlfan	help	helfen
ëtan	ëzzan	eat, eten	essen
fôt	fuoz	foot	Fuß
makôn	mahhôn	make, maken	machen
ik	ih	I, ik	ich

Es ist die Regularität dieses Prozesses (nicht dessen unterschiedliche geographische Ausbreitung), die zeigt, daß die Phoneme nicht eine ungeordnete Menge bilden, sondern ein System, d. h., daß das Phonemin-ventar strukturiert ist.

5.2.4 Ketten von Phonemen

Es ist auch Aufgabe der Phonologie einer Sprache, die Beschränkungen für die Kombinationen (Abfolgen, Sequenzen) von Phonemen in

---

82 In der dritten Spalte stehen die lateinischen (d. h. romanischen) Wortformen, in der vierten althochdeutsche (Abk. „ahd.") bzw. gotische Wortformen als Zeugen der damaligen germanischen Dialekte.

den Morphemen und Wörtern einer Sprache zu beschreiben. Anders
gesagt: Die Phonologie muß beschreiben, was ein phonologisch mögliches Wort einer Sprache ist. Manche Phoneme kommen im Morphan-
laut im Deutschen nicht vor (z. B. /s/; Ausnahmen: *Skat, Skelett*...) oder
nur in Fremdwörtern (z. B. /x/ in *China, Chemie*...) oder im Diminutiv-
suffix *-chen*, manche Konsonantenkombinationen sind in ein und demselben Morph ausgeschlossen (z. B. /tmt/), manche Phoneme kommen
nach bestimmten anderen nicht vor (z. B. kommt im Deutschen /ŋ/
nach Diphthongen nicht vor). Es kommen im Deutschen (in Morphen)
keine Doppelkonsonanten vor. (Es können aber zwei identische Konsonanten in einem zusammengesetzten Wort unmittelbar aufeinander-
folgen, wie z. B. /bɛttuːx/, /eːzəllast/, /dɔrffeːtə./, /kugəllaːgər/...)
M. a. W.: Es ist Aufgabe der Phonologie, die **Distribution** der Phoneme
(die Positionen bzw. Kontexte, in denen sie auftreten können) zu
beschreiben. (➔ Übung 14–17).

Zur genauen Beschreibung der möglichen Phonemketten gehört es
auch, anzugeben, wann welche Phoneme möglicherweise oder notwendigerweise durch welche ihrer Allophone realisiert werden oder
gar unrealisiert bleiben. Man könnte solche Regelmäßigkeiten als phonetische betrachten wollen; zur Phonologie gehören sie aber deswegen,
weil sie sich auf Phoneme beziehen. So ist die Regel für die Verteilung
von [ç] und [x] als Allophonen von /x/ im Deutchen anders als z. B. im
Neugriechischen (dort ist nicht der vorangehende Vokal einschlägig,
sondern der darauffolgende). Auch die sog. „Auslautverhärtung" ist
eine spezifisch deutsche Erscheinung. Die Aspiration stimmloser Verschlußlaute im Anlaut ist im Deutschen und im Englischen fakultativ,
aber üblich, im Niederländischen nicht. Vor einem nasalen oder latera-
len Konsonanten wird im Deutschen [ə][83] getilgt (Schwa-Tilgung):
/haːbən/→/haːbn/, /flyːgəl/→/flyːgl/, /aːtəm/→/aːtm/ (vgl. auch *atmen;
Segen* vs. *segnen; dunkel* vs. *dunkle*).

Man könnte evtl. auch hier die unter Phonetik (5.1.2) genannten
Prozesse der **Assimilation** (deren Richtung weitgehend einzelsprachlich
geregelt ist), ebenso wie etwa die im Französischen üblichen **liaisons**
(Beeinflussung des Wortanlauts durch den Auslaut des vorigen Wortes) und die „Metathese" (Vertauschung von Lauten in einem Wort
(vgl. *Roland* vs. *Orlando, Born* vs. *Brunnen,* lat. *formaticum,* ital. *for-
magio,* frz. *fromage*)) erwähnen.

---

83 Der Status vom mittleren Vokal [ə] (Schwa) im Deutschen (vgl. Vokalviereck in Abb.
  2) ist umstritten. Dieser Vokal kommt nur unbetont vor, und es gibt keine Minimal-
  paare, wo es mit einem anderen Vokal kontrastiert. Lediglich Alternationen wie *le-
  ben/lebendig* (['leːbə n] [le'bɛndik]) deuten darauf hin, daß es als Allophon von /ɛ/ beschrieben werden könnte.

5.2.5 Suprasegmentale Phonologie

Bisher haben wir uns um lautliche **Segmente** gekümmert, die wir phonetisch beschrieben und phonologisch (phonematisch) gedeutet haben. Diese Segmente können aber weitere Eigenschaften aufweisen, die deren phonematischen Status nicht tangieren, aber dennoch insofern phonologischer Natur sind, als sie bedeutungsrelevant sind. Es sind **Ton- und Akzenteigenschaften.** Ton und Akzent brauchen ein lautliches Segment als Träger, deswegen werden sie als „suprasegmentale Eigenschaften" bezeichnet.

Unter **Tonsprachen** versteht man solche Sprachen, bei denen unterschiedliche Tonhöhen bedeutungsrelevant sind: So z. B. das Chinesische, wo die Segmentfolge /ma/ je nach Tonhöhen unterschiedliche Bedeutungen erhält:

mā	„Mutter" (hoch, konstant)	má	„Hanf" (steigend)
mǎ	„Pferd" (fallend und dann steigend)	mà	„schelten" (fallend)

Andere Sprachen verwenden Tonhöhenunterschiede bei Phrasen und Sätzen, so z. B. die steigende Intonation bei einigen Fragen im Deutschen (*Jasmin soll das getan haben? vs. Jasmin soll das getan haben!*). Unter **Akzent** ist nicht „Betonung" im Sinne von Ton(sprache) (hoch/tief), sondern stärkere Intensität der Artikulation gemeint, obwohl ein Akzent auch durch Lautstärke und Verlagerung der Stimmlage realisiert werden kann. Es gibt im Deutschen einige Wörter, bei denen die Akzentuierung bedeutungsrelevant ist (z. B. *'Übersetzen* vs. *über'setzen*, *'blutarm* vs. *blut'arm*). Aber selbst wenn dem nicht so wäre, gäbe es einen Grund, den Wortakzent als eine Erscheinung der deutschen Phonologie zu betrachten: Falsch akzentuierte Wörter werden als abweichend erkannt, sind also keine wohlgeformten phonologischen Wörter. Wenn es schon zur Phonologie des Deutschen gehört, die möglichen Phonemketten zu erfassen, dann gehört es auch zur Phonologie, die Akzentstruktur der möglichen Phonemketten bzw. phonologischen Wörter zu erfassen. (➜ Übung 18).

Im Unterschied z. B. zum Französischen, wo Wortendakzentuierung die Regel ist, werden die deutschen Wörter nicht an einer festen Stelle akzentuiert: *'Armut, Be'richt, Ge'stapo, 'Bungalow, Kapi'tal...* Es ist Aufgabe der Wortakzentforschung, die Regelmäßigkeiten herauszuarbeiten, die diese Akzentverteilung aufweisen und die von der Struktur der betroffenen Silben abhängen (u. a. von der Frage, ob ein kurzer oder ein langer Vokal Bestandteil der Silbe ist, bzw. ob die Silbe geschlossen ist oder nicht).

Auch die komplexen Wörter werden regelmäßig akzentuiert: Jeder Deutschsprecher weiß intuitiv, daß in *Straßenbahn* auf *Stra* der Hauptakzent und auf *bahn* ein Nebenakzent liegt und daß in *Straßenbahn-*

schaffner der Hauptakzent auf *Stra* und ein Nebenakzent auf *schaff* steht, während in *Kriminalhauptkommissar* der Hauptakzent auf *Haupt* steht und der Nebenakzent auf *nal.* Die Akzentuierung der Komposita dürfte von deren hierarchischer Struktur abhängen: Besteht das Kompositum aus zwei Elementen, dann ist in der Regel das Determinant (d. h. das erste Element) akzentuiert (*'Straßenbahn, 'Erbsensuppe, 'Schwiegermutter, 'Bleistift...*). Dies gilt auch, wenn das Determinant selbst ein Kompositum ist. Wenn aber das Determinatum ein Kompositum ist, dann trägt dieses in der Regel den Hauptakzent: ['Straßen-bahn]schaffner] aber [Kriminal['hauptkommissar]]. Freilich gibt es Gegenbeispiele (z. B. *'Volkshochschule, 'Hallenschwimmbad* und in Wuppertal *Elber'feld, Lebens'mittelgeschäft...*), so daß eine gründlichere Untersuchung nötig wäre.

Die meisten Präfixe und Suffixe werden nicht akzentuiert (*be'malen, ver'lesen, zer'stören, 'Wildnis, 'Fachschaft, 'Reichtum, 'Schönheit*) – außer, es handelt sich um Suffixe fremder Herkunft (*transpor'tieren, Demokra'tie, Fri'seur, adi'pös, natio'nal...*).

Ein Thema für sich wäre die Akzentuierung von Fremdwörtern, die meist beeinflußt ist von den in ihrer Ursprungssprache geltenden Regeln (z. B. Endbetonung der aus dem Französischen stammenden Wörter).

Nicht zu verwechseln mit dem regulären Wortakzent ist die (fakultative) **Betonung** eines Teils eines Wortes, wenn man ihn in einer bestimmten Kommunikationssituation hervorheben will:

> *Er hat den Wagen nicht 'gekauft, er hat ihn 'verkauft.*
> *Er hat den Wagen nicht ge'kauft, er hat ihn ge'stohlen.*

Die Funktion dieser Art von Akzentuierung (**Hervorhebung, Kontrast**) ist dieselbe, wie die der besonders starken Betonung eines Wortes oder einer Konstituente im Satz:

> *Vor allem im 'Frühling ist es auf Sylt schön.*
> *Wahrscheinlich aus 'Eifersucht hat er sie umgebracht.*
> *Er fährt keinen 'Golf, sondern eine 'Ente.*

5.2.6 Einige klassische Begriffe aus der Lautstruktur der Sprache

Den Begriff **Silbe** – der wohl ähnlich wie der Wortbegriff jedem intuitiv vertraut sein dürfte – haben wir nicht linguistisch zu definieren versucht, weil er kontrovers bzw. zu theorielastig ist. Die Anzahl der Silben ist in manchen Sprachen die Grundlage von **Verstypen** (z. B. Alexandriner (mit 12 Silben) in der französischen Dichtung), in anderen Sprachen (z. B. im Deutschen) die Grundlage von **Hebung** und **Senkung**, aus denen ein **Verstakt** besteht (**zweisilbige Takte:** *'Armut 'sparet* *'nicht noch 'Mühe* (Brecht); **dreisilbige Takte**: *'Wollt ihr die 'Freiheit, so 'seid keine 'Knechte!*).

Im Deutschen werden die Verse aus den folgenden Verstakten zusammengesetzt:

> **Jambus** (Senkung + Hebung, *Ge'bot*)
> **Trochäus** (Hebung + Senkung, *'Tochter*)
> **Daktylus** (Hebung + Senkung + Senkung, *'fröhliche*)

Nicht nur in der Dichtung, auch in der Prosa werden solche rhythmusbestimmenden Typen von Silbenfolgen verwendet (z. B. auch bei Schlagzeilen oder Werbesprüchen). Der Rhythmus eines Spruches kann dazu beitragen, daß man ihn sich besser einprägt.

Der Rhythmus eines komplexen Ausdrucks kann auch dadurch strukturiert werden, daß identische Laute bzw. lautidentische oder lautähnliche Ketten an hervorragenden Positionen stehen (vgl. *sang- und klanglos, Kind und Kegel, in Hülle und Fülle, nach Lust und Laune*).

Wenn zwei Ausdrücke von ihren letzten betonten Vokalen an identisch lauten, dann sagt man, daß sie sich **reimen** (*Brust/Lust, ringen/ klingen*). Die folgenden Beispiele zeigen, daß sowohl Werbetexter als auch Graffiti-Sprayer gern mit Reimen spielen:

> *Lieber buchen als fluchen* (LTU)
> *Wetten, tubenreine Manchetten* (Saptil)
> *Jede Wette auf unsere Diskette* (Büro actuell)
> *Kalkül mit Gefühl* (Büro actuell)
> *Lieber locker vom Hocker als hektisch über 'n Ecktisch!*

Wortspiele können darauf aufbauen, daß der lautlichen Identität gerade keine semantische Äquivalenz oder gar Ähnlichkeit entspricht:

> *Wer nicht verkehrt, lebt auch verkehrt!*
> *Lieber heute aktiv als morgen radioaktiv!*

Von **Assonanz** oder **Halbreim** spricht man, wenn der Reim nicht vollkommen ist, d. h. wenn nur Identität der betroffenen Vokale vorliegt, aber nicht der Konsonanten wie in *Zeit/Weib/Heil*. Von **unreinem Reim** spricht man, wenn zwar die Konsonanten übereinstimmen, die Vokale einander aber nur ähneln wie in *Weite/heute*. Von **Alliteration** oder **Stabreim** spricht man, wenn zwei Wörter oder betonte Silben im Anlaut identisch sind:

> *Herren Hosen heißen Hiltl!*
> *Flott, frech, fröhlich, und vieles reduziert* (Quelle-Katalog).
> *Samba, Sonne, Sonnenlaune* (aus einem Modekatalog).

Die lautlich identischen Ausdrücke können besonders kunstvoll anein-
andergereiht werden: Die Figur, die in den folgenden Werbesprüchen
verwendet wird, heißt **Chiasmus** (Kreuzfigur, Spiegelbild):

> *Das Cognacschloß für den Schloß Cognac.* [Cognac Otard „der einzige Cognac
> vom Schloß Cognac"]
> *Vom Erlebnisraum zum Raumerlebnis.* [Sto Bewußt bauen]

Schüttelreime werden z. Zt. selten in der Werbung verwendet; hier ein
altes Beispiel von der DB, als der Liegewagen eingeführt wurde:

> *Schon als wir in der Wiege lagen,*
> *träumten wir vom Liegewagen.*
> *Jetzt können wir im Wagen liegen*
> *und uns in allen Lagen wiegen.*

In jedem Zeilenpaar werden die Anlautkonsonanten vertauscht /w/–
/l/→ /l/–/w/: Außerdem wird die Volkalfolge /iː/–/aː/ aus dem ersten
Zeilenpaar zu /aː/ – /iː/ im zweiten Zeilenpaar. Weitere Beispiele:

> *Das war der Dieter Wunderlich*
> *der niemals vom Holunder wich.*
>
> *Ich muß jetzt in den Birkenwald,*
> *denn meine Pillen wirken bald.*
>
> *Ich kitzle ihre Sinne wo,*
> *Und das versetzt in Wonne sie,*
> *So hell strahlt nicht die Sonne, wie*
> *Das Weib, das ich gewinne so!* (Franz Mittler) (➡ Übung 19).

5.3 Die Beziehung zwischen Lautstruktur und (Recht-)schreibung

Aus dem in 5.1.2 Gesagten ergibt sich, daß der berühmte Spruch
„Schreib wie du sprichst" nicht haltbar ist: Die schriftliche Repräsentation von Sprache ist nur unter anderem eine Repräsentation der Lautstruktur und daher keine perfekte. Außerdem sind in der heutigen
Schreibung zahlreiche Spuren von historischen Prozessen – z. T. auch
von Zufällen oder willkürlichen Normierungen – erkennbar. Zählen
wir kurz die anderen Funktionen der Rechtschreibung auf (in der Literatur auch „Prinzipien" genannt, s. Nerius (1975)), bevor wir uns dem
eigentlichen „phonologischen Prinzip" widmen:
    a) das **morphologische** oder **etymologische Prinzip**:
    Die Schrift verwandter Wörter oder Wortformen soll auf eben diese
Verwandtschaft hinweisen: Würde man *Männer* „*Menner*" und *Fälle*
„*Felle*" schreiben (wie *Felle* zeigt, kann der Buchstabe *e* durchaus ein
offenes /ɛ/ repräsentieren), dann wäre die Tatsache, daß *Männer* eine
Form von *Mann* und *Fälle* ein Form von *Fall* (s. auch *er fällt*) ist, ver-

deckt. Würde man *Rad* schreiben, wie man es spricht, also „*Rat*", dann bliebe die Beziehung von *Rad* zu *Räder, radeln* versteckt.

b) das **semantische Prinzip**:

Die Rechtschreibung kann dazu benutzt werden, zwischen zwei gleichlautenden Wörtern (Homophonen) zu unterscheiden, so daß zumindest in der Schriftsprache keine Mißverständnisse entstehen. Vgl. *Mahl* vs. *Mal*, *Stil* vs. *Stiel*, *lehren* vs. *leeren*, *Häute* vs. *heute*, *Meer* vs. *mehr*... Freilich greift dieses Prinzip nicht durchgehend, es gibt eine Menge von Homographen im Deutschen (*Mutter, Ball, Bremse, Futter...*). Außerdem ist die geltende Rechtschreibung in diesen Fällen nicht immer Ergebnis einer bewußten Normierung (vgl. *Mann/man* und *das/daß*). Aber die schriftliche Differenzierung von Homophonen ist sicher eine Lesehilfe – wenn sie auch manchmal das Erlernen der Rechtschreibung erschwert. (➡ Übung 20).

c) das **historische Prinzip**:

Eine alte Schreibweise kann erhalten bleiben trotz lautlichen Wandels, d. h. eine neue lautliche Wertung erhalten – die sich dann sogar verselbständigen kann und in Wörtern verwendet werden, die nicht vom betroffenen Lautwandel tangiert waren. So notierte man im Mittelhochdeutschen mit *ie* den Diphthong /iᵊ/ (*liebe* /lĭᵊbə/). Vom Mittelhochdeutschen zum Neuhochdeutschen wurden die Diphthonge /iᵊ/, /yᵊ/ und /uᵊ/ im Fränkischen zu /iː/, /yː/ und /uː/ monophthongiert, *ie* bzw. *ü* und *u* geschrieben. Die Schreibung *ie* für /iː/ wurde dann auch (verallgemeinert) in Wörtern wie *sieben* (mhd. *siben*), *viel* (mhd. *vil*) und *Sieg* (mhd. *sic*) eingeführt. (➡ Übung 21).

d) das **grammatische Prinzip**

macht syntaktische Informationen in der Schrift sichtbar: Die **Großschreibung** markiert im Deutschen nicht nur den Anfang eines Satzes, sondern kennzeichnet das betroffene Wort als zur Wortart „Substantiv" (Nomen) gehörig. Die **Interpunktion** (Zeichensetzung) dient zur Verdeutlichung mancher Aspekte der syntaktischen Struktur (z. B. Beginn und Ende eines eingebetteten Satzes, einer Apposition oder eines Einschubs). Die Zusammenschreibung von Ausdrücken in manchen Positionen, die in anderen Positionen getrennt auftreten, betont deren Zugehörigkeit (z. B. bei Verben mit sog. trennbarer Partikel wie *aufstehen, mitnehmen, austrinken...*) Hier sind wir von der Lautstruktur der Sprache am weitesten entfernt, denn das grammatische Prinzip sagt nichts darüber aus, wie die betroffenen Ausdrücke ausgesprochen werden. (Anders in Sprachen, wo die Zeichensetzung, vor allem die Kommasetzung, eine Sprechpause symbolisiert, wie es z. B. im Französischen weitgehend der Fall ist).

Wenden wir uns nun dem Prinzip zu, das die Beziehung zwischen Laut und Schrift am deutlichsten tangiert:

e) dem **phonologischen Prinzip**:

Nach diesem Prinzip repräsentiert die Schrift die phonologische Struktur der Sprache. Die uns vertraute Schrift ist eine Buchstabenschrift, so daß man erwarten könnte, daß jeder Buchstabe einem Phonem entspricht und umgekehrt. Daß dies nicht stimmt, zeigen Beispiele wie *sch*::/ʃ/, *ch*::/x/ (eine Buchstabenkette entspricht einem Einzelphonem) und *z*::/ts/, *x*::/ks/ (ein Einzelbuchstabe entspricht einer Phonemkette). Es ist daher sinnvoll (und gängig), den Begriff **Graphem** als die graphische Entsprechung eines Phonems zu definieren: Ein Graphem kann ein Einzelbuchstabe oder eine Buchstabenkette sein.

Der Begriff „Graphem" wird freilich nicht ganz einheitlich verwendet: Betrachtet man die Schrift allein (ohne Bezug auf die Lautstruktur), dann kann man z. B. das Graphem <a> als die Menge der Graphen (einzelnen Formen) definieren, die als Realisierungen von a (vom Buchstaben *a*) erkannt werden können, z. B. a, 𝔄, A, *a*, *A*, **a**, a, **A, a, A**... Betrachtet man die Beziehung zwischen Schrift und Lautstruktur, dann kann man von der konkreten Buchstabenform absehen und Graphem als die Menge der Graphen bestimmen, die ein und demselben Phonem entsprechen. In diesem Sinne wären im Deutschen <i>, <ie> und <ih> Allographen, weil sie alle (alternativ) dem einen Phonem /iː/ entsprechen. Diese Sprechweise ist nicht unkontrovers, erlaubt uns aber, die Beziehungen zwischen Phonemen und Graphemen tabellarisch in Abb. 7 darzustellen:

Abb. 7 Die deutschen Phoneme und ihre graphemischen Entsprechungen[84]

Phoneme	Grapheme bzw. Graphemvarianten (Allographen)	Beispiele
/b/	b, bb	Butter, Ebbe
/d/	d, dd	das, paddeln
/g/	g, gg	gut, Egge
/p/	p, pp	Pappe
/t/	t, tt, th, dt	Tür, Ratte, Theologie, verwandt
/k/	k, ck, q	Kino, Speck, Qual
/z/	s	Samen, Rose
/s/	s, ss, ß	aus, Flüsse, Füße
/v/	w, v, u (nach /t/ bzw. q)	Wasser, Vase, Qual
/f/	f, ff, v, ph	faul, Pfiff, Vater, Philosophie
/x/	ch	Buch, Chemie, Bücher
/j/	j	Jammer
/ʃ/	sch, s	Schach, Stein
/m/	m, mm	Ameise, kommen
/n/	n, nn	nennen
/ŋ/	ng, n	eng, Fink
/r/	r, rh	rot, Rhythmus
/l/	l, ll	lallen
/h/	h	Haus
/i/	i	immer
/ɛ/	e, ä	Bett, Nässe
/a/	a	satt
/ɔ/	o	flott
/u/	u	Fluß
/y/	ü, y	Flüsse, Hysop
/œ/	ö	herkömmlich
/iː/	i, ie, ih, ieh	Stil, Stiel, ihn, Vieh
/eː/	e, ee, eh	beten, Beet, Mehl
/aː/	a, aa, ah	Rat, Saat, nahm
/oː/	o, oo, oh	rot, Moos, Ohr
/uː/	u, uh	Mut, Kuh
/yː/	ü, y	Tüte, Typ
/øː/	ö, öh	böse, Höhe
/ə/	e	Medizin, schlagen
/aᵒ/	au	Haus
/ɔ.ʸ/	äu, eu	Häute, heute
/aⁱ/	ei, ai	Weise, Waise

---

84 Wegen ihres marginalen Charakters haben wir in Abb. 7 Eigennamenschreibungen wie die folgenden vernachlässigt:
/oː/ Grewenbroich, Soest, Voigtsberg
/aː/ Raesfeld
/yː/ Duisburg
/i/ Savigny.
Ebenfalls nicht erfaßt sind Fremdwortschreibungen wie
/uː/ cool und partout
/iː/ jeans usw.

Es fällt auf, daß nur für die Phoneme /a/, /i/, /ɔ/, /u/, /œ/, /ə/, /aᵒ/, /h/, /z/, /x/ /j/ je genau ein Graphem (ohne Allographen) zur Verfügung steht: Dieser Sachverhalt erschwert das Erlernen der Orthographie. (➡ Übung 22–26).

Ein Vergleich der Tabelle (Abb. 7) mit der in Übung 22 erstellten zeigt, daß die Graphie häufiger eindeutig einem Phonem entspricht als umgekehrt: Das Lautlesen ist im Deutschen leichter als das (Diktat) Schreiben. Das Erlernen der Rechtschreibung geschieht nicht von selbst (wie das Erlernen der Aussprache) im natürlichen Spracherwerb. Es findet in der Schule statt, unterstützt von Regeln, die angeben, in welchen Fällen (Positionen) welche der Graphemvarianten die richtige ist (z. B. nach kurzem Vokal: Doppelkonsonant; nach langem Vokal: einfacher Konsonant). Für die Schreibung vieler Wörter muß das morphologische Prinzip herangezogen werden. Und sehr oft kann das Erlernen der richtigen Schreibung nicht regelhaft geschehen (vgl.: *alt/Eltern, Weise/Waise*...), sondern nur durch wiederholtes Lesen.

Das Gebot „Schreib, wie du sprichtst" ist auch deswegen irreführend, weil es den Anschein erweckt, die deutsche Rechtschreibung wäre nicht phonologisch orientiert, sondern phonetisch: Das norddeutsche Kind schreibt sehr wohl „wie es spricht", wenn es *Peta* für *Peter*, *Gadine* für *Gardine*, *ham* für *haben* oder *kuoz* für *kurz* schreibt! (➡ Übung 27).

Da außerdem die Sprechweise der Kinder (sowie die der Erwachsenen) von Gegend zu Gegend, unter dem Einfluß des jeweiligen Dialekts, variiert, muß der Lehrer oder die Lehrerin über die regionale Variation im deutschsprachigen Bereich informiert sein, um einen adressatengerechten Rechtschreibunterricht zu erteilen (vgl. August (1974).

5.4 Regionale Varietäten in der Lautstruktur

Die lautliche Form der Sprache dürfte diejenige sein, die die meisten Variationen aufweist: Auch wenn sich ein Sprecher bemüht, sog. „Hochdeutsch" zu sprechen (oder glaubt, die hochdeutsche Aussprache zu befolgen), ist es meist so, daß man seiner Sprechweise anhört, aus welcher Gegend er stammt. Genauso wie man in der Regel erkennen kann, woher ein Ausländer stammt, der Deutsch spricht, auch wenn er recht gut Deutsch kann. Die Erklärung dafür ist in beiden Fällen grundsätzlich die gleiche: Sobald ein Sprecher zwei Sprachen beherrscht, beeinflussen sich diese beiden Sprachen gegenseitig (s. Weinreich (1976)). Das Ausmaß des Einflusses hängt davon ab, wie gut welche Sprache beherrscht oder wie oft sie benutzt wird: In der Regel beeinflußt die erste Sprache (oft „Muttersprache" genannt) die zweite eher als umgekehrt; es kann aber sehr gut passieren, daß bestimmte Artikulationsgewohnheiten aus der zweiten Sprache in die erste hineinwirken. Die gegenseitige Beeinflussung der beiden Sprachen beim zweisprachigen Sprecher oder in einer zweisprachigen Gesellschaft betrifft nicht nur die Lautstruktur, sondern auch den Wortschatz und sogar die Syntax, aber am offensichtlichsten und regelmäßigsten ist sie auf der phonetisch-phonologischen Ebene beobachtbar.

Nun muß man sich fragen, inwiefern es heutzutage gerechtfertigt ist, zu behaupten, daß die regionale Färbung des sog. „Hochdeutschen" auf so etwas wie Zweisprachigkeit zurückzuführen ist, wo doch die meisten Leute von sich behaupten, sie könnten den Dialekt ihrer Herkunftsregion nicht. Denn in der Tat sind selbst in Deutschland die Dialekte nicht mehr **die** Muttersprache, die zu Hause und im vertrauten Kreis alltäglich verwendete Sprache: Es gibt zu viele Leute, die im Laufe ihres Lebens ihre Wohnregion wechseln, es gibt zu viele Kontakte mit Anderssprechenden, es gibt zu viele „überregionale" oder „standarddeutsche" Reize etwa durch die Medien, als daß man heute wegen des Geburtsorts oder Wohnorts einem bestimmten Dialekt und nur ihm ausgesetzt wäre. Es gibt aber noch Leute, die aktive Dialektsprecher sind und deren Aussprache des Hochdeutschen von diesem Dialekt unmittelbar beeinflußt wird. Man kann sagen, sie sprechen eine deutlich dialektgefärbte Varietät des Deutschen. Ihre Umgangssprache ist nicht identisch mit der Umgangssprache derjenigen, die etwa 300 km entfernt groß geworden sind. Und wer im Kreis solcher Sprecher aufwächst, gewöhnt sich an deren Umgangssprache und ahmt sie unbewußt und natürlich nach. So kann es kommen, daß jemand Barmer Platt selbst weder verstehen noch sprechen kann, aber (Hoch)-deutsch in gewissem Maße so spricht, wie es die Älteren sprechen (die älteren Zweisprachigen, die Barmer Platt und Standarddeutsch sprechen). Man kann so als Barmer erkannt werden.

Aus der Ferne (z. B. aus der Sicht eines Berliners) mögen die Rheinländer alle ähnlich sprechen, der Kölner unterscheidet aber leicht den Düsseldorfer vom Bonner. Der Pariser erkennt, ob sein Gesprächspartner aus Südfrankreich oder aus dem Elsaß stammt; aber der Südfranzose ist in der Lage, den Sprecher aus Marseille von dem aus Nîmes zu unterscheiden. Das heißt: Das Erkennen der Herkunft eines Sprechers setzt präzise Sprachkenntnisse voraus, aber es ist grundsätzlich möglich, was ja bedeutet, daß jeder einer recht kleinen Herkunftsregion zugeordnet werden kann – ob er es will oder nicht.

Das Ausmaß der Bemühungen, die ein Sprecher unternimmt, um sich der überregionalen Norm anzupassen, um seine sprachliche Herkunft zu vertuschen, hängt von vielen Faktoren ab: Der Sprecher will nicht benachteiligt werden und glaubt, mit Recht oder nicht, dafür seine sprachliche Herkunft vertuschen zu müssen, oder er legt Wert auf seine sprachliche Herkunft als Teil seiner Identität oder als Zeichen seiner Gruppenzugehörigkeit u. a. m. Wenn es die sozialen Umstände fördern und fordern, kann es ein Sprecher schaffen, ein nicht mehr geographisch-dialektal einzuordnendes Deutsch zu sprechen (vgl. Siebs (1969)), aber es kommt selten vor, daß die spontane, unkontrollierte Aussprache eines Sprechers eine rein hochdeutsche ist. Denn es ist offensichtlich leichter, dialektale Wörter oder Konstruktionen zu meiden als sich dialektal oder regional bedingte Artikulationsgewohnheiten abzugewöhnen, wahrscheinlich weil letztere weitgehend unbewußt, auf jeden Fall unreflektiert sind. Man spricht dann ganz spontan Hochdeutsch mit regionalem „Akzent".

Die Frage, wer in welchen Kreisen warum welche Varietät spricht, ist für die Soziolinguistik zentral (s. Kap. 6: Sprache und Gesellschaft). Wir wollen hier kurz überlegen, welche Konsequenzen für die Phonologie die regionale Variation hat.

Zunächst einige Beispiele: Der Rheinländer unterscheidet nicht oder nur sehr dürftig und mühsam zwischen [ʃ] und [ç]. Sowohl bei *Kirche* als auch bei *Kirsche* spricht und hört er eine Art palatales [ʃ], so daß für seine Varietät des Deutschen ein Phonem (/ʃ/) des Hochdeutschen wegfällt (d. h. mangels Minimalpaars nicht postuliert werden kann). Im Sächsischen gibt es keine Opposition zwischen stimmlosen und stimmhaften Konsonanten: /b/ und /p/, /d/ und /t/, /g/ und /k/, /v/ und /f/... fallen zusammen, es ergeben sich entsprechend beinahe halb so viele konsonantische Phoneme wie im Standarddeutschen. In anderen Fällen ist die Distribution der Phoneme anders als im Standarddeutschen: Im Süddeutschen heißt es [glaːs], [graːs], [raɪt], [faːtər], im Norddeutschen [glas], [gras], [rat], [fatər]. Im Schwäbischen kommt [ʃ] vor /p/, /t/, /k/ nicht nur (wie im Hochdeutschen) im Anlaut, sondern auch im Inlaut vor ([fɛʃp], [kaʃtə]), in Hamburg und Schleswig-Holstein kommt nicht [ʃ], sondern [s] auch im Anlaut vor /p/, /t/, /k/ vor (man „stɔlpərt yːbər den spɪtsən staᵗn"!).

Überspitzt formuliert gibt es keinen, der reines Hochdeutsch als Muttersprache hat, der reines Hochdeutsch spricht – ausgenommen vielleicht Ausländer, die ausschließlich im Ausland Deutsch gelernt haben. Wieso kann man dann von **dem** phonologischen System des Deutschen reden? Ist nicht eine Sprache durch eine Regelmenge definiert? Was hat es aber für einen Sinn, anzunehmen, daß das Deutsche phonologisch durch eine Menge phonologischer Systeme definierbar ist? Eigentlich keinen! Das, was man „Hochdeutsch" nennt, ist nichts Reales, sondern eine Abstraktion, orientiert an einer Norm, die sich historisch behauptet hat, die weitgehend als solche akzeptiert (wenn auch nicht perfekt befolgt) wird und auf die sich weitgehend die Orthographienorm, die ja in der Schule verbindlich ist, bezieht.

Da die Variation eine natürliche Eigenschaft jeder natürlichen Sprache ist und sich nicht nur in der Phonetik-Phonologie, sondern auch im Wortschatz (einschließlich Semantik) und in der Morphologie nachweisen läßt, ist das Problem der Abstrahierung von der Variation, der Beschreibung **einer** Sprache, ein grundsätzliches – methodologisches und theoretisches – Problem der Sprachwissenschaft. (➜ Übung 28– 30).

Übungen zu Kapitel 5

Übung 1: Welche Vokale und Diphthonge kommen im Englischen vor? Ordnen Sie sie in Abb. 2 ein.

Übung 2: Versuchen Sie, die Vokale aus Abb. 2 a) auszusprechen, ohne die Lippen zu bewegen, möglichst so, daß man Ihrem Gesicht nicht ansieht, daß gerade Sie sprechen. Sind die Vokale alle in gleichem Maße erkennbar?

Übung 3: Hören Sie genau hin, wie eine andere Person die Wörter *Bein, Pein, fein, Wein, Ware, fahre, dir, Tier, Grenze, Kränze* flüsternd ausspricht. Welche Laute sind schwer erkennbar? Welche phonetischen Unterschiede zum normal Gesprochenen sind dabei feststellbar?

Übung 4: Wie würden Sie einem Franzosen, der Deutsch lernen will, beibringen, wie man einen Ich-Laut (vgl. *Kirche* im Unterschied zu *Kirsche*) ausspricht?

Übung 5: Woran liegt es, daß sich /m/ und /n/ bei verschnupften Sprechern wie [b] bzw. [d] anhören?

Übung 6: Worin unterscheiden sich phonetisch die Wörter *Medien* und *Mädchen*?

Übung 7: Transkribieren Sie (phonetisch) in API die folgenden Wörter in ihrer standarddeutschen Aussprache:
Rat, Rad, lieb, lieben, Schwung, Schwarz, Pflaster, Schwimmen, Fest, Wespe, Vase, fühlen, wühlen, Mahl, Mal, Hölle, Höhle, flach, Fläche, Zimmer, reißen, reisen, reizen, Brauch, Bräuche, Käse, Messe, Nässe, naß.

Übung 8: Beobachten Sie Ausländer aus Ihrer Umgebung (z. B. in der Universität), die Deutsch sprechen, und notieren Sie deren Ausspracheauffälligkeiten (z. B. [kamela] für *Kamera* aus dem Munde eines Japaners). Vergleichen Sie phonetisch die von ihnen produzierten Laute mit den entsprechenden, angestrebten standarddeutschen.

Übung 9: Transkribieren Sie phonetisch entsprechend Ihrer eigenen Aussprache die folgenden Ausdrücke: *Sommer, Rad, Räder, Rat, Haus, Häuser, Bücher, im, ihm, Käse, ich lese, Schirm, Duisburg, Bergbahn.*

Übung 10: Beim Sprechen, besonders beim schnellen Sprechen, werden manche Laute im Deutschen „verschluckt" bzw. undeutlich artikuliert. Wie läßt sich phonetisch erklären, daß aus *das haben wir nicht* [dashaːbnvirniç] oder gar [dashamirniç], aus *anbieten* [ʔambiːtən], aus *Boden* [boːn], aus *reden* [reːn] und aus *mit dem Lappen* [mimlapm] wird?

Übung 11: Die Wörter *camembert, merlan, estragon, confiture, chance* werden im Französischen [kamãˈbɛr], [mɛrˈlã], [ɛstraˈgõ], [kõfiˈtyr], [ʃãs] ausgesprochen. Notieren Sie, wie Sie diese Wörter aussprechen, wenn Sie sie in einem deutschen Satz benützen und geben Sie an, warum Sie sie so aussprechen, wie Sie sie aussprechen (und anders als die Franzosen).

Übung 12: Transkribieren Sie die Wörter *Kind, Hand, Zimt, Teig, Teich, billig, blöd, laß, las* zunächst phonetisch ([ ]), dann phonologisch (/ /).

Übung 13: Durch welche distinktiven Merkmale unterscheiden sich im Deutschen die Phoneme
/k/ und /g/   /b/ und /m/

/k/ und /t/   /b/ und /d/
/k/ und /d/   /b/ und /n/
/k/ und /h/   /b/ und /f/ ?

Übung 14: Nennen Sie (a) Phoneme, die im Deutschen nie im Anlaut und (b) Phoneme, die im Deutschen nie im Auslaut vorkommen.

Übung 15: Suchen Sie nach Beispielen mit den folgenden Konsonantenfolgen [Vorsicht: Es sind nicht Buchstaben, sondern Phoneme!] innerhalb eines einfachen Morphems:

sr	kr	gr	pr	br	fr	tr	dr	vr
sl	kl	gl	pl	bl	fl			
sn	kn	gn						
sv	kv							
sm								
sp								
st								
			pf					
						ts		

Vergewissern Sie sich, daß die in den leeren Feldern der Tabelle nicht genannten Folgen nicht möglich sind.

Übung 16: Suchen Sie nach Beispielen mit den folgenden Konsonantenfolgen innerhalb eines Morphems: tsv, pfl, ʃpr, ʃpl, ʃtr.

Übung 17: Betrachtet man komplexe Wörter, dann kommen im Deutschen komplexere Konsonantenfolgen als in den Übungen 15 und 16 vor, z. B. /ntsv/ in *entzwei*, /mpst/ in *plumpst* oder /rtsts/ in *Arztsocke*. Suchen Sie nach solchen Beispielen mit den „Zungenbrechern" /mpfl/, /mpfʃpr/, /ltsʃn/, /ltssk/, /nsts/, /rtsʃtr/.

Übung 18: Geben Sie weitere Beispiele vom Typ *übersetzen*, d. h. Wörter (im Deutschen oder in anderen Ihnen bekannten Sprachen), deren Bedeutung sich verändert, wenn man sie unterschiedlich akzentuiert.

Übung 19: Worauf basiert die Auffälligkeit der folgenden Werbesprüche?

    (1)   *Potz-Blitz nach Potsdam* [UPS]
    (2)   *Hopp, hopp nach Bottrop* [UPS]
    (3)   *Weil Hilde, die Wilde, dann milde wird.* [Magazin für Wildfrüchte. Kölner Zucker]
    (4)   *Malzvital mit Vitamalz*
    (5)   *Bitte ein Bit* [Bitburger Pils]
    (6)   *Know how statt not know* [Konika. Bürotechnologie]
    (7)   *Braun an die Küste! Na siehste!* [Carotinoid. Die Bräune, die man essen kann].

Übung 20: Vergewissern Sie sich, daß *man* und *Mann* einerseits, *das* und *daß* andererseits etymologisch verwandt sind, und recherchieren Sie, seit wann diese vier Wörter so geschrieben werden, wie sie heute geschrieben werden.

Übung 21: Recherchieren Sie die Entstehung des sog. „Dehnungs-h".

Übung 22: Stellen Sie die umgekehrte Tabelle auf, indem Sie von den Graphemen bzw. Graphemvarianten ausgehen:

<a>	/a/, /a:/	Masse, Maß

Übung 23: Können Sie sich vorstellen, daß man unter Berufung auf das phonologische Prinzip im Deutschen auf die Buchstaben q, v, z, y und ß verzichtet? Oder einige dieser Buchstaben beibehält, deren Gebrauch aber anders regelt als bisher?

Übung 24: Durch welche orthographischen Mittel wird im Deutschen notiert, ob ein Vokal lang oder kurz ist?

Übung 25: Geben Sie Beispiele (a) von Buchstaben im Deutschen, denen verschiedene Laute entsprechen; (b) von Lauten im Deutschen, die durch unterschiedliche Buchstaben bzw. Buchstabenkombinationen wiedergegeben werden; (c) von einzelnen Buchstaben, denen im Deutschen Lautkombinationen (komplexe Laute) entsprechen; (d) von einfachen Lauten, denen im Deutschen feste Buchstabenkombinationen entsprechen.

Übung 26: Nennen Sie (a) Buchstaben, die in deutschen Wörtern nie im Anlaut und (b) Buchstaben, die in deutschen Wörtern nie im Auslaut vorkommen!

Übung 27: Gibt es eine phonetische Erklärung für die folgenden Orthographiefehler? *Petasilie, Messa, geschengt, verwant, rante.*

Übung 28: Was bedeutet das Wort „Schibboleth"? Nennen Sie einige Aussprachemerkmale (für Sprachen Ihrer Wahl), die als „Schibboleth" fungieren könnten!

Übung 29: Woran erkennt man, daß ein Sprecher (wenn er Deutsch spricht) aus Spanien, Griechenland, Holland, Frankreich, der Türkei, Italien, Japan, England oder USA stammt?

Übung 30: Woran erkennt man, daß ein Sprecher (wenn er Hochdeutsch spricht) aus Schwaben, Bayern, Sachsen, der Schweiz, Österreich, Berlin, Hamburg, dem Rheinland stammt?

Übung 31: Suchen Sie nach Beispielen von regional bedingten Orthographiefehlern wie *Strücknadel* (im Württembergischen), *Vatter* (im Rheinland) und *rold* (für *rollt* im Schwäbischen)...

6 Sprache und Gesellschaft (Soziolinguistik)

In den ersten 5 Kapiteln ging es um die Beschreibung der sprachlichen Produkte und der ihnen zugrundeliegenden Regeln und Prinzipien. In diesem Kapitel geht es um den Sprecher als Mitglied einer Gesellschaft (im nächsten Kapitel wird der Sprecher als Individuum beschrieben, insbesondere als mit einem bestimmten Kognitionsapparat ausgestattetes Exemplar der Spezies „Mensch").

Der Mensch ist ein soziales Wesen, und die Sprache dient vor allem der Kommunikation in einer Gesellschaft. (Wir klammern hier den Fall des Monologs oder genauer Dialogs mit sich selbst aus, wie er bisweilen zur Präzisierung der eigenen Gedanken oder Gefühle verwendet wird.) Zum Kommunizieren gehören mindestens zwei Personen. Wenn zwei Personen sprachlich miteinander kommunizieren wollen, brauchen sie beide Kenntnisse derselben oder annähernd derselben Sprache. Dies ist Voraussetzung für die Verständigung (wenn es auch nicht immer ausreicht, wie wir es im Kapitel 4 gesehen haben). Man spricht jemanden an, wenn man etwas von ihm erreichen will. Die Sprache ist also wesentliches Mittel der sozialen Interaktion. Jede Sprechsituation ist gleichsam eine Handlungssituation. Was ein Sprecher durch sein Sprechverhalten bewirken kann, hängt von sozialen Faktoren ab; das Beherrschen der sprachlichen Regeln reicht nicht aus: Die Bitte *Bitte zahlen!* dürfte ergebnislos bleiben, wenn sie nicht an den Kellner gerichtet ist. Der Spruch *der Angeklagte ist unschuldig* ist wenig wert, wenn er von einem Journalisten stammt, hingegen verbindlich, wenn er vom Richter stammt. Die Relevanz gesellschaftlicher Parameter einer bestimmten Kommunikationssituation ist nicht nur bei den klassischerweise im Rahmen der sog. „Pragmatik" behandelten Phänomenen offensichtlich (vgl. Kapitel 4), sie ist Grundlage der sog. „Soziolinguistik"Kernfrage der Soziolinguistik ist die Beziehung zwischen den **soziologischen Merkmalen der Kommunikationspartner** einerseits und den sprachlichen Merkmalen ihrer Sprechweise andererseits.[85]

---

85 Die sprachlichen Merkmale der jeweiligen Sprechweise herauszufinden, setzt Vertrautheit mit den in den Kapiteln 1 bis 5 vorgestellten Arbeitsmethoden und -begriffe voraus: In diesem Sinne bilden die Kapitel 1 bis 5 den Kern der Einführung, dieses und das folgende Kapitel thematisieren (interdisziplinär zu bewältigende) sprachliche (oder genauer sprachbezogene) Probleme mit außersprachlichen Effekten

Bezogen auf eine bestimmte Kommunikation sind z. B. die folgenden
Fragen einschlägig:

i.   Zu welchen sozialen Gruppen gehören Sprecher und Hörer?
ii.   Welche gesellschaftliche Beziehung besteht zwischen ihnen
        (Vorgesetzter/Untergebener, Mann/Frau, Freundschaft/Feind-
        schaft, Lehrer/Schüler...)?
iii.   Wie feierlich, verbindlich, konventionell, locker, familiär... ist
        die Kommunikationsstuation?
iv.   Welchen Sprachgemeinschaften gehören die Kommunikations-
        partner an? (vgl. Kommunikation mit Ausländern, Gastarbei-
        tern, Sprechern eines anderen Dialekts...).

Die jeweilige Sprechweise hängt von diesen Faktoren ab: Jeder eini-
germaßen sprachlich gewandte Sprecher paßt sich in seinem **Sprechverhalten** der Situation an – vorausgesetzt, er kann das. Das heißt: Der
sprachlich gewandte Sprecher weiß intuitiv, welche Ausdrucksweise
der Situation angemessen ist und verhält sich entsprechend. Vorausgesetzt: Er verfügt über eine genügend differenzierte Ausdrucksweise,
er beherrscht die verschiedenen „**Varietäten**" des Deutschen und ist in
der Lage, mit dem Handwerker anders zu sprechen als mit seinem
Prüfer im Staatsexamen, mit dem Eierverkäufer auf dem Markt anders
als mit dem Beamten im Finanzamt (vgl. Ammon/Dittmar/Mattheier
(1987/88); Braun (1993)).
    Eine Sprache beherrschen heißt, in der Lage sein, die der Situation
angemessene **Sprachvarietät** zu aktivieren, also eigentlich eine Vielfalt
von sprachlichen Varietäten beherrschen. So gesehen ist der „sprachlich gewandte" Sprecher eine Art Polyglott; und das Ziel des Deutschunterrichts ist es, den Schülern den Umgang mit einer Vielfalt von
sprachlichen Varietäten (Registern) beizubringen, auf daß sie fähig
werden, sich sprachlich situationsadäquat zu verhalten.[86] Wenn man
die verschiedenen Varietäten als verschiedene Sprachen betrachtet,
dann ist jeder Sprecher **mehrsprachig**. Ist es so? Dafür sind zwei Fragen
zu beantworten: a) sind die Varietäten so voneinander unterschieden,
daß es Sinn macht, sie als unterschiedliche Sprachen zu behandeln?
und b) verfügt wirklich jeder Sprecher über verschiedene Varietäten?
Die Beantwortung der Frage a) ist nicht leicht, weil es generell nicht
leicht ist, Sprachen voneinander abzugrenzen. Wie groß müssen die

---

und Ursachen – was aber nicht bedeutet, daß sie für den Linguisten von minderem
    Interesse sind.
86 Wir verwenden den Terminus „Varietät" (einer Sprache) ganz allgemein zur
    Bezeichnung einer Erscheinungsform der Sprache, z. B. regional-, sozial- oder situa-
    tionsbedingt. Der Terminus „Register" wird in der Literatur speziell zur Bezeichnung
    einer situationsbedingten Varietät (bisweilen auch „Soziolekt" genannt) verwendet –
    was nicht immer leicht von einer sozial bedingten Varietät zu unterscheiden ist.

Unterschiede zwischen sprachlichen Varietäten sein, daß man sie als unterschiedliche Sprachsysteme betrachtet?

Nehmen wir das in Kap. 5.4 angesprochene Beispiel von regionalen Varietäten des Deutschen: Solange sie sich nur in der phonetischen Realisierung von Phonemen unterscheiden, aber auf dasselbe phonologische System zurückführbar sind, kann man sie als Varianten ein und derselben Sprache betrachten. Das gilt auch, wenn sie sich im Wortschatz teilweise unterscheiden; ebenfalls, wenn die syntaktischen und morphologischen Unterschiede nicht gravierend sind. Das dürfte generell für die verschiedenen dialektgeprägten Varianten des Hochdeutschen gelten. Anders freilich bei einigen Dialekten des Deutschen: Es dürfte schwer fallen, das Sächsische phonologisch dem Hochdeutschen gleichzusetzen; außerdem sind im sächsischen Dialekt Wortschatz, Morphologie und Syntax zumindest so weit vom Hochdeutschen entfernt, daß gegenseitige Verstehbarkeit nicht immer gegeben ist. Man wird denjenigen, der Sächsisch und Hochdeutsch kann, als zweisprachig einstufen. Denjenigen, der neben einer regional gefärbten Varietät des Standarddeutschen „das" Hochdeutsche (etwa nach Siebs Ausspracheregeln) beherrscht, wird man nicht als „zweisprachig" bezeichnen; man wird dessen sprachliche Vielfalt als natürliche Erscheinung innerhalb der sog. **Einsprachigkeit** bewerten. Dieser (mühsame und sprachwissenschaftlich fragwürdige) Versuch, Sprachen von Sprachvarianten, „echte" Mehrsprachigkeit von sprachlicher Variabilität zu unterscheiden, soll helfen, deutlich zu machen, daß auch innerhalb der sog. „Einsprachigkeit" eine gewisse Variabilität beobachtbar ist. Auch der „Einsprachige" spricht unterschiedlich, je nachdem, ob er mit einem Kollegen ein Fachgespräch führt, mit seinem Stammtischfreund Witze austauscht oder einem Arzt seine Beschwerden beschreibt... (vgl. Neuland (1988)).

Dies führt uns zu der Frage b), ob wirklich jeder Einsprachige über verschiedene Varietäten verfügt: Soziolinguistische Untersuchungen haben gezeigt, daß Mitglieder der Unterschicht, d. h. relativ wenig gebildete Menschen über eine ärmere oder gar keine Registerpalette[87] verfügen: Noch heute leben in Deutschland eine Reihe von Ausländern, die nur über eine Variante des Deutschen verfügen, was deren Integration in die Gesellschaft der Deutschsprachigen spürbar erschwert. Aber auch manchen einsprachigen Deutschen, die keine volle Schullaufbahn (bzw. keine erfolgreiche) hinter sich haben, fällt es schwer, der Situation angemessene Register zu aktivieren. Da eine solche „Sprachlosigkeit" gleichzeitig Folge und Ursache von gesellschaft-

---

87 „Register" legt, anders als „Varietät", nicht nahe, daß man von Mehrsprachigkeit sprechen könnte: Es ist ein und dieselbe Sprache, die jeder Situation gemäße Ausdrucksweisen zur Verfügung stellt bzw. stellen muß, um ihre Funktion in der Gesellschaft auszuüben.

licher Isolation und Unterdrückung bzw. Aussichtslosigkeit ist, sollte (vor allem in der Schule) versucht werden, dagegen zu wirken: Der Deutschunterricht sollte so gestaltet werden, daß die gesellschaftliche Relevanz der Registervielfalt erkannt wird, und nicht nur das sog. „Hochdeutsche", sondern auch seine vielen „Register" sollten unter Kenntnis der Bedingungen, unter welchen sie jeweils angemessen sind, eingeübt werden. Es sollte z. B. angesprochen werden, wann *ich habe kein Bock drauf*, wann *ich habe keine Lust* und wann *das möchte ich nicht* angemessene Formulierungen für womöglich ein und dieselbe Intention sind. Hierzu brauchen insbesondere diejenigen Kinder die Schule, deren Eltern über nur eine Varietät des Deutschen verfügen und zu einem differenzierten Sprachgebrauch nicht fähig sind (vgl. Weinreich (1976)).

Aus dem bisher Gesagten sollte deutlich geworden sein, daß durch Sprachunterricht auch eine Art „Sozialarbeit" geleistet wird: Wenn es gelingt, auch Kindern der Unterschicht einen differenzierten Sprachgebrauch beizubringen, dann eröffnen sich auch für diese Kinder – so die Hoffnung der Verfechter des sog. „kompensatorischen Sprachunterrichts"– soziale Aufstiegsperspektiven. Denn wer seine Interessen sprachlich angemessen vertreten kann, wer in der Lage ist, sich situationsangemessen auszudrücken, mit vielen unterschiedlichen Gesprächspartnern so zu komunizieren, daß er von ihnen akzeptiert und beachtet wird, kann zu anerkannten Positionen in der Gesellschaft kommen. Der Spruch „Sprache ist Macht" kann auch in diesem Sinne verstanden werden (vgl. Ammon (1972); (1989)).

Das Ziel, auch Kindern der unterpriveligierten Schichten eine vielseitige sprachliche Fähigkeit zu vermitteln, um deren soziale Aufstiegschancen zu erhöhen, ist sicher zu verfolgen, denn Sprache ist durchaus ein Mittel zum Aufstieg. Aber es sollte nicht übersehen werden, daß die Veränderung der gesellschaftlichen Verhältnisse durch Veränderung der sprachlichen Verhältnisse nicht garantiert ist: Spracherziehung kann der sozialen Erziehung nützen, sie aber nicht ersetzen. Wer gelernt hat, statt *Neger Schwarzer* oder *Farbiger* zu sagen, muß nicht deswegen von etwaigen rassistischen Gefühlen frei sein. Wer für eine „frauengerechte" Sprache plädiert, kann trotzdem der Frau in der Gesellschaft eine im Vergleich zur Männerherrschaft sekundäre Rolle zuweisen. Um bei diesem Beispiel zu bleiben: Die Gleichberechtigung von Mann und Frau ist nicht allein durch Erziehung zum frauengerechten Sprechen erreicht: Solange Frauen für dieselbe Arbeit weniger verdienen als die Männer oder wegen der „Schwangerschaftsgefahr" weniger Einstellchancen als Männer haben, wird es keine Gleichberechtigung geben, auch wenn die Stellenausschreibungstexte so formuliert werden, daß sich auch Frauen angesprochen fühlen und bewerben. Ein anderes Beispiel: In einer Gesellschaft, wo Akademiker Taxifahrer sind (wenn sie nicht arbeitslos bleiben), ist das Credo, Spracherziehung (und Bildung) erhöhe die sozialen Aufstiegschancen, eben nicht viel mehr als ein Credo – d. h. ein frommer Wunsch.

Kommen wir zurück zu den „zweisprachigen" Sprechern. Wenn es irgendwo viele Sprecher gibt, die sowohl L1 als auch L2 beherschen, dann kann eine gegenseitige Beeinflussung von L1 und L2 stattfinden derart, daß sich auch, im Laufe der Zeit, (einsprachige) L1-Sprecher und (einsprachige) L2-Sprecher einige Merkmale dieser Beeinflussung in ihrem eigenen Sprachgebrauch zu eigen machen: so daß sich L1 unter Einfluß von L2 und/oder L2 unter Einfluß von L1 verändert[88]. Nehmen wir ein aktuelles Beispiel: Manche Sprecher des Deutschen können auch Englisch. Daher sind ihnen Wörter wie *Display, return, cool, clean, computer, break, hobby* usw. so vertraut, daß sie sie spontan übernehmen, wenn sie Deutsch sprechen: Sie importieren diese „Fremdwörter" (vgl. Kap. 1) problemlos, da sie sie aufgrund ihrer Englischkenntnisse verstehen. Einsprachige Deutschsprecher hören aus deren Munde diese Importwörter, verstehen sie (im Kontext), gewöhnen sich an sie und übernehmen sie bald (aus welchem Grund auch immer, vielleicht weil sie schick oder edel klingen) in ihr Deutsch, ohne über deren englische Herkunft weiter nachzudenken. Möglicherweise werden diese Wörter dann in Schrift oder Aussprache dem Deutschen so angepaßt, daß ihre englische Herkunft in Vergessenheit gerät.

Warum welche Wörter einer Fremdsprache auf solche Weise übernommen werden, läßt sich nur außersprachlich, sprich gesellschaftlich beantworten: Jeder (auch neue) Begriff ließe sich durch Bildung eines neuen deutschen Wortes bezeichnen. Daß sich in der deutschen Sprache in solchen Fällen manchmal ein importiertes Wort durchsetzt, ist ein soziales Phänomen: Die heutige deutschsprachige Gesellschaft ist zumindest in einigen Bereichen (Technik, Szene...) der englischen Kultur – so wie im Bereich der Gastronomie der französischen Kultur (vgl. *cordon bleu, béarnaise, sorbet...*) – gegenüber positiv eingestellt. Man spricht bezüglich dieses Phänomens in der Sprachwandelforschung vom „Kulturgefälle": Richtet sich eine Gesellschaft in ihrer Werteverteilung nach einer anderen, als nachahmenswert betrachteten, dann neigt sie dazu, auch das Vokabular dieser höher bewerteten Gesell-

---

88 Wie komplex (sowohl sprachlich als auch soziologisch) die Folgen von Sprachkontakt sein können, zeigen die sog. „Kreolsprachen": Die Kolonialherren (z. B. französischer oder portugiesischer Herkunft) holten sich zur Arbeit auf ihren Plantagen Sklaven (meist) aus verschiedenen Orten Afrikas. Die Sklaven sprachen unterschiedliche Sprachen, die die Weißen nicht beherrschten. Die Sklaven mußten lernen, die Befehle der Herrscher zu verstehen – woran die Herrscher Interesse hatten. Sie mußten sich auch einander verständigen können, um zu überleben. So entstanden Sprachen, die Merkmale der Herrschaftssprache und sog. „Afrikanismen" aufweisen und sich allmählig verselbständigten: Heute, auch nach Abschaffung der Sklaverei, werden noch z. B. auf Haiti, in den Seychellen und Kap Verden Kreolsprachen gesprochen.

schaft – auch wenn es sich um eine Fremdsprache handelt – zu übernehmen. Die Übernahme von Wörtern lateinischer, französischer oder
italienischer Herkunft ins Deutsche im Laufe der Geschichte der deutschen Sprache erklärt sich meist so. Wortimport ist Prestigesache! Und
Prestige ist ein Gesellschaftsphänomen. Nichts aus dem System der
deutschen Sprache machte es nötig, daß *Toast* die deutsche Bezeichnung *geröstetes Brot* ersetzte (abgesehen davon, daß beide Ausdrücke nicht ganz genau dieselbe Bedeutung haben): In der Sprachwandelforschung spricht man bisweilen von „äußeren Faktoren des
Sprachwandels" (im Unterschied zu den sog. „inneren" Faktoren wie
z. B. den (systematischen) Lautgesetzen). Nun kann sich eine
Gesellschaft gegen diesen Einfluß einer angeblich höher zu bewerten-
den Kultur wehren und „sprachpuristische" Maßnahmen gegen die
„drohende Verfremdung" der eigenen Sprache mit mehr oder weniger
institutionalisierten Mitteln ergreifen: Ein besonders deutliches Beispiel hierfür liefert der Kampf der französischen Institutionen gegen
den Einfluß des Englischen. Aus der Geschichte der deutschen Sprache
berühmt sind die Bemühungen um „Eindeutschung" in der Barockzeit
(*Anschrift* für *Adresse*, *Augenblick* für *Moment*, *Grundstein* für *Fundament*, aber auch *Gesichtserker* für *Nase*). M. a. W.: Sogar der Wi-
derstand gegen die Beeinflussung der eigenen Sprache durch eine andere ist ein gesellschaftliches Phänomen, auch wenn das Einwirken einer Institution keine Garantie dafür ist, daß der angestrebte Effekt
wirklich eintritt.

   Mit dem zuletzt genannten Aspekt der Thematik „Sprache und Gesellschaft" haben wir eigentlich schon das Thema „**Sprach(en)politik**"[89]
erreicht. Was ist „Sprach(en)politik"? Was hat die Politik mit Sprache
zu tun (abgesehen davon, daß sich die Politik natürlich über Sprache
durchsetzt und daß die Sprache, die sie dafür verwendet, deswegen
eine gründliche Analyse wert ist).

   Eine gemeinsame Sprache zu sprechen, das ist ein im Bewußtsein
der betroffenen Sprecher sehr ausgeprägtes gesellschaftliches **Identitätsmerkmal.**

   Wer dieselbe Sprache spricht wie ich, gehört zu mir, ist Mitglied
der Gemeinschaft, der ich auch angehöre. Sprachgemeinschaft ist Gemeinschaft, Gruppe, Einheit. Wer anders spricht, ist fremd, gehört
nicht dazu. Die Sprache – in einem wie auch immer abstrakten Grade –
ist ein mit Rasse und Religion vergleichares **Gruppenidentitätsmerk-
mal**: Wenn eine politische Einheit ansonsten heterogener Herkunft ist,

---

89 Die Spezialisten unterscheiden „Sprachpolitik" und „Sprachenpolitik": Unter Sprachpolitik werden die Maßnahmen behandelt, die den Gebrauch einer Sprache regeln
   (z. B. Normierung von Orthographie, Umgang mit Fremdwörtern oder Festlegung
   von Terminologien); unter „Sprachenpolitik" die Maßnahmen, die in einer multilin-
   gualen Gesellschaft den Gebrauch der einzelnen Sprachen (Nationalsprache(n),
   Status, Schutz oder Verbot von Minderheitensprachen) regeln.

dann kann die gemeinsame Sprache als ein vereinheitlichendes Merkmal ausgenutzt werden. So etwa Frankreich – einschließlich seiner ehemaligen Kolonien und seiner jetzt noch „territoires d' Outre-Mer": Der Zwang, französisch zu sprechen, soll den Bretonen, den Basken, den Elsäßern und den Korsen deutlich machen, daß sie zu Frankreich gehören, und die Politik der „Francophonie" soll Menschen aus den ehemaligen Kolonien in Afrika, aus den „territoires d' Outre-Mer" wie Tahiti, den Seychellen oder der Martinique usw., sogar denen in Quebec eine besondere Beziehung zu Frankreich als selbstverständlich gelten lassen. Welche Interessen das jetzige Frankreich an dieser Bindung hat, wollen wir hier nicht vertiefen. Faktum ist, daß die Politiker darauf setzen, daß eine gemeinsame Kultur oder eine zumindest deutlich vom Französischen beeinflußte Sprache die Orientierung der betroffenen Gesellschaft an Frankreich fördert bzw. fördern kann. Im Vergleich zu Frankreichs Bemühungen um die Erhaltung der „Francophonie" sind Deutschlands Investitionen in Goethe-Institute auf der ganzen Welt bescheiden, aber immerhin: Es geht auch hier darum, über Sprachkurse Sympathisanten für alles, was aus Deutschland kommt (Kultur, aber vor allem Wirtschaft) zu gewinnen.

Sprach(en)politik ist nicht nur (in spe) vereinheitlichend, sie kann auch ausschließend sein (vgl. Haarmann (1975); (1988)): Ein Hauptproblem Belgiens z. B. besteht darin, daß die verschiedenen Sprachgemeinschaften nicht akzeptieren, daß sie zusammen eine politische Einheit bilden. Die Gemeinschaft der Baskisch-Sprecher möchte gern als politische Einheit anerkannt werden – so zumindest die Position der Separatisten. Und manche Bewohner der Insel Korsika, die ja korsisch sprechen, benutzen ihre sprachliche Identität als Argument für einen Sonderstatus innerhalb Frankreichs bzw. für ihre Autonomie. Erwähnt seien hier auch die zahlreichen Arbeiten aus der Zeit der DDR, die der Frage gewidmet waren, ob die beiden ideologisch-politischen Systeme je eine Sprache, das DDR-Deutsch gegenüber dem BRD-Deutsch, prägten. Die Ergebnisse dieser Untersuchungen (vor allem Unterschiede im Wortschatz und starker Einfluß des Russischen auf das offizielle „DDR-Deutsch") wurden seinerzeit in den Medien unterschiedlich kommentiert (vgl. Glück/Sauer (1990)): Für die einen war die Entwicklung einer eigenen Sprache Zeichen der DDR-Identität gegenüber der BRD, für die anderen war das „Sich-auseinander-Entwickeln" beider Sprachen (Varietäten) mahnendes Symbol der Verfremdung, für andere wiederum waren die Unterschiede nicht so wesentlich: DDR und BRD sprachen nach wie vor dieselbe Sprache, gehörten somit nach wie vor zusammen.

Die Reaktionen der politischen Mächte auf solche Einstellungen zur eigenen Sprache sind verschieden. Es können mehrere Sprachen als offizielle Sprachen gelten (Schweiz). Minderheitensprachen können unterdrückt werden oder für bestimmte Zwecke geduldet werden (als Maßstab hierfür kann die Haltung der Institution Schule den Minderheitensprachen gegenüber genannt werden). Der Einsatz der Minderheiten für ihre eigene Sprache ist u. a. abhängig von anderen gesellschaftlichen Faktoren: Wirtschaftlich und kulturell benachteiligte sprachliche Minderheiten kämpfen meist heftig für ihre Sprache als Symbol der eigenen Identität und Unterdrückung (vgl. Wolf (1980)).

Auf multinationaler Ebene findet sich die Furcht, nach oder durch Unterdrückung der Sprache politisch, kulturell und wirtschaftlich benachteiligt zu werden, z. B. in Europa: Die Europäische Gemeinschaft erkennt wohlweislich zur Zeit ein dutzend Sprachen an – obwohl es sehr aufwendig ist, jedes offizielle Dokument in 12 Sprachen verfassen zu müssen –, denn keiner der Mitgliedstaaten könnte akzeptieren, daß die eigene Nationalsprache nicht als den anderen gleichwertig behandelt wird. Das Gleichgewicht in der Behandlung der Sprachen in der Europäischen Gemeinschaft soll die grundsätzliche Gleichheit der Mitgliedstaaten symbolisieren (was ja nicht heißt, daß es sie garantiert!). Die sprachliche Zukunft Europas dürfte ein spannendes Thema sein: Die vielen Kontakte zwischen Menschen verschiedener Nationalsprachen und die Beweglichkeit der Individuen innerhalb einer 12-Staaten (oder mehr)-Gemeinschaft werden dazu führen, daß immer mehr Menschen mindestens zweisprachig sind, mit der Folge, daß die europäischen Sprachen mehr einander beeinflussen als in den letzten Jahrhunderten: Die Europäische Union schafft günstige äußere Bedingungen für Sprachwandel durch **Sprach(en)kontakt**. Auch die Aufgaben des Sprachunterrichts in den Schulen werden womöglich neu zu definieren sein.

Nicht zur „Sprach(en)politik", aber wohl zum Thema „Sprachbewußtsein" gehört die **gruppenidentifizierende Funktion** mancher Varietäten bzw. Register oder Soziolekte: Die immer wieder in der Presse thematisierte „Jugendsprache" ist ein Abgrenzungsmittel der Jugendlichen gegenüber ihren Eltern (Generationskonflikt). Jugendliche der linken Szene wiederum erkennen an ihrer Sprache ihre Gesinnungsgenossen – und von ihnen abgegrenzt die Jugendlichen der rechten Szene. Kommunisten erkennt man an ihrer Sprache wie Anti-Kommunisten auch. Gaunersprachen, Geheimsprachen, z. T. auch Fachsprachen erlauben es dem Kenner, die soziale Zugehörigkeit ihrer Sprecher festzustellen: Was zur Tarnung verwendet wird, ist gleichzeitig ein Identifizierungsmerkmal.

Das sprachliche Verhalten eines Sprechers oder einer Sprechergruppe gibt Auskunft darüber, wie sich dieser Sprecher bzw. diese Sprechergruppe in der Gesellschaft situiert: Die Skala geht vom extrem Angepaßten zum extrem Individualisten bzw. sein Anderssein betonenden (bis hin zur Marginalität). Dabei muß das eigene Sprachverhalten nicht immer bewußt sein; deswegen reicht es nicht aus, wenn man untersuchen will, wer wann wie spricht, die betroffene Bevölkerung danach zu fragen: Man muß beobachten, was wirklich in den verschiedenen Situationen geschieht.[90] Das Sprachverhalten mancher Gruppen ist nicht immer (oder meist nicht) Ergebnis einer bewußten Reflexion. In den USA durchgeführte Untersuchungen haben gezeigt, daß sich die schwarzen Frauen eher als die schwarzen Männer dem Standard-Englisch anpassen (d. h. weniger „black-english" sprechen): Es liegt nahe, daß sie, die sie ja die Sprache der Kinder mehr beeinflussen als die Männer, intuitiv erkannt haben, daß sie durch diese Anpassung die Aufstiegschancen ihrer Kinder erhöhen.

Das Ziel des Deutschunterrichts, die Schüler zu sprachlich gewandten Menschen zu machen, läßt sich von einem ganz anderen Gesichtspunkt her kommentieren – und rechtfertigen: Nur wer über eine differenzierte Sprachfertigkeit verfügt, vermag inhaltliche Feinheiten z. B. im politischen und/oder ideologisch-gefärbten Diskurs erkennen. Mit anderen Worten: Spracherziehung schützt vor sprachlicher **Manipulation**. Erkennen, daß *Konflikt* oder *Auseinandersetzung* auch *Krieg* meinen kann, daß *ableben* oder *ums Leben kommen* „sterben" bedeutet, daß *Nullwachstum* eigentlich *Rezession* und *Entsorgung Müllverarbeitung* usw. ist, kurz erkennen, welche Realität hinter Beschönigungswörtern bisweilen versteckt wird, erlaubt eine sachgerechte Bewertung der über die Medien vermittelten politischen oder ideologischen Aussagen[91]. Wer die Sprecher und Schreiber auf die Gefahr mancher unklarer, inadäquater oder ideologisch geprägter Ausdrucksweisen aufmerksam macht, treibt **Sprachkritik**. Und wer Sprachkritik nicht allein im Namen von (konservativem) Sprachpurismus treibt (wie manche Stilfibelautoren), sondern im Dienste einer sachlichen, reibungslosen Kommunikationsverbesserung (vgl. Zimmer (1986b), tut Nützliches. In diesem Sinne ist es auch Aufgabe des Deutschlehrers, Sprachkritik zu üben, indem er nicht nur manche Ausdrucksweisen moniert, sondern auch erklärt, warum er sie moniert.

Auch die Affinität zu einem Dialekt wird als Identitätsmerkmal empfunden: Man hört immer wieder, daß der eigene Dialekt an die eigentliche „Heimat", den engen Familien- und Freundeskreis, das Pri-

---

90 Die Diskrepanz zwischen dem, was die Sprecher zu tun glauben, und dem, was sie wirklich tun, läßt sich nicht nur bei soziolinguistischen Untersuchungen feststellen. Man kann oft beobachten, daß Sprecher bestimmte Konstruktionen als abweichend ablehnen („unmöglich", „würde ich nie sagen" o. ä.), die sie aber, wenn sie sich nicht beobachtet fühlen, ganz natürlich verwenden.

91 Es geht nicht immer nur um die Wortwahl im Falle von Alternativen: Wir haben in Kap. 4 einige Beispiele von „verräterischen" Präsuppositionen genannt (*Es waren keine Menschen, Sir, es waren Feinde* u. a. m.). Wie wir ebenfalls in Kap. 4 gesehen haben, gehen Informationen über den Sprecher, die aus dem (wie)Gesagten abgeleitet werden können, in die (Re)konstruktion der Bedeutung, in den Prozeß des (Text)verstehens ein.

vatleben... erinnert, daß er für die Betroffenen das schönste, gefühlsreichste, nicht zu ersetzende Kommunikationsmittel darstellt, usw. Kurz: Auch in Gesellschaften, in denen der soziale Aufstieg den Gebrauch einer Standardvarietät fordert, ist der Dialekt eher positiv konnotiert und fördert besonders schnell freundschaftliche Kontakte zwischen Menschen – die sich eben durch den Gebrauch eines gemeinsamen Dialekts sofort als Mitglieder derselben Gemeinschaft wahrnehmen, auch wenn sie sich noch nicht kennen.

Nur wer über die verschiedenen Varietäten und ihre gesellschaftliche (auch regionale) Verteilung informiert ist, ist in der Lage, das Gehörte richtig zu bewerten. Wenn ein Süddeutscher von seinem *Weib* spricht, meint er es keineswegs abwertend. Wenn ein Österreicher sagt *Ich ersuche Sie, dies zu tun*, dann handelt es sich nicht um eine respektlose Anmaßung. In München meint die Formulierung *Montag mit Freitag* nichts anderes als „Montag bis einschließlich Freitag", und *rückwärts einsteigen* einfach „hinten einsteigen". In Stuttgart heißt *warten Sie geschwind* nicht „warten Sie schnell", sondern „warten Sie kurz".[92]

Die Teildisziplin, die sich mit den regionalen Varietäten (etwa der deutschen Sprache) befaßt, heißt „**Dialektologie**". Die klassische Dialektologie arbeitete stark historisch, indem sie die unterschiedliche Verbreitung der sog. Lautgesetze als Ursache für die Dialektvielfalt und Maßstab für die Gruppierung mancher Dialekte in Bereiche wie Niederdeutsch/Oberdeutsch (*dat* und *Appel* im niederdeutschen Bereich, *das* und *Apfel* im sog. oberdeutschen Bereich, d. h. im Süden) untersuchte. Sie untersuchte ferner die Verteilung mancher Wörter (z. B. *Pferd* vs. *Gaul* vs. *Roß*; *Samstag* vs. *Sonnabend*; *Metzger* vs. *Fleischer* vs. *Schlächter*) und zeichnete entsprechende Landkarten – wobei interessanterweise die Grenzlinien (sofern überhaupt Linien gezeichnet werden konnten) für die Wortschatzverteilung nicht einfach untereinander korrelieren (etwa: Wo *Pferd* verwendet wird, wird auch *Sonnabend* verwendet und umgekehrt) und auch nicht den Lautgrenzen (zwischen *p* und *pf* oder *t* und *s*) entsprechen (vgl. Wolff (1986); von Polenz (1970); Schmidt (1969)).

Die moderne Dialektologie hingegen widmet sich auch soziolinguistischen Fragen wie z. B.: Wie entwickelt sich der Dialektgebrauch im modernen Deutschland (insbesondere in den Städten), welche Konsequenzen hat die Kenntnis eines Dialekts in der Schule, wie ist die Einstellung der Dialektsprecher zu ihrem eigenen Dialekt und die Einstellung der Sprecher im allgemeinen zu Dialekten... Die Arbeitsgrundlage auch dieser Dialektologen sind einzelne Dialektbeschreibungen (die

---

92 Vergleichbare „Pannen" können jemandem passieren, der Texte aus früheren Zeiten liest und nicht weiß, daß manche Wörter damals eine andere Bedeutung hatten als heute (vgl. *milde, feige* zu Goethes Zeiten).

meist Phonologie, Morphologie und Wortschatz (Lexikon), aber wenig Syntax enthalten) und Sprachatlanten (vgl. Agricola et al. (1969); Schlieben-Lange (1973)).

Weiterführende Aufgaben

Aufgabe 1: Machen Sie sich sachkundig über die sprachliche Situation in Belgien, in Südtirol, in der Schweiz und in Südafrika (Status von Afrikaans).

Aufgabe 2: Wann im Laufe der Geschichte der deutschen Sprache und in welchen Sachgebieten war der Einfluß des (Alt)griechischen, Lateinischen, Französischen und des Italienischen besonders stark? Suchen Sie nach Beispielwörtern aus diesen Zeiten, die heute noch im deutschen Wortschatz präsent sind. Kann man diesen Wörtern heute noch ansehen bzw. anhören, daß sie fremder Herkunft sind?

Aufgabe 3: Sammeln Sie Wörter englischer Herkunft, die im heutigen Deutsch verwendet werden. Vergleichen Sie deren Form (graphisch und phonetisch), deren Bedeutung und deren morphologische Eigenschaften mit denen der ihnen entsprechenden Originale.

Aufgabe 4: Beobachten Sie, wie Deutschsprecher mit Ausländern sprechen. Was fällt auf? Welche Vor- und Nachteile kann dieses (spontane) Sprachverhalten der Deutschen für die Ausländer haben?

Aufgabe 5: Sammeln Sie – etwa aus der Presse – sprachkritische Äußerungen gegen die Verwendung von Fremdwörtern und bewerten Sie sie.

Aufgabe 6: Kennen Sie deutsche Wörter jiddischer Herkunft? Informieren Sie sich über ihre Geschichte und ihre soziale Funktion.

Aufgabe 7: Woran erkennen Sie sprachlich einen Bayern, einen Sachsen, einen Hamburger, einen Schwaben und einen Berliner?

Aufgabe 8: Suchen Sie nach deutschen Wörtern, die im Ausland (z. B. in russisch, englisch/amerikanisch, französisch oder niederländisch sprechenden Gemeinschaften) importiert und Fuß gefaßt haben (z. B. *un ersatz* oder *le waldsterben* im Französischen).

Aufgabe 9: Informieren Sie sich über Analphabetismus in Deutschland (insbesondere: Wer gilt als Analphabet? Wieviele Analphabeten gibt es schätzungsweise in Deutschland? Was sind die Ursachen von Alphabetismus? Welche Folgen hat Analphabetismus für die Betroffenen in unserer Gesellschaft? Mit welchen Mitteln versuchen Analphabeten sich trotzdem durchzukämpfen?...)

Aufgabe 10: Inwiefern hat die Normierung der Orthographie einen sprachvereinheitlichenden Effekt – und ist also ein Politikum?

Aufgabe 11: Informieren Sie sich über das Werk von Konrad Duden, seine Motive und seine Wirkung.

Aufgabe 12: Welche Argumente benutzen die Befürworter, welche die Gegner einer Reform der heutigen deutschen Orthographie? Inwiefern ist die Diskussion um Orthographiereform eine linguistische und inwiefern eine gesellschaftliche bzw. politische?

Aufgabe 13: Informieren Sie sich (durch die Medien) regelmäßig darüber, wie man die sprachliche Zukunft Europas zu beeinflussen versucht – oder auch nicht! (Fremdsprachen-Unterrichtspolitik, Schüler- und Studentenbeweglichkeit...).

Aufgabe 14: Achten Sie darauf, welche (Fremd)sprachenkenntnisse bei einer Stellenausschreibung als notwendig oder erwünscht genannt werden. Wie würden Sie einen Schüler oder Eltern der Schüler beraten, die Sie fragten, welche Sprache(n) sie bzw. ihre Kinder lernen sollten?

Aufgabe 15: Die lateinische Sprache wird heute noch (wieder?) in Deutschland als „Prestigesprache" betrachtet, ohne die man z. B. an den meisten Universitäten nicht Doktor werden kann. Was ist davon zu halten? Worin liegt Ihrer Meinung nach der politische Aspekt dieses Tatbestandes?

Aufgabe 16: Viele Frauen lehnen bestimmte Ausdrucksweisen ab, weil sie ihrer Auffassung nach die Ungleichheit zwischen Mann und Frau in der Gesellschaft nicht nur deutlich machen, sondern auch befestigen. Informieren Sie sich über die laufende Diskussion (Stichwort „feministische Linguistik", „frauenfeindlicher Sprachgebrauch" o. ä.) und nehmen Sie a) sprachwissenschaftlich und b) soziologisch zu ihr Stellung.

Aufgabe 17: „Beamtendeutsch": Suchen Sie einen Text, der als repräsentativ für das sog. „Beamtendeutsch" gelten könnte (z. B. Notiz zur Steuererklärung oder Gesetzestext) und beschreiben Sie dessen Auffälligkeiten. Versuchen Sie, ihn in ein „normaleres" Deutsch zu übersetzen.

Aufgabe 18: Fachsprache/Jargon: Suchen Sie einen Text aus einer Wissenschaft oder Technik, der nicht allgemein verständlich ist und daher als repräsentativ für eine bestimmte „Fachsprache" gelten könnte. Wie gehen Sie als Nicht-Fachmann/frau mit diesem Text um? Wenn er aus einem Fach oder einer Technik stammt, das bzw. die Ihnen vertraut ist, wie würden Sie ihn in ein „normaleres", d. h. allgemein verständliches Deutsch übersetzen? Wie würden Sie Ihren eigenen Versuch bewerten?

Aufgabe 19: Angenommen, Sie leben in Kontakt mit Menschen unterschiedlicher sozialer/politischer/ideologischer Zugehörigkeit: Könnten Sie Ausdrücke oder Ausdrucksweisen nennen, denen Sie (spontan) entnehmen, welcher Gruppe deren Benutzer wohl angehört?[93]

---

93 Es geht nicht primär darum, was diese Sprecher sagen, sondern **wie** sie sich ausdrücken.

7 Sprache und Individuum (Psycholinguistik)

„Sprachwissenschaft ist Teil der Psychologie und mithin der Biologie." Mit dieser provokativen Behauptung hat der Linguist Noam Chomsky hervorheben wollen, daß letztendlich das Ziel der Sprachwissenschaft darin bestehe, zu erforschen, was genau die Fähigkeit jedes Menschen ist, eine Sprache zu lernen und zu beherrschen. Der von ihm geprägte Begriff der „(Sprach)kompetenz" bezeichnet die abstrakte Fähigkeit des Menschen, (mindestens) eine Sprache zu können, d. h. deren zugrundeliegenden Regeln (unbewußt) zu beherrschen, sowohl beim aktiven Gebrauch als auch beim Rezipieren (Analysieren, Verstehen). Diese Fähigkeit ist so natürlich wie die, auf beiden Beinen zu laufen oder auf bestimmte Weise bestimmte Substanzen zu verdauen. Deswegen kann man sich fragen, wie genau der Mensch „gebaut" ist, daß er zur Sprache fähig ist. Natürlich braucht der Mensch bestimmte Artikulationsorgane: Die Schimpansen können schon deswegen nicht sprechen, weil sie keinen so ausgebauten Kehlkopf haben wie der Mensch. Aber sprechen ist nicht nur artikulierte Laute bilden, es setzt komplexe kognitive Aktivitäten voraus: Der Mensch verfolgt bestimmte Absichten, wenn er spricht, und aktiviert dabei – wie beim Rezipieren von Sprache auch – eine Menge sprachliches (und außersprachliches) Wissen (syntaktisches, semantisches usw.). Daß diese Aktivitäten sehr schnell und weitgehend unbewußt ablaufen, bedeutet nicht, daß es sie nicht gibt. Vielmehr daß es intensiver, gründlicher Forschung bedarf, bis wir wirklich verstanden haben, was im Menschen geschieht, wenn er Sprache produziert oder rezipiert.

Wie so oft, so läßt auch hier die Untersuchung der Störungen (Anomalien) rückschließen auf das normale Funktionieren: Wenn jemand mit einem intakten Artikulationsapparat eine Sprachstörung aufweist, dann hat er einen Hirnschaden (z. B. eine Störung der Hirndurchblutung durch einen Tumor, einen Schlaganfall oder einen Unfall. Man spricht in solchem Fall von **Aphasie**[94]). Der für ihn zuständige Arzt ist

---

94 Nicht unter Aphasie fallen sprachliche Störungen, die Folge von Hörschaden, geistiger Behinderung oder auch psychischem Ungleichgewicht sind. Zur Aphasieforschung, s. z. B. Peuser (1978); Huber/Poeck/Weniger (1989); Huber/Springer (1988); zur Neurolinguistik im allgemeinen Friederici (1984).

der Neurologe; d. h. es ist unser Gehirn, das für die Sprache zuständig
ist.
   Es gibt verschiedene Typen von Aphasien, die bis zu einem gewissen Grade mit dem Ort der Hirnläsion korrelieren: Die Ärzte Broca
(1824–1880) und Wernicke (1848–1905) haben ihren Namen je einem
Typ von Aphasie und einer entsprechenden Läsionsgegend im Gehirn
verliehen. Broca diagnostizierte bei Patienten mit intaktem Sprachver-
stehen aber stark gestörtem Redefluß (sog. motorische Aphasie) eine
Läsion am Fuß der 3. Stirnwindung in der linken (sprachdominanten)
Hemisphäre.

Abb. 1: Broca- und Wernicke-Zentrum

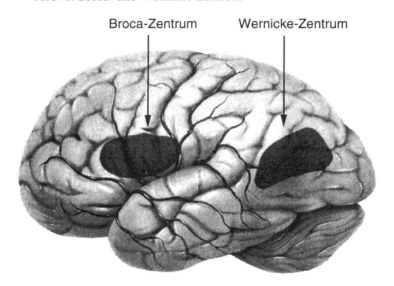

Wernicke diagnostizierte bei Patienten mit ungestörtem Redefluß, die
aber wegen Wortverwechslungen kaum verständlich sprechen konnten,
eine Läsion im rückwärtigen Abschnitt der ersten Temporalwindung in
der linken Hirnhemisphäre.
   Diese Ergebnisse basierten auf der Autopsie von Verletzten im
Krieg 1870–71. Inzwischen hat man auch die Möglichkeit, lebendige
Aphasiker neurologisch zu untersuchen, was zu einer Verwerfung dieser allzu „lokalistischen" Thesen und zu einer immensen Verfeinerung
der Kenntnisse um die Aphasie-Ursachen geführt hat. Leider ist der

jetzige Stand der Forschung noch unbefriedigend: Man weiß noch recht wenig. Insbesondere weiß man nicht, warum nahezu dieselbe Läsion mit unterschiedlichen Graden und Sorten von sprachlichen Symptomen korrelieren kann (z. B. Wortfindungs- und Worterkennungsstörungen, Probleme mit der Zuordnung von Bedeutung zu lautlichen Einheiten, Verlust der syntaktisch-morphologischen Markierungen (sog. „Telegrammstil"), bis hin zum vollständigen Syntaxverlust und zur totalen Sprechunfähigkeit (sog. „globale Aphasie")). Daß diese Symptome voneinander unabhängig auftreten können, spricht immerhin dafür, daß die ihnen entsprechenden kognitiven Aufgaben von verschiedenen Teilen des Hirns wahrgenommen werden, daß also die Produktion und Verarbeitung von Sprache im menschlichen Hirn arbeitsteilig vonstatten geht. Aber viel mehr weiß man heute noch nicht. Immerhin sind – durch Zusammenarbeit zwischen Neurologen und Linguisten – Ansätze für Therapien erarbeitet worden, die den zahlreichen Betroffenen (Unfall-, Tumor- und Schlaganfallpatienten) zugute kommen. Wichtig ist, daß die Aphasie eine Krankheit ist, die mit den sonstigen Denkfähigkeiten (insbesondere mit Intelligenz) nichts zu tun hat: vielleicht ein Argument dafür, daß der Mensch über eine gesonderte Sprachkompetenz verfügt, die nicht nur (wie es Piaget gegenüber Chomsky behauptet (s. u.)) eine Anwendung allgemeiner kognitiver Fähigkeiten unter anderen darstellt.

Einem Lehrer (vor allem in der Primarstufe) können durchaus Sprachstörungen auffallen, die nicht als Aphasie gewertet werden können, aber doch rechtzeitig angezeigt und behandelt werden sollten. Wenn ein Kind über eine längere Zeitspanne bestimmte Laute nicht richtig artikuliert (die bekannteste Erscheinung ist das Lispeln, es gibt aber auch Kinder, die Probleme mit der Unterscheidung von t/k oder m/n haben), dann sollte eine Behandlung durch einen Logopäden empfohlen werden. Die Ursachen können verschieden sein (Hörstörung oder Nachahmung eines Sprechfehlers z. B. eines Elternteils); es gehört nicht zur Kompetenz des Lehrers, die Diagnose aufzustellen. Es ist aber seine Aufgabe, im Interesse des Kindes rechtzeitig die Eltern und/oder den Schulpsychologen zu informieren[95]. Auffällig können auch die Schwierigkeiten mancher Kinder mit der Schrift bzw. Orthographie sein: Unter dem Stichwort „Legasthenie" (griech. *leg-* „lesen" und *astheneia* „Schwäche"; Leseschwäche) wird bisweilen unter Laien jede Störung der Les- und Schreibfähigkeit abgetan. Dies ist nicht richtig. Unter „Legasthenie" im engeren Sinn verstehen die Fachleute

---

95 Dies bleibt auch dann wahr, wenn ein Sprechfehler in einer toleranten Gesellschaft nicht unbedingt zu einem unüberwindbaren sozialen Handicap werden muß, wie es zahlreiche Rundfunk- und Fernsehberühmtheiten und sogar Helmut Kohl zeigen!

eine bestimmte Sehstörung, bei der links und rechts verwechselt werden, mit dem Effekt, daß z. B. *b* von *d* und *p* von *q* nicht unterschieden werden. Aber auf jeden Fall sollte der Lehrer sich dafür einsetzen, daß solchen Kindern eine angemessene (rechtzeitige) Therapie angeboten wird. Denn ihnen ist nicht damit geholfen, daß man ihre Lese- und Schreibschwäche bei der Benotung und für den Übergang zur weiteren Klasse außer acht läßt: Man würde sie möglicherweise zum Analphabetismus – mit all seinen sozialen und psychischen Problemen – führen (s. Clahsen (1988); Niemeyer (1978); Giese/Gläß (1989)).

Auffällig – aber in der Regel nicht als sprachpathologisch zu bewerten, außer vielleicht, wenn sie bei ein und demselben Sprecher außerordentlich oft vorkommen – sind **Versprecher**. Es handelt sich meist um die Vertauschung von Wörtern, Silben oder Lauten, wie z. B. *klau vor Bälte* für *blau vor Kälte* (Vertauschung am Silbenanfang); *Außerseitentum* für *Außenseitertum* (Vertauschung am Silbenende); *spektukalär* für *spektakulär* (Vertauschung am Silbengipfel) oder um die Hinzufügung eines Lautes (unter Einfluß des Kontextes) an eine Stelle, wo er nicht hingehört (z. B. *Frischer Fritz frischt frische Fische*). Es sind kleine „Pannen" im motorisch-artikulatorischen Bereich, die aber vielleicht Auskunft über den Sprechprozeß geben (z. B. über die mentale Realität des Phonems oder über die Rolle syntaktischer Grenzen bei der Sprechplanung). Als „Freudsche Versprecher" bezeichnet man nicht nur Versprecher, sondern auch andersartige Fehlleistungen (Wortverwechslung u. ä.), die „Sinn machen", d. h. die als Indiz einer verdrängten, vielleicht unbewußten Regung gedeutet werden können (vgl. Meringer/Mayer (1978) und Freud (1940)).

Kommen wir zurück zur Sprachfähigkeit: sie ist also im Gehirn (wo auch immer) lokalisiert; aber gibt es sie als gesonderte Fähigkeit neben den anderen kognitiven Fähigkeiten (Gedächtnis, logisches Denken, Abstrahieren, Rechnen...) oder ist sie nur ein Effekt unter anderen von Letzteren? Zu dieser Frage gibt es eine heftige Diskussion, besonders gut dokumentiert in einer Debatte zwischen Chomsky und dem Psychologen Piaget (vgl. Piattelli (1980)). Diese Debatte kreist um die Frage nach der Angeborenheit: Chomsky vertritt die These, daß das Kind über ein angeborenes, spezifisch sprachliches Potential verfügt, das sich im Laufe der Reifung entwickelt, mit dem Effekt, daß sich auch die Sprachfähigkeit manifestiert, d. h. daß das Kind sprechen lernt. Bei Piaget ist Sprachfähigkeit nur Folge der angeborenen kognitiven Fähigkeiten, bei Chomsky ist sie als gesondertes angeborenes Programm, gegeben. Nur ihre Entwicklung setzt die kognitive Reifung voraus. Die stärkere Hypothese ist die von Chomsky, der sie wie folgt begründet: Allen Sprachen der Welt sind einige sehr allgemeine (abstrakte) Eigenschaften gemein. Negativ ausgedrückt: Es gibt denkbare, d. h. kognitiv vorstellbare sprachliche Strukturen, die in keiner natürlichen Sprache realisiert werden. D. h., die Sprachen, sofern sie formalen Systemen gleichgesetzt werden können, sind eingeschränkte Formalismen. Die Regeln und Prinzipien, die die Sprachen „einschränken", sind universell und können deswegen als angeboren betrachtet werden. Denn alle Menschen sind biologisch gleich, was ihre Sprachfähigkeit betrifft, zumal auch Kleinkinder, die gerade dabei sind, ihre Erstsprache zu erwerben, zwar Fehler machen, aber keine solchen, die als Verstoß gegen diese universellen Regeln und Prinzipien gewertet werden müßten. M. a. W.: Auch in der Phase, in der das Kind seine eigene Sprache aufbaut, überschreitet es nicht die Grenzen des Zulässigen. Dieses „Wissen" um die Grenzen des sprachlich Möglichen kann es nicht gelernt, etwa aus den schon verarbeiteten Sprachdaten abgeleitet haben: Es muß also angeboren sein.

Die Suche nach dem Universellen, nach der sog. „Universalgrammatik", ist ein schweres Unterfangen, denn es kann sich in diesem Konzept nur um sehr abstrakte Eigenschaften handeln, die unter den vielfältigen Oberflächenerscheinungen der Einzelsprachen versteckt sind (s. Hamm/Grewendorf/Sternefeld (1987)). Der dafür notwendige Abstraktionsgrad kann nur in einer allgemeinen Sprachtheorie erreicht werden: Man ist vom bloßen Beobachten und Beschreiben der Einzelsprachen weit entfernt; deswegen sind Chomskys Kontrahenten, die nach einer empirischen Begründung dieser These fragen, schwer zufriedenzustellen. Das stärkste Argument von Chomsky in solchen Debatten dürfte darin bestehen, daß seine Kontrahenten keine alternative Erklärung anzubieten haben – und keine suchen.

Unter „Sprache und Kognition" erwartet man nicht nur eine Antwort auf die Frage, ob der Mensch über eine spezifische kognitive Kompetenz für Sprache verfügt oder nicht, sondern auch Informationen darüber, wie im Spracherwerb und beim Produzieren und Rezipieren von Sprache welche kognitiven Komponenten aktiviert werden. Z. B., wie sprachliche Signale visuell und/oder auditiv wahrgenommen werden, welche Rolle das Gedächtnis spielt, wie sprachliches Wissen gespeichert ist... Die in letzter Zeit in Mode gekommene Bezeichnung „Kognitive Linguistik" (oder besser „Linguistik als Kognitionswissenschaft") weist auf das zunehmende Interesse der Linguisten für solche Fragen hin: Die Sprache wird nicht mehr primär als „Kode", als Mittel zur Kommunikation unter Menschen, sondern als Ergebnis einer sehr komplexen (bisher noch nicht ausreichend bekannten) Interaktion verschiedener kognitiver Tätigkeiten betrachtet und untersucht. Es handelt sich also eher um ein Forschungsprogramm als um eine Teildisziplin innerhalb der Sprachwissenschaft.

Wie erwirbt das Kleinkind die Sprache? Die ersten Töne, die es von sich gibt, sind Schreie, die in den ersten Lebenswochen schon so unterschiedlich klingen, daß die meisten Eltern meinen, ihr Kind teile ihnen auf diese Art etwas mit. Die Eltern glauben, am Schrei zu erkennen, ob das Kind nasse Windeln oder Hunger hat. Aber in diesem Stadium kann man wohl noch nicht von Sprache im engeren Sinne sprechen, schließlich geben Tiere auch unterschiedliche Laute von sich, und die anderen Tiere und auch die Menschen können diese Laute oft interpretieren (z. B. das Jaulen eines Hundes, wenn er einen Knochen möchte, oder das Bellen eines Hundes, wenn er jemanden verjagen möchte usw.).

Es ist nicht leicht, festzustellen, wann ein Kind sein erstes Wort spricht. Denn es sind ja wieder die Eltern, die Lautketten wie *Papa* oder *Mama* als Wörter, d. h. als mit Bedeutung versehene Einheiten interpretieren. Und sie neigen dazu, es zu einem Zeitpunkt zu tun, wo nicht plausibel ist, daß das Kind selbst schon damit etwas „benennt". Die Fähigkeit, Dinge zu bennen, dürfte erst zwischen 10 und 18 Monaten an den Tag treten – wobei selbstverständlich keineswegs sicher ist, daß die Bedeutung (die Referenz) der vom Kind produzierten „Wörter" identisch ist mit der der entsprechenden Erwachsenenwörter, wenn es schon welche gibt. Je weniger Wörter ein Kind für ein bestimmtes Wortfeld kennt, umso unspezifischer ihre Bedeutung: So kann eine Zeit lang *wauwau* jedes behaarte Tier bezeichnen, bis das Kind Katze und Pferd anders benennen lernt, was zur Eingrenzung der Bedeutung von *wauwau* führt. Dieser Differenzierungsprozeß liegt der Wortschatzerweiterung grundsätzlich (bis einschließlich im Erwachsenenalter) zugrunde (vgl. Kap. 4). Der Wortschatz des Kindes nimmt an Umfang rasch zu: Mit 4 Jahren verfügt das Kind über ca. 1500 Wörter, mit 5 Jahren über ca. 2000 und mit 6 Jahren über ca. 3000 (vgl. Lenneberg (1972); Grimm et al. (1975)).

Solange das Kind nur sog. „Einwortsätze" produziert, kann man nicht von Syntax reden. Man kann bestenfalls versuchen, die pragmatische Funktion seiner Äußerungen zu erraten, also ob es z. B. etwas wünscht oder auf etwas zeigt. Auch die sog. „Zweiwortsätze" (etwa ab dem 18. Monat) sind syntaktisch relativ wenig interessant, da man den Wörtern des Kindes schwerlich Wortarten im Sinne der Erwachsenensprache zuordnen kann. Es wurde versucht, die Distribution der Wörter in den Zweiwortsätzen mit Hilfe einer Einteilung in „Pivot-Wörter" und „Wörter der offenen Klasse" zu erfassen: Erstere kommen in einem Zweiwortsatz höchstens einmal vor, während letztere durchaus miteinander kombiniert einen Zweiwortsatz ausmachen können. Diese distributionelle Restriktion ist ein erster Schritt zur Syntax (als geregelter Kombinatorik), aber zur Beziehung zwischen den beiden (atomaren) Elementen ist nicht viel mehr zu sagen, als daß sie unterschiedliche semantische Beziehungen ausdrücken kann (z. B. lokalisieren, benennen, verneinen, Besitz anzeigen, fragen... vgl. *Buch da, das Auto, Milch nein, Mama Kleid, wo Ball...*).

Syntaktisch interessant werden die Sätze der Kinder von dem Moment an, wo sie aus drei Wörtern bestehen: Denn da stellt sich die Frage, welche Strukturen man ihnen zuordnen kann: abstrakt, ob man eine Wortkette „ABC" als [AB]C, A[BC], [AC]B oder [ABC] analysieren kann /muß.

Das Kind scheint in der Dreiwortphase (und später) Sätze zu bilden, die aus einem Subjekt und einem Prädikat bestehen (was semantisch oft einer Kombination von Agens/Handlung oder Thema/Eigenschaft oder Thema/Lokalisierung entspricht). Freilich werden am Anfang keine „grammatischen Wörter" und keine morphologischen Markierungen benutzt (also weder Deklination noch Konjugation); sie erscheinen erst bei ca. Zweijährigen. Danach kommen Negativsätze und Fragesätze, später noch (mit etwa fünf Jahren) komplexe Sätze (mit adverbialen Bestimmungen und Nebensätzen (vgl. Aitchinson (1976); Szagun (1980))).

Es wird allgemein angenommen, daß der (Erst)spracherwerb im wesentlichen im Alter der Pubertät abgeschlossen ist (danach wächst überwiegend der Wortschatzreichtum). Zum Zeitpunkt der Einschulung sind die Kinder nur beschränkt in der Lage, sprachlich zu kommunizieren, also findet während der Primarstufe eine Menge statt, was den Erwerb der (Erwachsenen)sprache betrifft – ob dank oder trotz Unterricht(s), auf jeden Fall auch *in* der Schule (vgl. Augst et al. (1977).

Dank zahlreicher, datenreicher Erhebungen hat man diesen Erwerbsprozeß (insbesondere in den ersten vier Lebensjahren) in den letzten 30 Jahren untersucht und u. a. festgestellt, daß zwar jedes Kind nach seinem eigenen Rhythmus seine Sprache entwickelt, daß aber die Reihenfolge der Erwerbsstufen relativ konstant ist und daß bestimmte Lernstrategien immer wieder verwendet werden. Zwar hat das Sprachverhalten der Mutter großen Einfluß auf den Erwerb durch das Kind, aber das Lernen läßt sich nicht auf Nachahmung allein zurückführen: Vielmehr konstruiert sich das Kind seine Grammatik dank eines ständigen „Hypothesen bilden/Hypothesen verwerfen/neue Hypothesen bilden" selbst. Auch Äußerungen, die aus der Perspektive der Erwachsenen „falsch" sind, sind mit der jeweiligen Grammatik des Kindes kohärent.

Die Semantik spielt beim Erwerb der Syntax eine große Rolle: So versteht das Kind eine Folge $N_{belebt}+V_{Handlung}$ zunächst als AKTOR-AKTION, was bei Passivkonstruktionen zu Schwierigkeiten führen kann. Bezeichnet das Nomen einen nicht belebten Gegenstand, dann werden auch Passivsätze wie *der Apfel wurde gegessen* ohne Schwierigkeit verstanden. M. a. W.: Der Erwerb des Passivs baut auf semantischen Erkentnissen auf, nicht umgekehrt.

Die Abb. 3 (aus Clahsen 1982:102) gibt einige Beispiele aus der Produktion eines Kleinkindes in der Zwei-Wort-Phase. Wir können diese Daten hier nicht ausführlich kommentieren. Dem interessierten Leser sei die Lektüre von Clahsen (1982) empfohlen. Auffällig ist immerhin die hohe Frequenz der Äußerungen mit Verb-Endstellung (s. Kap. 2). Die Daten in Abb. 3 sind nach semantischen Typen geordnet: Manche Äußerungen der Kinder dienen der NOMINATION, d. h. die Kinder benutzen deiktische Ausdrücke und kombinieren sie mit Nomina, Adjektiven oder Verben, wobei sie sie meist mit Zeigegesten verbinden; bei den AKTOR-AKTION-OBJEKT-Relationen wird die Beziehung zwischen einem meist belebten Urheber einer Handlung, der Handlung selbst und gegebenenfalls mit den Objekten hergestellt; die POSSESIONs-Relation dient der Besitzanzeige, und die AUFFORDERUNGs-Relation ist im engen Sinne die sprachliche Handlung, die zur Auslösung anderer Handlungen dienen soll.

Es dürfte nicht sehr überraschen, daß die Kinder einfache semantisch Relationen zum Ausdruck bringen, denn was sie sagen, hängt ja nicht von ihrer sprachlichen Entwicklung allein, sondern von der kognitiven Entwicklung, d. h. der wachsenden Wahrnehmung und mentalen Erfassung ihrer (Um)welt ab.

Abb. 3: Ausschnitt aus *Semantische Relationen und Wortstellung bei Daniel* in: Clahsen (1982).

Semantische Charakteristik	Syntaktische Charakteristik	Formen	Beispiele
NOMINATION		da	26.4.: da brücke.
		das + N	27.1.: da tunnel
		diese	27.4.: da ball.
		N + da	27.1.: hase da.
AKTOR-AKTION-OBJ.	Subj + Präd	N + V	27.1.: mama kauf.
			27.4.: Julia essen.
			29.4.: ich lesen.
		V + N	31.1.: tan tistas.
			33.1.: kuck einer.
			13.1.: geht nich ander.
		N + N	19.2.: Julia schere.
			32.2.: ander nich schild
		N + V	27.4.: licht seh.
			27.4.: pier hol.
			29.4.: das mach.
		V + N	26.4.: drehen brücke.
			27.4.: setzen mann.
			28.2.: abmach nippser. .

POSSESION	NP	N + N	32.2: Julia Zimmer . . .
			33.4.: . . . titas Wauwau.
AUFFORDERUNG	Präd	V + N	33.1.: aufmachen das.
			33.4.: dranbinden Wauwau.
			34.2.: laß das.
		N + V	32.2.: das lesen.
			29.4.: dieser vorlesen.
			29.2.: decket drauftun.

Es ist ein mühsames Unterfangen, den Spracherwerbsprozeß eines kleinen Kindes genau zu beschreiben: Selbst sog. „Longitudinalstudien", d. h. das Beobachten eines Kindes in regelmäßigen Abständen (z. B. einmal pro Woche) zwei bis drei Jahre lang durch einen Wissenschaftler, erlauben das Registrieren von nur einem Bruchteil dessen, was das Kind kann, und auch bei Videoaufnahmen sind die Äußerungen des Kindes nicht immer mit Sicherheit interpretierbar.

In Ergänzung zu Longitudinalstudien werden – bezogen auf mehrere gleichaltrige Kinder – Querschnittstudien gemacht: Ein bestimmter Lernzustand wird festgehalten und beschrieben, der als Basis für einen Vergleich mit anderen Zuständen dient. Man kann dabei Kinder untersuchen, die dieselbe Sprache lernen, aber auch Kinder, die unterschiedliche Sprachen lernen – z. B. um festzuhalten, welche sprachlichen Erscheinungen leichter zu erwerben sind als andere (vgl. Slobin (1974)).

Indem Chomsky als Gegenstand der Grammatik die „Kompetenz" (und nicht wie bisher üblich die Sprache) behauptet hat, hat er dem Interesse der Psychologen für den sprechenden Menschen neue Impulse gegeben. In einer ersten Phase (grob: in den 70er Jahren) haben sich viele Psychologen bemüht, einzelne grammatische Hypothesen (z. B. K-Analysen und einige Transformationsregeln) empirisch-experimentell zu rechtfertigen. Bis sie eingesehen haben, daß es keinen empirischen direkten Zugang zur Kompetenz gibt: Beobachtbar ist nur das sprachliche Verhalten eines Menschen, also die „Performanz" als das, was eine bestimmte Person in einer bestimmten Situation aus ihrer „Kompetenz" macht. Die mittlerweile gut etablierte Disziplin „Psycholinguistik" widmete sich dann (und bis heute) dem Verhalten des Menschen im Umgang mit Sprache, also Fragen wie den folgenden:

– Wie lernen wir (als Kind) unsere Sprache? Wie lernen wir Wörter und ihre Bedeutung? Wie lernen Kinder gleichzeitig zwei Sprachen?

– Wie verarbeiten wir sprachliche Äußerungen anderer? Wie gehen wir mit komplizierten, unvollständigen, mehrdeutigen Äußerungen um?

– Wie setzen wir unsere Gedanken in Worte um?

Ein interessanter Begriff aus der so verstandenen Psycholinguistik ist
der der „**Strategie**": Auf der Grundlage unserer allgemeinen Sprachkompetenz und der intuitiven Kenntnis der Regeln „unserer" Sprache
(beim Erwachsenen kann man von „einzelsprachlicher Kompetenz"
sprechen) sowie der Häufigkeit und Erwartbarkeit mancher Konstruk-
tionstypen entwickeln wir Präferenzen für bestimmte Analyseschritte,
mit dem Effekt, daß wir in vielen Fällen unsere Sprachverarbeitungs-
aufgaben schneller lösen. So neigen wir dazu, die erste NP-Konstituente eines Aussagesatzes im Deutschen als Subjekt oder gar Agens
zu analysieren, wenn die Morphologie nicht dagegen spricht. Erst
wenn beim Wahrnehmen des Verbs und dessen, was ihm folgt, diese
Hypothese sich als unhaltbar erweist, korrigieren wir unsere Analyse:

(1)   *Die Maria hat #der Hund schon zweimal gebissen.*
(2)   *Die Kinder werden früh ins Bett # gehen/geschickt.*

Bis zur # markierten Stelle in (1) sehen wir in *Die Maria* das Subjekt
von *hat*. Bis zur # markierten Stelle in (2) gehen wir von einem Aktivsatz aus, beim Wahrnehmen von *gehen* wird diese Annahme bestätigt,
beim Wahrnehmen von *geschickt* wird sie zugunsten einer Passiv-Kon-
struktion verworfen. Daß die Korrektur Zeit kostet, kann als Bestäti-
gung der genannten Strategie gedeutet werden, muß nicht als Plädoyer
für eine transformationelle Beschreibung der Passivkonstruktion gelten, wie es in der Anfangsphase der Psycholinguistik geschah.

Ein weiteres interessantes Ergebnis der Psycholinguistik dürfte
sein, daß wir beim Verarbeiten eines Ausdrucks verschiedene Sorten
von Wissen aktivieren, die interagieren: Phonologisches, morphologisches, syntaktisches, lexikalisches und semantisches Wissen sowie
Weltwissen werden nicht nacheinander in dieser Reihenfolge eingesetzt, sondern gleichzeitig bzw. wie es der Fortlauf der Wahrnehmung
bedingt: Insbesondere warten wir nicht, bis ein Satz zuende ist, um uns
dessen syntaktischer Analyse zu widmen, und ihn dann semantisch zu
interpretieren. Vielmehr dürfte die Verarbeitung eines Satzes während
seiner Wahrnehmung ein mehrschichtiger Prozeß „on-line" sein. Ohne
diese Annahme ist die Geschwindigkeit, mit der die Verarbeitung geschieht, bei der Komplexität der zu lösenden Aufgaben nicht zu erklären. Diesen Prozeß versucht man heute mit Computermodellen zu
simulieren. Ob diese Simulationen (Modellierungen) eine angemessene
Entsprechung dessen darstellen, was wirklich in unseren Köpfen
passiert, ist nicht gewiß. Auf jeden Fall machen sie die Komplexität
des Prozesses dadurch besonders deutlich, weil dem Computerpro-
gramm **alle** Faktoren eingegeben werden müssen, die daran beteiligt
sind. Wir wollen kurz zeigen, wie man sich so ein Sprachbenutzer-
modell vorstellen kann, d. h. wie und welche Aktivitäten beim Hörer

und beim Sprecher bei der Benutzung von Sprache zutage treten können.

Man kann von mehreren Modulen im Gehirn ausgehen, wobei jedes Modul für bestimmte Funktionen zuständig ist, z. B.:

Module der Sprachrezeption
– Spracherkennung
– Worterkennung (Lexikon)
– Satzanalyse
– konzeptuelles Gedächtnis (Wissen über Welt)

Module der Sprachproduktion
– grammatisches Kodierungssystem (Absichten ausdrücken)
– phonologisches Kodierungssystem
– Artikulation (Aussprache steuern)

Das Wissen über die Welt sowie über unsere Sprache, das unserem Sprachgebrauch zugrunde liegt, ist in unserem Gedächtnis (genauer im sog. Langzeitgedächtnis) gespeichert. Beim Umgang mit sprachlichen Produkten ist aber auch unser Kurzzeitgedächtnis aktiv: Um einen längeren Satz zu konstruieren oder zu dekodieren, müssen wir ein paar Sekunden lang einige Informationen aus dem Anfang des Satzes (oder aus dem Vorkontext) behalten. So kann man den Satz *Die erste Frau, in die man verliebt war, vergißt man nie* nur verstehen, wenn man beim Lesen oder Hören des Relativpronomens *die* noch weiß, daß vorher *die erste Frau* (als mögliches Antezedens) vorkam, und wenn man beim Lesen oder Hören von *vergißt man* noch weiß, daß vorher eine NP vorkam, die als Objekt zu *vergißt* fungieren kann. Daß *vergessen* ein Akkusativobjekt verlangt und daß *die* eine Akkusativform sein kann, ist im Langzeitgedächtnis gespeichertes sprachliches Wissen. Das Kurzzeitgedächtnis wird auch bisweilen als Arbeitsspeicher"[96]bezeichnet. Die Komponente, die die kognitiven Prozesse überwacht, wird „Monitor"[97] genannt.

Es wird häufig angenommen, daß die verschiedenen Module nicht autonom, sondern **interaktiv** arbeiten, d. h. die verschiedenen Komponenten tauschen ihre Hypothesen, Ergebnisse, Teilergebnisse usw. miteinander aus, um gegebenenfalls konkurrierende Ergebnisse gegeneinander abzuwägen. M. a. W.: Die Komponenten sind gleichzeitig aktiv und arbeiten in gegenseitiger Abhängigkeit. Wir wollen dies an einem Beispiel näher veranschaulichen.

Wir unterscheiden zwischen **Konzepten** (im gespeicherten, „kognitiv repräsentierten" Weltwissen) und **Wörtern** bzw. Wortformen. Wörter wie Konzepte bestehen aus sog. „**Marken**", das sind die

---

96 Die Computer-Metaphorik ist kein Zufall; sie wird von manchen kritisiert, hat aber den Vorteil, daran zu erinnern, daß solche Modellierungen eben nichts mehr als Modellierungen sind.
97 Vgl. Fußnote 96!

Komponenten, die untereinander im Gehirn vielfach vernetzt sind.
Man kann verschiedene Sorten von Marken unterscheiden:
  – **Abstrakte Marken** für abstraktes Wissen;
  – **Sensorische Marken** für alle Informationen, die mit Sinneseindrücken zu tun haben, also z. B. Gerüche, visuelle, auditive usw. Informationen;
  – **Motorische Marken** für Informationen, die mit Bewegungsabläufen verbunden sind;
  – **Emotiv-bewertende Marken** für emotionale Einschätzungen und
Bewertungen.
     Die Vernetzungen der Marken sind von Individuum zu Individuum
unterschiedlich, d. h., welche Marken mit welchen wie fest verknüpft
(„**assoziiert**") sind, hängt von der Lebenserfahrung des Individuums ab.
Es gibt aber wahrscheinlich einige Vernetzungen, die für jedes
Mitglied eines bestimmten Kulturkreises in etwa gelten. Deshalb
ergeben sich oft für viele Sprecher eines bestimmten Kulturkreises dieselben Assoziationen. Individuelle (biographische) Marken führen aber
auch zu zusätzlichen Assoziationen, die völlig individuell sind. Assoziationen werden dadurch hervorgerufen, daß bestimmte Marken **aktiviert** werden, diese soeben aktivierten Marken können wieder andere
Marken aktivieren usw. (sog. „Assoziationsketten").
     Als Beispiel nennen wir Marken, die einerseits das Konzept, andererseits das Wort *Auto* kennzeichnen.

Konzept „Auto":

Abstrakte Marken: kostet viel Geld; ist ein angenehmes Transportmittel; kann schnell
    rosten; verschmutzt die Umwelt; der Fahrer sollte keine Drogen nehmen; braucht
    viel Sprit; bringt dem Staat viel Geld; steckt oft im Stau; macht einen großen Teil
    unserer Wirtschaft aus...
Sensorische Marken: die visuelle Vorstellung einer schnellen Autofahrt während eines
    Sonnenuntergangs aus einer Werbung; der Gestank der Auspuffgase an einer roten
    Ampel; die akustische Vorstellung der quietschenden Bremsen; die taktile Vorstellung des rutschigen Lenkrads...
Motorische Marken: die Vorstellung des Anfahrens: Kupplung mit dem linken Fuß treten, Zündschlüssel mit der rechten Hand umdrehen, mit dem rechten Fuß Gas geben,
    mit der rechten Hand die Handbremse lösen, mit der linken Hand den Blinker betätigen...
Emotiv-bewertende Marken: teuere Autos verleihen dem Besitzer (nicht vorhandene?)
    Macht und großes Ansehen (Statussymbol unserer Gesellschaft)...

Wort *Auto*:

Abstrakte Marken: ist ein Nomen; hat das Genus Neutrum; Pluralform: *Autos*; ist zweisilbig; wird mit vier Buchstaben geschrieben, die aber für drei Phoneme stehen; ist
    ein Kurzwort für das hybride Kompositum *Automobil*, das aus dem griechischen
    autós („selbst") und aus dem lateinischen *mobilis* („beweglich") im 19 Jh. gebildet
    wurde...

<u>Sensorische Marken</u>: die visuelle Vorstellung des Wortes *Auto* in der Schriftart „Palatino"...

<u>Motorische Marken</u>: die akustische Vorstellung des Wortes *Auto* oder des in der Werbung oft vernommenen Satzes „*Nichts ist unmöglich, Toyota.*" mit der eigenen Melodie...

<u>Emotiv-bewertende Marken</u>: ist ein relativ wertneutrales Wort für die Bezeichnung eines Personenkraftwagens (im Unterschied zu *Karre, Flitzer, Kiste...*)...

Wenn man sagt, das Wort *Auto* aktiviert das Konzept „Auto", dann meint man in diesem Modell, daß manche Marken aus dem Wort *Auto* manche Marken aus dem Konzept „Auto" aktivieren, und dies kann je nach Situation unterschiedlich geschehen. Im Kontext eines Bahnstreiks kann die akustische Vorstellung des Wortes *Auto* die Marke „Stau" aktivieren; im Kontext von bevorstehendem Urlaub die Marke „schnelle Autofahrt wie im Werbeprospekt"... Die Analyse von Wörtern und Konzepten in Marken soll die Schnelligkeit der Assoziationen erklären: Nicht alle im Langzeitgedächtnis gespeicherten Informationen werden aktiviert, sondern nur einige unter ihnen. Anders gesagt: Auch wenn man das Konzept „Auto" als Bedeutung des Wortes *Auto* betrachtet, kommen nicht alle Bestandteile der Bedeutung bei jedem Vorkommen des Wortes *Auto* zur Geltung – obwohl jeder über ein komplexes Konzept „Auto" verfügt.

Dieses Modell beschreibt die Beziehung zwischen lexikalischem Wissen und konzeptuellem Wissen. Es erfaßt aber nicht den Prozeß der Sprachverarbeitung, weil es insbesondere weder zur phonologischen noch zur morpho-syntaktischen Analyse eines Satzes etwas sagt. Das versuchen zur Zeit manche Computerlinguisten, indem sie an Programmen arbeiten, die die Verarbeitung von Sätzen oder längeren Texten simulieren. Wir zählen hier nur einige der Aufgaben auf, die bei der Sprachrezeption zu bewältigen sind, und an deren Modellierung zur Zeit mit Hilfe von Computerprogrammen gearbeitet wird:

1. Die wahrgenommenen Laute müssen als sprachliche Laute erkannt werden (die nicht-sprachlichen und die sprachlich nicht relevanten gleichzeitig ausgeblendet).

2. Die Lautketten müssen phonologisch und morphologisch analysiert werden, die herausgefundenen Morpheme, wenn es lexikalische sind, identifiziert werden, d. h. mit je einem Lexikoneintrag in Verbindung gebracht werden – was ja voraussetzt, daß ein Lexikon vorliegt, also eine Liste von lexikalischen Einheiten mit ihren jeweiligen phonologischen, morphologischen, syntaktischen und semantische Eigenschaften.

3. Unter Berücksichtigung der syntaktischen Eigenschaften der erkannten Lexeme und einer Syntax muß eine syntaktische Struktur dem wahrgenommenen Ausdruck (Satz o. ä.) zugewiesen werden.

4. Unter Berücksichtigung der semantischen Eigenschaften der erkannten Lexeme und der syntaktischen Struktur muß die Bedeutung

des gesamten Ausdruck errechnet werden (durch Anwendung von semantischen Regeln).
 5. Falls Probleme auftreten (z. B. bei morphologischen, syntaktischen oder lexikalischen Ambiguitäten, bei fehlerhaftem Input oder
wenn ein Wort im Lexikon nicht vorhanden ist) muß der „Monitor" als
Kontrollininstanz eingreifen und z. B. Weltwissen als Entscheidungshilfe aktivieren, eine der bisherigen Hypothesen verwerfen und eine
neue Analyse in die Wege leiten oder die Entscheidung fällen, daß der
wahrgenommene Ausdruck nicht dekodiert werden kann.
 NB: Die Modellierung der Sprachverarbeitung ist nicht das einzige, was der Linguist
mit dem Computer als Werkzeug anstrebt. Als ebenso anspruchsvolle Aufgabe haben
sich die Computerlinguisten das Übersetzen von einer Sprache in die andere gesetzt – ein
Ziel, das inzwischen auf eine „computergestütze Übersetzungsarbeit" (also nicht ohne
den Menschen als Übersetzer) realistischerweise herabgestuft wurde. Als Hilfe für Übersetzer, aber auch für Dokumentalisten, werden (vor allem fachsprachliche) Lexika hergestellt, und für Philologen und alle, die einen Sprachzustand beschreiben wollen,
„vorbereitete" Corpora (Datenbanken).
 Umgekehrt hat der Einzug des Computers in das Arbeitszimmer des Linguisten das
Interesse an formal (d. h. mathematisch) brauchbaren Theorien verstärkt, so daß der
Computer nicht nur in der empirischen, sondern auch in der theoretisch-formalen Linguistik eine immer größere Rolle spielt/spielen wird.
 Zum Zweitspracherwerb vgl. Klein (1984).

Weiterführende Aufgaben

Aufgabe 1: Beobachten Sie die Sprachproduktion der Kleinkinder aus Ihrer Umgebung,
 deren Artikulatorik, deren Wortschatz, und – je nach Alter – deren Syntax.
Aufgabe 2: Beobachten Sie die Sprechweise der Erwachsenen (z. B. Mütter), wenn sie
 (ihre) Kleinkinder ansprechen. Was fällt Ihnen auf? Was ist dabei anders als wenn sich
 dieselben Erwachsenen untereinander unterhalten?
Aufgabe 3: Wenn Sie in Ihrer Umgebung eine Person beobachten können, die Aphasie-
 Symptome aufweist, notieren Sie deren Sprachauffälligkeiten und versuchen Sie zu
 diagnostizieren, ob eher Wernicke- oder eher Broca-Symptome vorliegen.
Aufgabe 4: Sammeln Sie eine zeitlang alle Versprecher, die Ihnen auffallen und versuchen Sie, sie zu klassifizieren.
Aufgabe 5: Sammeln Sie mehrdeutige Ausdrücke wie z. B.: *Frauen werden in wirtschaftlich schwierigen Zeiten eher entlassen und* später als Männer *wieder eingestellt.*
 Legen Sie die mehrdeutigen Ausdrücke Versuchspersonen vor und fragen Sie sie, ob
 sie die Mehrdeutigkeit – und wenn ja, wann genau – merken und wann genau und aufgrund welcher Überlegungen sie sich für die präferierte Lesart entscheiden.
Aufgabe 6: Wenn Sie beim Lesen oder Hören eines Satzes das Gefühl haben, er sei besonders schwer zu verarbeiten, versuchen Sie explizit zu machen, was ihn schwer
 macht.
Aufgabe 7: Warum gilt die Verbalklammer bzw. die Verb-Endstellung im Deutschen als
 kognitiv schwierig?

Literatur

Agricola, Erhard et al. (Hrsg.): Die deutsche Sprache. Kleine Enzyklopädie in zwei Bänden. – Leipzig 1969.

Aitchinson, Jean: Der Mensch. Das sprechende Wesen. Eine Einführung in die Psycholinguistik. – Tübingen 1982.

Allwood, Jens/Andersson, Lars-Gunnar/Dahl, Östen: Logik für Linguisten. [Schwed. Originaltitel „Logik før Lingvister" 1972] – Tübingen 1973.

Ammon, Ulrich: Dialekt, soziale Ungleichheit und Schule. – Weinheim 1972.

Ammon, Ulrich/Dittmar, Norbert/Mattheier, Klaus J. (Hrsg.): Hanbuch der Soziolinguistik. 2 Bde. – Berlin 1987/88

Ammon, Ulrich (Hrsg.): Dialekt und Schule in den europäischen Ländern. – Tübingen 1989.

API → The Principles of the International Phonetic Association

Augst, Gerhard (Hrsg.): Deutsche Rechtschreibung mangelhaft? Materialien und Meinungen zur Rechtschreibreform. – Heidelberg 1974.

Augst, Gerhard/Bauer, Andrea/Stein, Anette: Grundwortschatz und Idiolekt. Empirische Untersuchungen zur semantischen und lexikalischen Struktur des kindlichen Wortschatzes. – Tübingen 1977.

Beaugrande, Robert-Alain de/Dressler, Wolfgang Ulrich: Einführung in die Textlinguistik. – Tübingen 1981.

Bechert, Johannes/Clément, Danièle/Thümmel, Wolf/Wagner, Karl Heinz: Einführung in die generative Transformationsgrammatik. – München 1980[5].

Bergenholz, Henning/Mugdan, Joachim: Einführung in die Morphologie. – Stuttgart 1979.

Betz, Werner: Deutsch und Lateinisch; die Lehnbildungen der althochdeutschen Benediktinerregel. – Bonn 1949.

Braun, Peter: Tendenzen in der deutschen Gegenwartssprache. Sprachvarietäten. Dritte, erweiterte Aufl. – Stuttgart 1993.

Bühler, Axel: Einführung in die Logik. Argumentation und Folgerung. – Freiburg 1992.

Bußmann, Hadumod: Lexikon der Sprachwissenschaft. Zweite, völlig neu bearbeitete Auflage. – Stuttgart 1990.

Clahsen, Harald: Spracherwerb in der Kindheit: eine Untersuchung zur Entwicklung von Syntax bei Kleinkindern. – Tübingen 1982.

Clahsen, Harald: Normale und gestörte Kindersprache. – Amsterdam 1988.

Crystal, David: Die Cambridge Enzyklopädie der Sprache. [Original engl. The Cambridge Encyclopedia of Language. 1987]. – Frankfurt/New York 1993.

DUDEN Das große Wörterbuch der deutschen Sprache. – Mannheim 1977.

DUDEN Deutsches Universalwörterbuch. – Mannheim 1983.

Duden-Grammatik der deutschen Gegenwartssprache. 4., völlig neu bearbeitete und erweiterte Auflage. Hrsg. [...] von Günther Drosdowski [...]. DUDEN BAND 4. – Mannheim 1984.

Duden-Etymologie. Herkunftswörterbuch der deutschen Sprache. 2., völlig neu bearbeitete und erweiterte Auflage von Günther Drosdowski. DUDEN BAND 7. – Mannheim 1989.

Duden-Grammatik der deutschen Gegenwartssprache. 5., völlig neu bearbeitete und erweiterte Auflage. Hrsg. [...] von Günther Drosdowski [...]. DUDEN BD 4. – Mannheim 1995.

Engel, Ulrich: Deutsche Grammatik. – Heidelberg 1988.

Fanselow, Gisbert/Felix, Sascha W,: Sprachtheorie. Bd 1:. Grundlagen und Zielsetzungen. – Tübingen 1987.

Fleischer, Wolfgang /Barz, Irmhild: Wortbildung der deutschen Gegenwartssprache. – Tübingen 1992.

Freud, Sigmund: Der Witz und seine Beziehung zum Unbewußten. – Frankfurt/M. 1940.

Friederici, Angela: Neuropsychologie der Sprache. – Stuttgart 1984.

Giese, Heinz W./Gläß, Bernhard (Hrsg.): Alphabetisierung und Elementarbildung in Europa. – Oldenburg 1989.

Glück, Helmut/Sauer, Wolfgang Werner: Gegenwartsdeutsch. – Stuttgart 1990.

Glück, Helmut (Hrsg.): Metzler Lexikon Sprache. – Stuttgart & Weimar 1993.

Grimm, Hannelore/Schöler, Hermann/Wintermantel, Margret: Zur Entwicklung sprachlicher Strukturformen bei Kindern. Forschungsbericht zur Sprachentwicklung I: Empirische Untersuchungen zum Erwerb und zur Erfassung sprachlicher Wahrnehmungs- und Produktionsstrategien bei drei- bis achtjährigen. – Weinheim 1975.

Grimm, Hannelore/Engelkamp, Johannes: Sprachpsychologie. Handbuch und Lexikon der Psycholinguistik. – Berlin 1981.

Grunig, Blanche-Noelle & Grunig, Roland: La fuite du sens. La construction du sens dans l'interlocution. – Paris 1985.

Haarmann, Harald: Soziologie und Politik der Sprachen Europas. – München 1975.

Haarmann, Harald: Sprachen und Sprachpolitik. – In: Handbuch der Soziolinguistik II (1988), S. 1660–1678).

Hamm, Fritz/Grewendorf, Günther/Sternefeld, Wolfgang: Sprachliches Wissen: eine Einführung in moderne Theorien der grammatischen Beschreibung. – Frankfurt/M. 1987.

Helbig, Gerhard/Schenkel, Wolfgang: Wörterbuch zur Valenz und Distribution deutscher Verben. – Leipzig 1969.

Helbig, Gerhard/Buscha, Joachim: Deutsche Grammatik. Ein Handbuch für den Ausländerunterricht. – Leipzig 1986[9].

Hentschel, Elke/Weydt, Harald: Handbuch der deutschen Grammatik. – Berlin/New York 1990.

Henzen, Walter: Deutsche Wortbildung. – Tübingen 1965.

Huber, Walter/Springer, Luise: Sprachstörungen und Sprachtherapie. – In: HSK 3, 2 (1988), S. 1744–1767.

Huber, Walter/Poeck, Klaus/Weniger, Dorothea In: Poeck, Klaus (Hrsg.): Klinisch-neuropsychologische Syndrome. – Stuttgart 1989, S. 89–137.

Jespersen, Otto.: Phonetische Grundfrage. – Leipzig 1904.

Klappenbach, Ruth/Steinitz, Wolfgang (Hrsg.): Wörterbuch der deutschen Gegenwartssprache [6 Bde]. – Berlin 1964–1977.

Klein, Wolfgang: Zweitspracherwerb. Eine Einführung. – Königstein/Ts. 1984.

Kluge, Friedrich: Etymologisches Wörterbuch der deutschen Sprache. 22. Aufl. unter Mithilfe von Max Bürgisser und Bernd Gregor völlig neu bearbeitet von Elmar Seebold. – Berlin 1989.

Kohler, Klaus J.: Einführung in die Phonetik des Deutschen. 2., neubearb. Aufl. – Berlin 1995.

Lang, Ewald: Semantik der koordinativen Verknüpfung. – Berlin 1977.

Latein und Griechisch im deutschen Wortschatz. Lehn- und Fremdwörter altsprachlicher Herkunft.– Berlin 1982³.

Lenneberg, Eric H.: Biologische Grundlagen der Sprache. [Original engl. Biological foundations of language. 1967] – Frankfurt/M. 1972.

Levinson, Stephen C.: Pragmatik. [Original engl. Pragmatics. 1983] Ins Deutsche übersetzt von Ursula Fries. – Tübingen 1990.

Lutzeier, Peter Rolf: Lexikologie: Ein Arbeitsbuch. – Tübingen 1995.

Lyons, John: Einführung in die moderne Linguistik. [Original engl. Introduction to theoretical linguistics. 1966]. – München 1971, Kap. 10.

Lyons, John: Semantik. Bd I. [Original engl. Semantics. Vol. I. 1977]. – München 1980, Kap. 6.

Malige-Klappenbach, Helene: Das Wörterbuch der deutschen Gegenwartssprache. Tübingen 1986

Matthews, Peter H.: Syntax. – Cambridge 1981.

Meringer, Rudolf/Mayer Carl: Versprechen und verlesen: eine psychologisch-linguistische Studie. – Amsterdam 1978.

Moser, Hugo: Deutsche Sprachgeschichte. – Tübingen 1969.

Nerius, Dieter: Untersuchungen zu einer Reform der deutschen Orthographie. – Berlin 1975.

Neuland, Eva: Kompensatorische/emanzipatorische Spracherziehung. In: Ammon et al. (Hrsg.). II (1988), S. 1734–1744.

Niemeyer, Wilhelm: Lese- und Rechtschreibschwäche. Theorie, Diagnose, Therapie und Prophylaxe. – Stuttgart 1978

Olsen, Susan: Wortbildung im Deutschen. Eine Einführung in die Theorie der Wortstruktur. – Stuttgart 1986.

Osman, Nabil: Kleines Lexikon untergegangener Wörter. – München 1971.

Peuser, Günter: Aphasie. Eine Einführung in die Patholinguistik. – München 1978.

Philipp, Marthe: Phonologie des Deutschen. [Original Phonologie de l'allemand 1970]. – Stuttgart 1974.

Piattelli-Palmarini, Massimo (Hrsg.): Language and learning: The debate between Jean Piaget and Noam Chomsky. – London 1980.

Polenz, Peter von: Geschichte der deutschen Sprache. Siebente, völlig neu bearbeitete Auflage der früheren Darstellung von Hans Sperber. – Berlin 1970.

Radford, Andrew: Transformational Syntax. A student's guide to Chomsky's Extended Standard Theory. – Cambridge 1981.

Schlieben-Lange, Brigitte: Soziolinguistik. Eine Einführung. Zweite, überarbeitete und erweiterte Auflage. – Stuttgart 1973.

Schmidt, Wilhelm et al.: Geschichte der deutschen Sprache. – Berlin 1969.

Schubiger, Maria: Einführung in die Phonetik. – Berlin 1970.

Schwarz, Monika/Chur, Jeanette : Semantik. Ein Arbeitsbuch. – Tübingen 1993.

Seebold, Elmar: Etymologie. Eine Einführung am Beispiel der deutschen Sprache. – München 1981.

Sells, Peter: Lectures on contemporary syntactic theories. An introduction to Government-Binding Theory, Generalized Phrase Structure Grammar and Lexical-Functional Grammar. – Stanford 1985.

Siebs, Eduard: Deutsche Aussprache. Reine und gemäßigte Hochlautung mit Aussprachewörterbuch. Hrsg. von Helmut de Boor/Hugo Moser/Christian Winkler. – Berlin 1969[19].

Sitta, Horst: Informationen zur neuen deutschen Rechtschreibung. Nach den Beschlüssen der Wiener Orthographiekonferenz vom 22.

bis zum 24. 11. 1994 für Deutschland, Österreich und die Schweiz. – Mannheim 1994.

Slobin, Dan: Einführung in die Psycholinguistik. – Kronenberg 1974.

Sommerfeldt, Karl-Ernst & Schreiber, Herbert: Wörterbuch zur Valenz und Distribution der Substantive. – Leipzig 1977.

Szagun, Gisela: Sprachentwicklung beim Kind. Eine Einführung. – München 1980.

Tesnière, Lucien: Grundzüge der strukturalen Syntax. [Original frz. Eléments de syntaxe structurale. 1966^2] . – Stuttgart 1980.

The Principles of the International Phonetic Association being a description of the International Phonetic Alphabet and the manner of using it [...]. – London 1982.

Trier, Jost: Der deutsche Wortschatz im Sinnbezirk des Verstandes. – Heidelberg 1931.

Wahrig, Gerhard: Deutsches Wörterbuch. – Gütersloh 1968.

Wängler, Hans-Heinrich: Atlas deutscher Laute. – Berlin 1974.

Weinreich, Uriel: Sprachen in Kontakt. Ergebnisse und Probleme der Zweisprachigkeitsforschung. [Original engl. Languages in contact. 1963]. – München 1976.

Wells, Christopher J.: Deutsch: eine Sprachgeschichte bis 1945. [Original German. A linguistic history to 1945. 1987]. – Tübingen 1989.

Wolf, Sigmund, A.: Rotwelsch, die Sprache sozialer Randgruppen. – In: OBST 16. 1980, S. 71–82.

Wolff, Gerhart: Deutsche Sprachgeschichte. Ein Studienbuch. – Frankfurt/M. 1986.

Zimmer, Dieter E.: So kommt der Mensch zur Sprache. Über Spracherwerb, Sprachentstehung und Sprache & Denken. – Zürich 1986a.

Zimmer, Dieter E.: Redens Arten. Über Trends und Tollheiten im neudeutschen Sprachgebrauch. – Zürich 1986b.

Sachregister